afgeschreven

WE GAAN NIET NAAR DE HEL VANNACHT

Alexandra Fuller

We gaan niet naar de hel vannacht
Een jeugd in Afrika

Vertaling Inge de Heer en
Johannes Jonkers

2002
Cargo
Amsterdam

Voor mama, papa en Vanessa
En ter nagedachtenis aan Adrian, Olivia en Richard

Met liefde

We gaan niet naar de hel vannacht,
want moeder is daar al.

A.P. Herbert

Rhodesië

1975

Mama zegt: 'Denk erom dat je 's nachts niet onze slaapkamer binnen komt sluipen.'

Ze slapen met geladen geweren naast zich op de beddenkleedjes. Ze zegt: 'Je mag ons niet laten schrikken als we slapen.'

'Waarom niet?'

'We zouden je kunnen doodschieten.'

'O.'

'Per ongeluk.'

'Oké.' Zoals de zaken staan lijkt de kans vrij groot dat ik expres word doodgeschoten. 'Oké, ik zal het niet doen.'

Dus als ik 's nachts wakker word en mama en papa nodig heb, roep ik Vanessa, omdat zij niet gewapend is. 'Van! Van, hé!' sis ik door de kamer tot ze wakker wordt. En dan moet Van een kaars aansteken en me begeleiden naar de wc, waar ik bij het flakkerende gele licht slaperig een plas doe en Van de kaars omhooghoudt, op haar hoede voor slangen, schorpioenen en baviaanspinnen.

Mama doodt geen slangen omdat ze volgens haar de ratten uitroeien (maar ze heeft een nest babymuizen uit de stallen gered en ze in mijn kast laten opgroeien waar ze gaten hebben gevreten in de wintertruien van ons gezin). Mama doodt ook geen schorpioenen; ze vangt ze en laat ze vrij in het zwembad, en Vanessa en ik moeten het zwembad uitkammen voordat we kunnen zwemmen. We smijten de schorpioenen zo ver we kunnen over het bruine, verdorrende gazon, jagen de eenden en ganzen het water uit en laten ons dan heel voorzichtig in het zwembad zakken, waarvan de wanden begroeid zijn met groene, lange, zacht en inhalig wuivende algen. En mama doodt ook geen spinnen omdat dat volgens haar ongeluk brengt.

Ik zeg tegen haar: 'We hebben nu al behoorlijk wat pech, dacht ik zo.'

'Kun je nagaan hoe erg het zou zijn als we spinnen zouden doden.'

Tijdens het plassen houd ik mijn voeten van de vloer.

'Schiet op, man.'

'Oké, oké.'

'Het lijkt de Victoria-waterval wel.'

'Ik moest heel nodig.'

Ik heb mijn plas heel, heel lang opgehouden, onderwijl uit het raam turend om te proberen te raden hoe lang het nog duurt voor het ochtend is. Misschien kan ik het tot de ochtend ophouden. Maar dan zie ik dat de hemel de diepzwarte tint heeft van het stille tijdstip van de nacht halverwege het ondergaan en het opkomen van de zon, wanneer zelfs de nachtdieren stil zijn – alsof ook zij, net als de dagdieren, midden in hun werkdag een pauze nemen om te rusten. Ik kan Vanessa niet horen ademen, ze is haar diepe middernachtelijke stilte binnengegaan. Papa snurkt niet en schreeuwt ook niet in zijn slaap. De baby is nog in haar wieg, maar haar geur is warm en dierlijk van haar natte luier. Het zal nog lang duren voor het ochtend is.

Dan geeft Vanessa mij de kaars: 'Jij moet nu voor mij op nikkeruitkijk gaan staan,' en ze doet een plas.

'Zie je wel, jij moest ook.'

'Alleen omdat jij moest.'

Er waait een warme bries door het raam, doordat de koude dalende nachtlucht de hitte van de dag naar boven verplaatst. De bries heeft middaggeuren in zich gevangen; het overheersende zoetige van het loogveld, de groene zeep die uit het wasgoed is gevloeid en op de aangestampte rode aarde is terechtgekomen, de houtrook van de vuren die ons water verhitten, de gekookt-vleesgeur van hondenvoer.

We discussiëren over de voordelen van het doortrekken van de wc.

'We mogen eigenlijk geen water verspillen.' Zelfs als er geen droogte heerst, mogen we geen water verspillen voor het geval er op een dag wél droogte heerst. Papa heeft in elk geval gezegd: 'Rustig aan met het wc-papier, meisjes. En die vervloekte wc niet de hele tijd doortrekken. Het loogveld kan het niet aan.'

'Maar dat daar zijn twéé plassen.'

'Nou en? Het is maar plas.'

'*Agh sis* man, maar morgen zal het stinken. En jij hebt geplast als een paard.'

'Daar kan ik niks aan doen.'

'Trek jij maar door.'

'Jij bent langer.'

'Ik houd de kaars vast.'

Van houdt de kaars omhoog. Ik doe het toiletdeksel naar beneden, ga erop staan, til het blok hardhout op dat de stortbak bedekt en reik naar de ketting. Mama heeft een plaatje uit een seksblad op dit blok hardhout geplakt: een blonde vrouw met weinig kleren aan en borsten als naakte koeienuiers. Ze staat pruilerig, helemaal gekromd, in een vreemde verwrongen houding, alsof ze het in haar rug heeft. Wat misschien ook zo is, door het gewicht van de uiers. Het plaatje komt uit *Scope*.

We mogen *Scope* niet inkijken.
'Waarom niet?'
'Omdat wij niet van dat soort mensen zijn,' zegt mama.
'Maar wij hebben een plaatje uit *Scope* op het deksel van de stortbak.'
'Dat is een grapje.'
'O.' En dan: 'Wat voor soort grapje?'
'Hou op met dat gekwetter.'
Stilte. 'Wat voor soort mensen zijn we dan?'
'Wij zijn van de beste soort,' zegt mama resoluut.
'O.' Zoals de melkkoeien en onze speciale, dure stieren (die Humani, Jack en Bulawayo heten).
'En dat is beter dan rijk zijn,' voegt ze eraan toe.
Ik kijk haar van terzijde aan, terwijl ik er even over nadenk. 'Ik zou liever rijk zijn dan van de beste soort,' zeg ik.
Mama zegt: 'Iederéén kan rijk zijn.' Alsof het iets is wat je kunt oplopen in de openbare toiletten van het warenhuis Okay Bazaar in Umtali.
'Ja, maar wij niet.'
Mama zucht: 'Ik probeer te lezen, Bobo.'
'Kun je mij voorlezen?'
Mama zucht weer. 'Vooruit,' zegt ze, 'één hoofdstuk dan.' Maar pas rond theetijd kijken we op van *De prins en de bedelaar*.

De wc gorgelt en sputtert en dan komt er een stortvloed van water naar beneden, die de pot een beetje doet overstromen.
'*Sis* man,' zegt Vanessa.
Je weet nooit waar je aan toe bent met deze wc. Soms weigert hij gewoon door te spoelen en dan weer is het zoals nu, water op onze voeten.

Ik loop achter Vanessa aan terug naar de slaapkamer. Het kaarslicht valt op zo'n manier dat we in duisternis lopen, verblind door de kaarsvlam, niet in staat onze voeten te zien. Dus krijgen we op hetzelfde moment koude rillingen, de terrorist-onder-het-bed-rillingen die de nekharen rechtovereind doen staan, en geven we ons over aan angst. De kaars waait uit. We schieten onze kamer in, springen op bed en trekken snel onze voeten in. We hijgen allebei, voelen ons dwaas en proberen onze ademhaling in bedwang te houden alsof we helemaal niet bang waren.

Vanessa zegt: 'Er zit een terrorist onder je bed, ik kan hem zien.'

'Niet waar, hoe kun je hem dan zien? De kaars is uit.'

'*Kzweertje.*'

En ik begin te huilen.

'*Jeetje*, ik maak maar een grapje.'

Ik ga nog harder huilen.

'Sssst, man. Je maakt Olivia wakker. Je maakt mama en papa wakker.'

En dat is precies wat ik probeer te doen, zonder doodgeschoten te worden. Ik wil dat iedereen wakker wordt en lawaai maakt om de terrorist-onder-mijn-bed weg te jagen.

'Hier,' zegt ze, 'je mag met Fred slapen als je ophoudt met huilen.'

Dus hou ik op met huilen en trippelt Vanessa de cementen vloer over en brengt me de kat, diep in slaap in een slakkenrolletje op haar armen. Ze legt hem op het kussen en ik leg een arm over het trillende, spinnende lijfje. Fred vindt mijn oorlel en begint te sabbelen. Hij heeft altijd op onze oorlellen gesabbeld. Ons haar is bij de oren tot dunne, slijmerige, verknoopte touwtjes gesabbeld.

Mama zegt: 'Geen wonder dat jullie voortdurend wormen hebben.'

Ik lig met mijn armen over de kat, wakker en wachtend. De kamer vult zich met het Afrikaanse ochtendkrieken, lawaaierig van dieren, de bedienden, papa die wakker wordt en een tractor die ergens op de werkplaats sputterend tot leven komt. De bantammerhennen beginnen te kakelen en zich uit te rekken en tuimelen van hun roesten in de boom achter de badkamer om naar de weerspiegeling van zichzelf in het raam te pikken. Mama komt binnen, ruikend naar Vicks Vaporub, thee en warm bed, en tilt de slapende baby op naar haar schouder.

Ik hoor July de thee op de veranda klaarzetten en ruik de eerste, verse schroeilucht van papa's ochtendsigaret. Ik zet Fred op mijn schouder en kom naar buiten voor de thee; sterk, zonder suiker en met een wolkje melk, zoals mama het lekker vindt. Fred krijgt een schoteltje melk.

'Morgen wijfie,' zegt papa, zonder naar me te kijken, rokend. Hij tuurt naar de heuvels in de verte, waar de grens tussen Rhodesië en Mozambique blauwgrijs oplost, zelfs in de vóór-wazige helderheid van de vroege ochtend.

'Morgen, papa.'

'Goed geslapen?'

'Als een blok,' zeg ik tegen hem. 'Jij?'

Papa gromt, wrijft met zijn voet zijn sigaret uit, drinkt zijn theekop leeg, zet zijn bush-hoed op zijn hoofd en stapt met grote passen het erf op. Hij wil zoveel mogelijk profiteren van het beetje frisheid dat de nacht voor ons heeft overgelaten om de toenemende kleffe hitte van de dag mee te bestrijden.

Paarden –
Serioes Farm

Hoe we er kwamen

ZAMBIA, 1987

In het begin, vóór de onafhankelijkheid, zit ik uitsluitend met blanke kinderen op school. *A*-scholen worden ze genoemd: superieure scholen met de beste leraren en faciliteiten. De zwarte kinderen gaan naar *c*-scholen. Tusseninkinderen, die zwart noch blank zijn (Indiaas of een mengeling van rassen) gaan naar *B*-scholen.

De Indiërs en kleurlingen (die noch helemaal het één noch helemaal het ander zijn) en zwarten worden in het jaar dat ik elf word, wanneer de oorlog voorbij is, tot mijn school toegelaten. De zwarten lachen me uit wanneer ze me helemaal ontkleed zien na het zwemmen of het tennissen en mijn schouders en armen venijnig zonnebrandrood zijn.

'Getver! Ik ruik schroeiend varkensvlees!' gillen ze.

'Wie heeft het spek gebakken?'

'Brandend varkentje!'

Mijn god, ik heb de verkéérde kleur. Zoals ik door de zon verbrand, door rondvliegend zand verzengd, door de hitte geïrriteerd word. Zoals mijn huid in miniatuurvulkanen van protest uitbreekt in aanwezigheid van tseetseevliegen, muskieten, teken. Zoals ik, in de ogen van een *gook* met een geweer, als een enorme marshmallow tegen de kakikleurige bush afsteek. Blank. Afrikaans. Blank-Afrikaans.

'Wat ben jij eigenlijk?' wordt me uitentreuren gevraagd.

'Waar kom je oorsprónkelijk vandaan?'

Ik begon toen, aan wal stappend vanaf een hete, droge boot.

Toen ik verbijsterd met de ogen knipperend uit de worstdarm van de trein naar buiten keek.

Toen ik aankwam in Rhodesië, Afrika. Uit Derbyshire, Engeland. Ik was twee jaar, ontsteld, en sprak peuter-Engels. Longen geschokt door dikke, hete, vochtige lucht. Zintuigen verpletterd onder het gewicht van zoveel prikkels.

Ik zeg: 'Ik ben Afrikaans.' Maar niet zwart.

En ik zeg: 'Ik ben in Engeland geboren,' per ongeluk.

Maar: 'Ik heb in Rhodesië gewoond dat nu Zimbabwe is en in Malawi dat vroeger Nyasaland was en in Zambia dat vroeger Noord-Rhodesië was.'

En daar voeg ik aan toe: 'Nu woon ik in Amerika,' als gevolg van mijn huwelijk.

En (volledige onthulling): 'Maar mijn ouders zijn geboren uit Schotse en Engelse ouders.'

Wat ben ik dus al met al?

Mama weet ook niet wie ze is.

Ze heeft een keer een hele nacht huilend naar Schotse muziek zitten luisteren.

'Deze muziek,' haar neus trilde, 'is zo mooi. Het doet me zo naar thuis verlangen.'

Mama heeft op drie jaar na haar hele leven in Afrika gewoond.

'Maar dít is toch je thuis.'

'Maar mijn hart,' mama probeert op haar borst te bonken, 'is Schots.'

Schei toch uit. 'Je had een hekel aan Engeland,' breng ik naar voren.

Mama knikt met schommelend hoofd, als een kuiken met een gebroken nek. 'Je hebt gelijk,' zegt ze. 'Maar ik hou van Schotland.'

'Wat,' vraag ik uitdagend, 'vind je zo leuk aan Schotland?'

'O, de... de...' Mama fronst naar me, controleert of ik haar niet voor de gek houd. 'De muziek,' zegt ze ten slotte, en begint weer te huilen. Mama haat Schotland. Ze haat wetten tegen rijden onder invloed en ze haat de kou. De kou maakt haar aan het huilen, en daarna krijgt ze malaria.

Haar ogen hangen halfstok. Zo noemen mijn zus en ik het wanneer mama dronken is en haar oogleden gaan zakken. Halfstok-ogen. Zoals de vlag bij het postkantoor, telkens wanneer er een belangrijk persoon sterft, wat in Zambia zo'n beetje om de week gebeurt. Mama staart naar onze weiden waar het vee voor het avondlijke drenken komt aanlopen, op weg naar de trog naast de stallen. De zon is vol en zwaar boven de heuvels die de grens tussen Zambia en Zaïre aangeven. 'Drink een glaasje mee, Bobo,' biedt ze aan. Ze probeert een klopje te geven op de stoel naast zich, mist, en slaat zwakjes in de lucht, haar arm als een gebroken vleugel.

Ik schud mijn hoofd. Normaal gesproken vind ik het niet erg om zoetjes dronken te worden naast het langzaam in elkaar zakkende hoopje dat mama is, maar ik moet de volgende dag terug naar kostschool, negen uur met de pick-up, de grens over naar Zimbabwe. 'Ik moet pakken, mama.'

Die middag was mama urenlang bezig om een negen meter lang snoer rond de bomen in de tuin te wikkelen zodat ze de World Service van de BBC kan ontvangen. De herkenningsmelodie knettert over het stroopgele licht van

17

vier uur, net wanneer de zon boven de msasabomen gaat staan. 'Lily Bolero,' zegt mama, 'dat is Iers.'

'Je bent niet Iers,' breng ik naar voren.

Ze zegt: 'Heb ik ook nooit gezegd.' En vervolgens, daarop voortbordurend: 'Waar is de whisky?'

We moeten de 'Lily Bolero'-herkenningsmelodie van de BBC duizenden keren hebben gehoord. Miljoenen misschien wel. Voor en na elke nieuwsuitzending. Om het hele uur. Sputterend van de ruis door de tuin van ons huis; detonerend vanaf de takken van acaciabomen op onze diverse kampeerplekken in de bush; galmend in de badkamer in de avond.

Maar je weet nooit wat mama zal doen losbarsten. Misschien is het het samenvallen van Lily Bolero met het einde van de namiddag, wat een rijk, zoet, verkoelend, melancholiek moment van de dag is.

'Je vader was van oorsprong Engels,' zeg ik tegen haar, omdat het verloop hiervan me niet bevalt.

Ze zegt: 'Dat telt niet. Schots bloed wist Engels bloed uit.'

Tegen de tijd dat ze een kwart fles whisky gedronken heeft, ontvangen we Bush House in Londen niet meer en sist de radio tegen zichzelf vanonder zijn pony van bougainville. Mama heeft haar oude Schotse platen tevoorschijn gehaald. Het zijn er drie. Drie platen van mannen in kilts die doedelzak spelen. Op de foto's marcheren ze blindelings (hoe kunnen zie iets zien onder die dodeberenhoeden?) over mistige Schotse keienstraatjes, waarbij hun gezichten geheel schuilgaan achter hun enorme instrumenten. Mama zet de muziek zo hard mogelijk, neemt de whisky mee naar de veranda en gaat in kleermakerszit op een picknickstoel zitten, neuriënd en starend naar de met nacht toegedekte boerderij.

Die kleermakerszit is een overblijfsel van een korte periode uit mama's leven waarin ze aan de hand van een boek aan yoga ging doen. Dat was beter dan de korte periode in haar leven waarin ze de mogelijkheid onderzocht om zich tot de Jehova's Getuigen te bekeren. En beter dan de tijd waarin ze op een rommelmarkt een boek kocht over buikdansen en haar technieken op elke bar ten noorden van de Limpopo-rivier en ten zuiden van de evenaar uitprobeerde.

De paarden schuifelen rusteloos in hun stallen. De nachtapen krijsen vanaf de toppen van de glinsterend bebladerde msasabomen. De honden heffen een blafkoor aan en zullen daar niet mee ophouden tot we ze binnenlaten, allemaal behalve mama's trouwe spaniël die niet van haar zijde zal wijken, zelfs niet wanneer ze, zoals papa het noemt, 'een dipje' heeft. Dat is het wat ze nu heeft: een 'dipje'. De radio sist, om af en toe als een dronkeman in flarden gezang uit te barsten (Spaans of Portugees) of in het Duits, Afrikaans of met een overdreven Amerikaans accent te gaan babbelen. '*This is the Voice of America.*' En daarna giert hij: 'Bieee-ooooieee!'

Papa en ik gaan met de helft van de honden naar bed. De andere helft van de roedel maakt het zich gemakkelijk op de stoelen in de zitkamer. Papa is doof sinds acht jaar geleden zijn trommelvliezen zijn geknapt in de oorlog in Rhodesië, zoals het toen nog heette, het huidige Zimbabwe. Ik bedek mijn hoofd met een kussen. Ik kan mama's stem horen, hoog en onvast, trillend bij de hoge tonen: *Speed, bonny boat, Like a bird on the wing, Over the sea to Skye*, en dan is ze de woorden kwijt en begint ze met harde stem, om het gebrek aan woorden goed te maken, 'La, la la laaaa!' te zingen. In de andere kamer, aan het einde van de gang, ligt papa te snurken.

's Ochtends is mama nog steeds op de veranda. De platen zwijgen. Het dienstmeisje veegt om haar heen de vloer. De radio hangt in de boom en is nuchter geworden, met een waas van glanzende dauw over zijn zilveren gezicht, en vertelt ons met een afgemeten Engelse tongval het nieuws. 'Dit is Londen,' zegt hij met een uitgestreken gezicht, terwijl de melkkoeien de melkschuur in worden gebracht en de nachtapen zich boven ons hoofd oprollen om te gaan slapen en de Kaapse tortelduiven '*Werk-hard-er*, *werk-hard-er*' beginnen te roepen. Een roep die de hele dag klinkt maar die ik desondanks associeer met de ochtend en die me doet verlangen naar een kop thee. De klokken van de Big Ben klinken op vanuit het verre, in staalgrijze dageraad gehulde Londen, waar forenzen weldra uit metrostations of rode dubbeldekkerbussen zullen stromen, zoals het verstandige mensen betaamt. Het is vijf uur Greenwichtijd.

Toen ik klein was geloofde ik dat het *Grieneens*-tijd heette omdat het Engelse tijd was. Ik geloofde dat Afrikaanse tijd *Lacheens*-tijd was.

De honden liggen in uitgeputte hoopjes op het meubilair in de zitkamer met hun poten over hun oren. Ze kijken op naar papa en mij als we binnen komen lopen voor ons vroege kopje thee dat we gewoonlijk op de veranda drinken, maar dat de kok in de zitkamer heeft neergezet omdat mama met haar voorhoofd op de picknicktafel ligt waar hij het blad gewoonlijk neerzet. Nog steeds in kleermakerszit. Nog steeds zingend. Ik durf te wedden dat vrijwel niemand die aan yoga doet, dát klaarspeelt.

We proppen mama in de achterbak van de pick-up bij mijn koffer, schooltas, boeken en de reservebanden, naast de half afgebouwde generator die we ter reparatie meenemen naar Lusaka. Ze neuriet *Flower of Scotland*. En dan stappen papa en ik voor in de pick-up en beginnen we de boerderijweg af te rijden. Ik sta op het punt in tranen uit te barsten. Daar gaan de paarden; twee witte gezichten en één zwart gezicht turen over de staldeuren, wachtend tot Banda ze hun ontbijt brengt. En daar komen de honden aanrennen, oorflappend-hoopvol achter de pick-up aan, trachtend ons over te halen te stoppen en ze mee te laten rijden in de achterbak. En daar gaat de oude kok, krom en zwaar, zijn benige schouders uit de bovenkant van zijn tot op de draad versleten kakiuniform stekend. Hij is bijna zeventig en is net vader geworden van de zoveelste baby. Hij ziet er uitgeput uit. Hij zit in de deuropening van de keuken met een joint ter grootte van een worst bungelend aan zijn onderlip; een geurig kussen van blauwe marihuanarook hangt boven zijn hoofd. Marihuana groeit goed achter de stallen, waar het gedijt op paardenstront, koeienmest en gejatte kunstmest die voor papa's sojabonenoogst bestemd is. Adamson heft één oude hand als groet. De tuinman staat in de houding, leunend op zijn bushbezem waarmee hij bladeren van de stoffige oprijlaan afveegt. 'Juffrouw Bobo,' zegt hij geluidloos en heft zijn vuist in een Black-Power-saluut.

Mama leunt even gevaarlijk over de rand van de pick-up om de honden een kushandje te geven. Ze wuift een ogenblik koninklijk naar het personeel, en zijgt dan weer neer in de vouwen van het zeildoek.

Papa biedt me een sigaret aan. 'Nu kan het nog,' zegt hij.

'Dank je.' We zitten een tijdje samen te roken.

Papa zegt. 'Het is zwaar als je niet mag roken.'

Ik knik.

'Niet roken op school, hoor.'

'Goed.'

'Daar zijn ze vast niet van gediend.'

'Klopt.'

Het is over zevenen 's ochtends wanneer we het erf verlaten. Ik moet om half zes 's avonds op school zijn voor het intekenen en het avondmaal. Dus hebben we een halfuur over voor zaken en lunch in Lusaka en een uur om door de grens tussen Zimbabwe en Zambia te komen.

Ik zeg: 'Wees vandaag nou maar beleefd tegen de kerels bij de grens. We hebben geen tijd voor gesodemieter.'

'Vervloekte bavianen,' mompelt papa.

Wanneer we in Lusaka zijn aangekomen, geven papa en ik de generator af bij de Indiase werkplaats op Ben Bella Road.

'Hallo, meneer Fuller,' zegt de Indiër, terwijl zijn hoofd schommelt als een klosje garen op een naaimachine. 'Kom binnen, kom binnen, voor thee? Koffie? Ik heb iets wat ik u wil laten zien.'

'Vandaag niet,' zegt papa, terwijl hij de man wegwuift, 'grote haast met mijn dochter, snap je,' hij praat met opeengeklemde tanden.

Hij stapt in de pick-up. Steekt een sigaret op. 'Vervloekte Indiërs,' mompelt hij als hij achteruit het erf afrijdt, 'voeren altijd iets in hun schild.'

We kopen gekookte eieren en sneeën wit maïsbrood bij een stalletje aan de kant van Cha Cha Cha Road, vlakbij de rotonde die naar Kafue, de sportsociëteit of naar huis leidt, afhankelijk van waar je afslaat. We wuiven met wat voedsel naar mama, maar ze beweegt zich niet. Ze heeft een beetje olie op haar gezicht van de generator, die dik, zwart motorbloed heeft gelekt. Verder ziet ze spierwit, op het groene af.

We stoppen vóór Chirundu, het hete plaatsje van niets aan de Zambezi-rivier dat de grensovergang met Zimbabwe markeert, om ons ervan te vergewissen dat ze nog leeft. Papa zegt: 'We krijgen moeilijkheden als we met een lijk de grens over proberen te komen.'

Mama heeft het zeildoek losgemaakt dat was bedoeld om het stof uit mijn schoolkleren te houden, en heeft zich erin gewikkeld. Ze slaapt met een glimlachje om haar lippen.

Papa houdt zijn wijsvinger onder haar neus om te voelen of ze ademt. 'Leeft nog,' meldt papa, 'hoewel ze nu in de verste verte niet op haar paspoortfoto lijkt.'

Terwijl we langzaam de smeltendhete, teermacadam-glimmende parkeerplaats voor het douanegebouw oprij-den (gebroken ramen die als dun ijs in de witte zon glan-zen) horen we aan het geschuifel in de achterbak dat mama weer tot leven komt. Ze neemt behoedzaam een zittende houding aan, het enorme zeildoek over haar schouders als een volumineuze, plastic operacape, ondanks de ovenach-tige hitte. Ze zingt: 'Hoezee, ik ben een rover!'

'Christus,' mompelt papa.

Mama heeft in elke bar onder de Zuid-Afrikaanse zon die ze ooit is binnengestapt *Hoezee, ik ben een rover* gezon-gen.

'Leg je moeder het zwijgen op, wil je?' zegt papa, terwijl hij met een vuistvol paspoorten en papieren uit de pick-up stapt. 'Hmm?'

Ik loop naar de achterbak: 'Ssst! Mama! Hé mama, we zijn nu bij de grens. Ssst!'

Ze komt met waterige oogjes uit de vouwen van het zeil-doek tevoorschijn. 'Ik haal het snelst de trekker over,' zingt ze luidkeels.

'Heel fijn.' Ik laat me weer voor in de pick-up glijden en steek een sigaret op. Er is al eens op me geschoten vanwe-ge mama en haar gezang. Ze heeft me ooit gedwongen haar om twee uur 's nachts naar onze buren te rijden om 'Hoezee, ik ben een rover' voor ze te zingen en toen heeft hij zijn geweer op ons gericht en geschoten. Hij is Joego-slaaf.

De douanebeambte komt naar buiten om ons voertuig te inspecteren. Ik grijns maniakaal naar hem.

Hij loopt met stijve benen om de auto heen, als een hond die zich afvraagt tegen welke band hij zal gaan pissen. Hij zwaait met zijn AK 47 in het rond alsof het een tennisracket is.

'Uitstappen,' zegt hij tegen me.

Ik stap uit.

Papa krijgt de kriebels. Hij zegt: 'Rustig aan met die stok, hè?'

'Wat?'

Papa haalt zijn schouders op, steekt een sigaret op. 'Kun je dat vervloekte geweer niet stilhouden?'

De beambte brengt zijn loop op één lijn met papa's hart.

Mama komt weer onder de plooien van het zeildoek vandaan. Haar halfstok-ogen lichten op.

'Muli bwanje?' brengt ze moeizaam uit. Hoe maakt u het?

De douanebeambte kijkt haar verrast aan. Hij laat zijn geweer ontspannen tegen zijn heup hangen. Er speelt een glimlach om zijn lippen. 'Uw vrouw?' vraagt hij aan papa.

Papa knikt, rookt. Ik druk mijn sigaret uit. We hopen allebei dat mama niet iets zegt waardoor we de kogel krijgen.

Maar haar mond splijt zich tot een overdreven glimlach, rijen tanden. Ze knikt naar papa en mij: *'Kodi ndipite ndi taxi?'* vraagt ze. Kan ik beter een taxi nemen?

De douanebeambte leunt ter ondersteuning op zijn geweer (hand op het uiteinde van de loop) en lacht, zijn hoofd in zijn nek werpend.

Mama lacht ook. Als een kleine hyena. 'Hi-hi,' een beetje piepend van al het stof dat ze die dag heeft ingeademd. Ze heeft een stofsnor, stofringen rond haar ogen, stof waar het voorhoofd aan de haarlijn grenst.

'Moet u horen,' zegt papa tegen de douanebeambte, 'mogen we vertrekken? Ik moet mijn dochter vandaag nog op school zien te krijgen.'

De douanebeambte wordt plotseling zakelijk. 'Ah,' zegt hij, waarbij zijn stem dreigt met een, als hij dat wil, uren durende vertraging. 'Waar is mijn cadeau?' Hij wendt zich tot mij: 'Zusje? Wat heb je vandaag voor me meegebracht?'

Mama zegt: 'U kunt háár krijgen, als u wilt,' en verdwijnt onder haar zeildoek. 'Hi, hi.'

'Sigaretten?' bied ik aan.

Papa mompelt: 'Vervloekte...' en slikt de rest van zijn woorden in. Hij stapt in de pick-up en steekt een sigaret op, strak voor zich uit starend.

De douanebeambte opent uiteindelijk het hek wanneer hij in het bezit is gekomen van een slof Peter-Stuyvesant-sigaretten (de mijne, bestemd voor school), een stuk Palmolive-zeep (ook bestemd voor school), driehonderd kwacha en een fles cola.

Terwijl we de brug op hobbelen die de Zambezi overspant, hangen papa en ik uit onze raampjes, om te zien of we nijlpaarden in het water kunnen ontdekken.

Mama is weer onder het zeildoek vandaan gekomen om 'Vrolijk, vrolijk Afrika' te zingen.

Als ik niet op de terugweg was naar school, zou ik in de zevende hemel zijn.

Kelvin

Kelvin

ZAMBIA, 1999

'Kijk,' zegt mama, terwijl ze zich wijzend over de tafel buigt. Haar wijsvinger is verweerd, afgestompt van het werk: jaren van in een tuin graven, paarden, koeien, vee, houtbewerking, tabak. 'Kijk, we hebben ervoor gevochten om in één land in Afrika het blanke bestuur te handhaven,' – ze houdt op met wijzen naar onze verbaasde gast om nog een slok wijn te nemen – 'in één land maar.' Ze zakt nu verslagen terug in haar stoel: 'We hebben twee keer verloren.'

De gast is beleefd, een aardige Engelsman. Hij is naar Zambia gekomen om de Afrikanen te leren hoe ze genationaliseerde bedrijven moeten beheren om ze aantrekkelijk te maken voor investering uit het buitenland, nu we geen Sociale Humanisten meer zijn. Nu we een democratie zijn. Haha. Soortement.

Mama zegt: 'Als we in één land het blanke bestuur hadden kunnen handhaven, zou het een oase zijn geweest, een toevluchtsoord. Ik bedoel, moet je nou eens kijken wat een puinhoop. Waar je ook kijkt is het een vreselijke puinhoop.'

De gast zegt niets maar zijn glimlach is verbijsterd, geamuseerd. Ik kan zien dat hij denkt: mijn god, ze zullen dit thuis nooit geloven als ik ze dit vertel. Hij bewaart dit gesprek voor later. Hij is een eendagsvlieg. Dit soort mensen houdt het nooit meer dan twee malariaseizoenen uit, hoogstens. Dan zal hij naar Engeland teruggaan en voor de rest van zijn leven zeggen: 'Toen ik in Zambia was...'

'Lekkere maaltijd, Tub,' zegt papa.

Mama heeft het eten niet gekookt. Kelvin heeft het eten gekookt. Maar mama heeft Kelvin 'georganiseerd'.

Papa steekt na het eten een pijp op en rookt bedaard. Hij leunt achterover in zijn stoel zodat er op zijn schoot tussen zijn slanke buik en de tafel plaats is voor zijn hond. Hij staart naar buiten, de tuin in. De zon is als een rode bal ondergegaan achter de stille, uitgestrekte, zwarte takken van de msasabomen op Oribi Ridge, de plaats waar mijn ouders na mijn trouwen naartoe zijn verhuisd. De eetkamer heeft maar drie muren: hij ligt open naar de bush; naar de kreten van de nachtinsecten; de gillen van de kleine, opgejaagde dieren; de vleermuizen die de eetkamer in en uit fladderen, duikend boven ons hoofd om muskieten te eten. Aan de ruwe, gewitte cementen muren zit een assortiment motten, hagedissen en gekko's vastgekleefd, die bij tijd en wijle een hoge, scherpe lach laten horen: 'Hè-hè-hè.'

Mama schenkt zichzelf nog wat wijn in, waarbij ze de fles leegt, en zegt dan fel tegen onze gast: 'Dertienduizend Kenianen en honderd blanke kolonisten zijn gesneuveld in de strijd voor Kenia's onafhankelijkheid.'

Ik kan zien dat de bezoeker niet weet of hij geïmponeerd

dan wel gedeprimeerd moet kijken. Hij kiest voor een blik van vage verrassing. 'Daar wist ik niets van.'

'Natuurlijk wisten jullie stommelingen daar niets van,' zegt mama. 'Honderd... van ons.'

'Rustig aan, Tub,' zegt papa, de hond aaiend en rokend.

'Van 1947 tot 1963,' zegt mama. 'We hebben verdomme bijna twintig jaar lang geprobeerd het vol te houden,' ze balt haar vuist. De pezen in haar hals staan strak en ze ontbloot haar tanden: 'En waarvoor allemaal? En wat hebben ze er nu een puinhoop van gemaakt. Hmm? Een godsgruwelijke puinhoop.'

Na de onafhankelijkheid werd Kenia bestuurd door Mzee, de nestor, Jomo Kenyatta. Hij werd geboren in 1894, het jaar voordat Groot-Brittannië Kenia had uitgeroepen tot een van zijn protectoraten. Hij was in 1963 aan de macht gekomen, op negenenzestigjarige leeftijd, een oude man die eindelijk het doel van zijn levenswerk had bereikt: zelfbestuur voor Afrikanen in Afrika.

Papa zegt op milde toon: 'Zal ik Kelvin vragen de tafel af te ruimen?'

Mama zegt: 'En Rhodesië. Duizend regeringssoldaten gesneuveld.' Ze wacht even: 'Veertienduizend terroristen. Zo bezien hadden we moeten winnen, alleen: zij waren in de meerderheid.' Mama drinkt, strijkt met haar tong langs haar bovenlip: 'Natuurlijk konden we niet in Kenia blijven na Mau Mau.' Ze schudt haar hoofd.

Kelvin komt de tafel afruimen. Hij probeert met het loon dat hij verdient als huisknecht van mama en papa, zijn eigen elektriciteitszaak op te zetten.

Mama zegt: 'Bedankt, Kelvin.'

Kelvin is vandaag bijna doodgegaan. Horendol geworden van de vliegen in de keuken had hij de twee deuren en het enige kleine raampje in het vertrek dichtgedaan en er vervolgens een heel blik insectenverdelgingsmiddel in geleegd. Mama had hem vlak voor de middagthee stuiptrekkend op de keukenvloer aangetroffen.

'Stomme idioot.' Ze had hem het gazon op gesleept, waar hij nog een paar minuten lag te kronkelen en te schokken totdat mama een emmer koud water in zijn gezicht plensde. 'Idioot!' gilde ze. 'Je had jezelf wel kunnen doden.'

Nu ziet Kelvin er even beheerst en sereen uit als altijd. Jezus, zo heeft hij me verteld, is zijn Verlosser. Hij heeft een babyzoon genaamd Elvis, vernoemd naar die andere King.

Papa zegt: 'Breng nog eens wat biertjes, Kelvin.'

'Ja Bwana.'

We begeven ons naar de picknickstoelen rond het houtvuur op de veranda. Kelvin brengt ons nog wat biertjes en ruimt de overgebleven borden af. Ik steek een sigaret op en laat mijn voeten steunen op het koude uiteinde van een brandend houtblok.

'Ik dacht dat je was gestopt,' zegt papa.

'Klopt.' Ik gooi mijn hoofd achterover en kijk naar de lichtgrijze rook die ik uitblaas tegen de zwarte lucht, naar het oplichtende rood aan de punt van mijn sigaret tegen de diepe eeuwigheid. De sterren zijn zilveren buizen van licht die eindeloos, jaren en lichtjaren in zichzelf teruggaan. De wind verandert rusteloos van richting. Misschien zal het over pakweg een week gaan regenen. Houtrook krult zich rond mijn schouders, blijft lang genoeg hangen om mijn haar en huid met zijn geur te doortrekken en dwarrelt dan naar papa. Wij tweeën zitten stil te luisteren naar mama en haar vastgelopen plaat 'Tragedies in ons leven'. Wat de geduldige, aardige Engelsman niet weet en papa en ik allebei wel weten, is dat mama nog maar bij hoofdstuk één is.

Hoofdstuk een: De oorlog;
Hoofdstuk twee: Dode kinderen;
Hoofdstuk drie: Waanzin;
Hoofdstuk vier: Hoe het is om Nicola Fuller van
Centraal-Afrika te zijn.

Hoofdstuk vier is eigenlijk een subhoofdstuk van de andere hoofdstukken. We zijn bij hoofdstuk vier wanneer mama tot rust is gekomen, nadat ze zoveel heeft gedronken dat elke porie van haar lichaam doordrenkt is. Ze zit in de yoga-kleermakerszit en staart met een blik van versufte verwondering naar de tuin en naar de dag die aanbreekt achter een waas van houtrook en een dunne grijsbruine band van stof en vervuiling die boven de stad Lusaka hangt. En ze denkt: zo is het dus om Mij te zijn.

Kelvin komt aanlopen: 'Welterusten.'

Mama zit al in de yoga-kleermakerszit, een drankje wiegend op haar schoot. 'Welterusten Kelvin,' zegt ze met grote nadruk, bijna met respect (een droevig, waardig respect). Alsof hij dood is en zij de eerste kluit aarde op zijn kist werpt.

Papa en ik verontschuldigen ons, verzamelen een aantal honden en begeven ons naar onze slaapkamers; we laten mama, de Engelsman en twee duikende vleermuizen achter in het gezelschap van het dovende vuur. De Engelsman, die tijdens een groot deel van het avondeten angstvallig de vleermuizen in de gaten heeft gehouden en telkens wanneer er een over de tafel fladderde, is weggedoken, is nu zover dat hij zich geen zorgen meer maakt over vleermuizen.

Door mama gestrikte gasten hebben hun eigen hoofdstukken.

Hoofdstuk een: Verrukking;
Hoofdstuk twee: Lichte dronkenschap gepaard met toenemend ongeloof;

30

Hoofdstuk drie: Zware dronkenschap gepaard met toenemende paniek;
Hoofdstuk vier: Bewusteloosheid.

Ik ben hier op bezoek uit Amerika. Sigaretten rokend terwijl ik dat niet zou moeten doen. Zorgeloos drinkend onder een ontzagwekkende Afrikaanse hemel. Ik voel me zo
gelukkig dat ik thuis ben, dat het is alsof ik in siroop zwem.
Mijn bed staat het dichtst bij het raam. Het oranje licht
van het dovende vuur gloeit tegen mijn slaapkamermuur.
De kamer ruikt bitterzoet van de houtrook. De honden
vechten om een plaats op het bed. De oude, tandeloze spaniël op het kussen, één Jack Russell bij elke voet.
    'Rhodesië werd bestuurd door een blanke man, Ian
Douglas Smith, herinnert u zich hem?'
    'Natuurlijk,' zegt de ongelukkige, gevangen gast, inmid-
dels te dronken om uit de voeten te kunnen op de steile,
stoffige, door dikke, zwartgeschorste bomen omzoomde
oprijlaan naar de lange, met rode poeder bedekte weg die
terugvoert naar Lusaka, waar hij een mooi, in Europese
stijl gebouwd huis heeft met een bediende die vroeger bij
de ambassade werkte, en een bewaker (compleet met ge-
trainde Duitse herder). Nu zal hij, in plaats van terug te
gaan naar zijn bewaakte suburbia van een Afrikaanse stad,
opblijven tot het ochtendkrieken, drinkend met mama.
    'Hij kwam in 1964 aan de macht. Op elf november 1965
verklaarde hij Rhodesië onafhankelijk van Groot-Brittannië in een Unilaterale Verklaring van Onafhankelijkheid.
Hij liet er geen twijfel over bestaan dat er in Rhodesië
nooit een meerderheidsregering zou komen.' Zelfs wanneer mama zo dronken is dat ze haar yogaoefeningen gaat
doen, kan ze zich de belangrijkste data met betrekking tot
Onze Tragedies nog herinneren.
    'Dus we verhuisden daar in 1966 naartoe. Onze dochter
– Vanessa, onze oudste – was nog maar een jaar. We waren

ertoe bereid,' mama's stem wordt passend dramatisch, 'onze baby een oorlog in te slepen om maar in een land te kunnen wonen waar de blanken nog steeds heersten.'

Bumi, de spaniël, duwt haar kin in het kussen naast mijn hoofd, waar ze gromt van tevredenheid voordat ze begint te snurken. Ze heeft een dode-konijnenadem. Ik draai me om, mijn gezicht van het hare afgewend, en ga slapen.

Het laatste wat ik hoor, is mama die zegt: 'We waren bereid te sterven, ziet u, om in één land het blanke bestuur te handhaven.'

's Ochtends is mama Hoofdstuk vier, idioot in zichzelf glimlachend, een warm, verschaald biertje tussen haar dijen geklemd, haar hoofd scheef. Ze staart mistroostig de rozegele dageraad in. De gast is ook Hoofdstuk vier, treurig op het gazon liggend. Hij ligt niet te stuiptrekken, maar in bijna alle andere opzichten is de overeenkomst met hoe Kelvin er gistermiddag uitzag verbazingwekkend groot.

Kelvin heeft de thee gebracht en dekt de tafel voor het ontbijt alsof Alles Normaal is.

En dat is het ook. Wat ons betreft.

Het dorp

Chimurenga

In april 1966, het jaar dat mijn ouders met hun baby naar Rhodesië verhuisden, viel het Afrikaanse Nationale Bevrijdingsleger van Zimbabwe (ZANLA) de regeringstroepen in Sinoia aan om te protesteren tegen Smiths unilaterale onafhankelijkheidsverklaring en om te vechten voor een meerderheidsregering.

Sinoia, een verbastering van Chinhoyi, was de naam van de plaatselijke leider in 1902.

De Tweede Chimurenga werd het genoemd door de zwarte Afrikanen in Rhodesië, deze oorlog waarvan de schermutseling in 1966 in Sinoia pas het begin was.

Chimurenga. Een poëtische, Shona-manier om 'bevrijdingsoorlog' te zeggen.

Zimbabwe noemden ze het land. Van *dzimba dza mabwe*: 'huizen van steen'.

De blanken noemden het geen *Chimurenga.* Zij noemden het 'de problemen', 'die vervloekte onzin'. En soms 'de oorlog'. Een oorlog begonnen door 'Arrogante Zwarten', 'Brutale *Kaffers*', 'Bolsjewistische *Muntus*', 'Rusteloze inboorlingen', 'De *Hotes*'.

33

Zwarte Rhodesiërs zijn bij blanke Rhodesiërs ook bekend onder de namen: *Gondies, Boogs, Toeys, Zots, Nig-Nogs, Wogs, Affies*.

We noemen de zwarte vrouwen *Kinderjuf*, en de zwarte mannen *Jongen*.

De eerste *Chimurenga* vond lang geleden plaats. Een paar jaar nadat de kolonisten hier waren gekomen. De loper was bij wijze van spreken nog niet uitgelegd, of de Afrikanen beseften dat een loper niet was wat ze nodig hadden voor hun Europese gasten. Toen ze zagen dat de Europeanen gasten waren van het soort dat met je vrouw sliep, je kinderen tot slaven maakte en je vee stal, begrepen ze dat ze scherpe speren nodig hadden en jongemannen die daar mee om konden gaan. De oorlogstrommels werden uit donkere hoeken tevoorschijn gehaald en afgestoft, en de oude mannen die de kunst van het trommelen verstonden, die wisten welke ritmes de vechtlust in de jongemannen zouden opzwepen, werd opgedragen te gaan trommelen.

Tussen 1889 en 1893 hadden de Britse kolonisten, die uit Zuid-Afrika noordwaarts trokken onder de staalharde, hebberige blik van Cecil John Rhodes, land... Welk woord kan ik gebruiken? Ik denk dat het afhangt van wie je bent. Ik zou kunnen zeggen: Genomen? Gestolen? Gekoloniseerd? Bezet? Geannexeerd? Welk woord het ook is, ze hadden het gedaan met een strook land dat ze voortaan Rhodesië noemden. Voor die tijd was het land beweeglijk, verschoof het onder de voeten van de zegevierende stam die op dat moment op zijn grond danste, nam het nieuwe namen en pas gestolen vee aan, absorbeerde het het bloed en de lijken van wie er ook maar op die grond leefde, ademde, geboren werd, stierf. Het land zelf trok zich natuurlijk niets aan van zijn naam. Nog steeds niet. Je kunt het noemen zoals je wilt, alle oorlogen die je maar wilt uitvechten in zijn naam. Je kunt zijn naam helemaal veranderen als je dat wilt. Het verblikt of verbloost nog steeds niet

34

onder de Afrikaanse hemel. Het zal het bloed van blanke mannen en het bloed van Afrikaanse mannen, het bloed van geslacht vee en het bloed van een vrouwenbevalling even dorstig absorberen. Het trekt zich er niets van aan.

Dit waren de Afrikaanse namen in dat stuk land waarvoor we allemaal zouden vechten: *Bulawayo* – de Plaats van het Doden. *Chivi* – Zonde, of Vuil. *Inyati* – de Plaats van de Buffels. *Nyabira* – de Plaats waar een Fjord is.

De blanke mannen kwamen. Ze zeiden: 'Hoe noemen jullie deze plaats?'

'*Kadoma*,' zeiden ze. Dat betekent in het Ndebele: Plaats zonder onweer en zonder lawaai.

De blanke mannen noemden die plaats Gatooma.

'En hoe noemen jullie deze plaats?'

'*Ikwelo*,' zeiden ze. Dat betekent in het Ndebele: Steile kanten van de rivieroever.

De blanke mannen noemden die plaats Gwelo.

'Hoe heet deze plaats?'

'*Kwe Kwe*,' zeiden de Afrikanen, wat het geluid is dat de kikkers maken in de nabijgelegen rivier.

De blanke mannen noemden de plaats Que Que.

'We gaan in deze plaats wonen.'

'Maar dit is Nehawara, de residentie van de hoofdman,' zeiden de Afrikanen.

'En wij zullen het Salisbury noemen.'

De blanke mannen vernoemden de plaatsen naar zichzelf, naar de vrouwen met wie ze waren of de vrouwen die ze achtergelaten hadden, naar de mannen bij wie ze in het gevlei wilden komen of die ze wilden imponeren: Salisbury, Muriel, Beatrice, Alice Mine, Juliasdale, West Nicholson.

En ze gaven sommige plaatsen hoopvolle namen: Copper Queen, Eldorado, Golden Valley.

En voor de hand liggende namen: Figtree, Guinea Fowl, Lion's Den, Redcliff, Hippo Valley.

En onwaarschijnlijke, gestolen namen: Alaska, Venice, Bannockburn, Turk Mine.

In 1896 waren de Ndebele in opstand gekomen tegen deze Europeesheid. In een paar weken tijd doodden ze ongeveer honderdvijftig Europese mannen, vrouwen en kinderen. Maar binnen drie maanden hadden de kolonisten, met de steun van militaire versterkingen uit Zuid-Afrika, de Ndebeles verslagen en had Cecil John Rhodes met de Ndebele-leiders in Matopo Hills een staakt-het-vuren gesloten.

Matopo Hills, waar Cecil John Rhodes ligt begraven, tot in eeuwigheid uitkijkend over Ndebele-land. Matapo Hills, een verbastering van *Amatobos*, oftewel de 'kaalkoppen'.

In juni 1896, dezelfde maand dat Rhodes zich vestigde bij de Ndebeles in het zuiden van het land, begonnen de Mashona's in het midden en het oosten van het land een afzonderlijke, serieuzere opstand tegen de blanken. Wanneer boeren, zoals de Mashona, ten strijde trekken, zijn ze niet als de Ndebele-krijgers die de open savanne in gaan, pronkend met hun blote borsten onder de heldere hemel, zwaaiend met hun gevederde hoofdtooien, hun dijen en voorhoofd uitgedost met de huiden van geslachte leeuwen en geschoten luipaarden. Boeren voeren een dodelijker, geheimer soort oorlog. Zij vechten voor land waarin hun zaad, hun zweet, hun hoop zit. Ze zijn geheimzinnig, sluw, wanhopig. Ze komen niet met luide oorlogstrommels en botten van krachtige dieren om hun nek. Ze komen met één bedoeling, glijdend op hun buik, heimelijk in de nacht. Ze komen niet om te zegevieren in een veldslag. Ze komen om hun land terug te vorderen.

De Mashona hebben vierhonderdvijftig kolonisten gedood.

Uit Zuid-Afrika en Engeland kwamen versterkingen om de kolonisten te helpen. De Afrikanen ontwikkelden een systeem waarbij ze zich in grotten verstopten om aan het leger van de blanken te ontsnappen. De kolonisten gebruikten dynamiet om de Afrikanen te dwingen uit hun grotten te komen, en toen de grotten instortten, werden in één klap hele dorpen weggevaagd – mannen, vrouwen en kinderen van de Mashona stierven met honderden tegelijk, begraven in een massagraf. Overlevenden van de opgeblazen grotten werden geëxecuteerd zodra ze uit hun kant-en-klare graven kropen. Het duurde bijna twee jaar voordat de eerste *Chimurenga* de kop was ingedrukt.

De Afrikanen vergaten hun helden uit deze eerste onafhankelijkheidsstrijd niet. Kaguvi, Mkwati en Nehanda.

Kaguvi. Ook wel genoemd *Murenga* of verzetsstrijder. Daar komt het woord *Chimurenga* vandaan.

Mkwati, beroemd om zijn gebruik van johannesbroodmedicijn.

Nehanda, de vrouw, boven de stammen uitstijgende *mhondoro*-geest. Ze ging op 27 april 1897 samen met Kaguvi zingend en dansend naar haar executie. 'Wij zullen zegevieren. Mijn bloed is niet tevergeefs vergoten.'

Hoe kunnen wij nu, wij die onze afkomst hebben afgeworpen zoals een slang in de winter zijn huid afwerpt, hopen te triomferen over deze geschiedenis? Wij *mazungus*. Wij blanke Afrikanen van afgeschudde Engelse, Schotse en Hollandse origine.

Zeven ZANLA-troepen sneuvelden op 28 april 1966, in de eerste veldslag van de Tweede Chimurenga. Er staat een gedenkteken voor hen in de moderne stad Chinhoyi: 'De dappere zeven van Chinhoyi'.

37

Adrian

RHODESIË, 1968

Mama zegt: 'De gelukkigste dag van mijn leven was de dag dat ik dat baby'tje in mijn armen hield.' Ze bedoelt Rhodesië, 1968. Ze bedoelt de dag dat haar zoon, Adrian, geboren werd.

Mama is Hoofdstuk twee, grienend in haar bier. Het is een droevig verhaal. Het is vooral droevig als je het niet al honderd keer hebt gehoord. Ik heb meer dan honderd keer een of andere versie van het verhaal gehoord. Het eindigt altijd slecht. Aanvankelijk is mama gelukkig. Ze is pas getrouwd, ze zijn blank (een dominante kleur in Rhodesië) en ze heeft twee baby's, een meisje en een jongen. Haar kinderen passen volmaakt bij elkaar: mooi, blond en blauwogig.

Vanessa, karakteristieke zoenlippen (lippen zo vol als rozenknoppen), een bos elfenblond haar, vrolijk waggelend met die wankele trippelpasjes van het jonge kind. En achter haar aan hobbelend het jongetje dat haar tweelingbroertje zou kunnen zijn. Op de achtergrond een zwarte kinderjuf die Tabatha heet, met een wit schort voor en een wit kapje op, sterk, lachend uitge-

strekte glanzende armen, wachtend om hen op te pakken; ze kijkt half verlegen in de camera. Mama kijkt toe vanaf de veranda. Papa neemt de foto.

Dan sterft Adrian voordat hij oud genoeg is om te praten. Mama is nog geen vierentwintig en haar volmaakte leven ligt aan gruzelementen.

Ze zegt: 'De verpleegster in het ziekenhuis in Salisbury zei tegen ons dat we óf iets konden gaan eten óf konden toekijken hoe onze baby stierf.'

Mama en papa gaan met Vanessa lunchen en wanneer ze in het ziekenhuis terugkomen is hun kleine zoontje, dat ze een uur daarvoor doodziek als gevolg van hersenvliesontsteking hadden achtergelaten, inmiddels dood. Koude, blonde as.

Het verhaal verandert al naar gelang wat mama drinkt. Wanneer ze zich flink heeft bezat aan wijn, is het verhaal een tikkeltje anders dan wanneer ze zich flink heeft bezat aan gin. Het is het allerakeligst wanneer ze zich flink heeft bezat aan alles wat ze maar in huis kan vinden. Maar het einde is altijd hetzelfde. Adrian is dood. Dat is een afschuwelijk einde, wát ze ook gedronken heeft.

Ik ben acht, misschien jonger, wanneer mama voor het eerst vóór me in haar stoel gaat zitten; aangeschoten, scheefhangend, weeklagend en bezeten pratend. De Scheve Toren van Pimpel, zeg ik tegen Vanessa wanneer ik ouder ben en mama weer eens dronken is. *Haha.*

Mama vertelt me over Adrian. Ik begrijp door de kracht van haar emotie, haar tranen, de manier waarop ze smelt als zeep die te lang in het bad is blijven liggen, dat dit de grootste tragedie in ons leven is geweest. Het is ook mijn tragedie, zelfs al was ik nog niet geboren toen het gebeurde.

Op avonden dat mama nuchter is en we haar een nachtkus geven, draait ze gewoonlijk haar gezicht af en tuit ze haar lippen zijwaarts, waarbij ze ons een wang biedt die zo strak getrokken is als dodekippenhuid. Nu ze dronken is en me over Adrian vertelt, snottert ze me helemaal onder. Met haar armen mijn schouders omklemmend hangt ze aan mijn nek en ik kan haar gezicht voelen huilen in de vochtige plek op mijn schouder. Ze zegt: 'Jij bent de baby die we hebben gemaakt toen Adrian was gestorven.'

Als dochter van een boer weet ik alles over het maken van baby's. Ik heb mijn hand al in een koeienkont gestoken, de drassige, warme, groen-grassige hoop stront eruit geschraapt en daarachter naar het dikke omhulsel van de baarmoeder getast. Als de baarmoeder gezwollen is en een foetus bevat, kan ik de vorm daarvan voelen wanneer ik tegen de baarmoederwand duw. Een gebogen rug meestal, of de bult van een achterste, de knokige fijnheid van een piepklein kopje. Ik weet wat voortplanting is. Van koeien die niet drachtig raken worden de staarten afgeknipt om ze te onderscheiden van de vruchtbare koeien waarvan de staarten lang worden gelaten. De koeien met korte staarten worden uit de kudde geplukt, op een vrachtwagen gezet en naar Umtali gezonden, waar ze gehakt, worstjes, lijm worden. Of Colemans Rundvleespastei.

De volgende ochtend neemt mama, die gewoonlijk niet ontbijt, twee gebakken eieren, gebakken bananen en tomaten. Een snee geroosterd brood met marmelade en boter. Ze slaat een pot thee achterover en neemt daarna een kop koffie. Gewoonlijk drinkt ze geen koffie. De koffie smaakt vies omdat er *sanctionson* zijn, wat inhoudt dat niemand iets aan Rhodesië wil verkopen en Rhodesië niets aan anderen kan verkopen, zodat onze koffie wordt gemaakt van cichorei en gebrande maïs, en naar houtskool smaakt.

De hele ochtend is mama humeuriger dan gewoonlijk, ondanks haar enorme ontbijt. Ze schreeuwt naar de kok, het dienstmeisje en de honden. Ze zegt tegen me dat ik 'niet zo moet zitten kwetteren'. Ik houd mijn mond. Die middag slaapt ze drie uur lang terwijl ik samen met de honden stilletjes aan het voeteneinde van haar bed zit. We durven haar niet wakker te maken, hoewel de honden eraan toe zijn om uitgelaten te worden en ik aan een kop thee toe ben. Ik sla haar gade terwijl ze slaapt en voel me schuldig over haar verdriet, dat ze lijkt te zijn vergeten. Haar gezicht is vredig geworden. De honden blijven lange tijd waakzaam en met gespitste oren zitten en gaan dan met hun kop op hun poten en met zorgelijke ogen liggen. Ze zijn neerslachtig.

Adrian wordt op de begraafplaats in Salisbury begraven.

Mama en papa verlaten Rhodesië. Ze laten het anonieme hoopje aarde van hun zoontje achter op de enorme begraafplaats tegenover de tabaksveilinghallen in de stad. Ze gaan naar Engeland, via Victoria Falls, waar ze mij verwekken in een jaren-zestighotel naast het voorname, historische Victoria Falls Hotel van rond de eeuwwisseling.

Ik word in het hotel (met het inpandige casino) verwekt naast het donderende geraas van de plek waar de Zambezi zich in een honderd meter diepe kloof met zwarte wanden stort. De eerstvolgende maand maart word ik in het bedaarde, druilerige Engelse stadje Glossop in Derbyshire geboren.

Het neerstortende geraas van de Zambezi in mijn oren toen ik werd verwekt. Een ongerijmd, tegenstrijdig geluid toen ik in Derbyshire werd geboren.

Bobo – Boarfold

Terugkeerbaby's

Sommige Afrikanen geloven dat je, als je baby sterft, hem ver van je huis moet begraven, met de juiste magie en bezweringen en gaven voor de goden zodat de baby niet telkens terugkeert en zich in je baarmoeder nestelt, enkel om kort na de geboorte te sterven.

Dit is een verhaal voor mensen die een aanvaardbare manier moeten vinden om met het verlies van een groot aantal baby's om te gaan. Zoals wij. Vijf geboren, drie dood.

Ik kwam na een dood broertje, wiens lijkje niet op de juiste manier begraven was in de zielverstrikkende wortels van een boom en voor wiens ziel niet de juiste offers aan de goden waren gebracht.

Maar ik leef.

Ik was niet de ziel van mijn dode broertje. Hij had een zachte ziel, denk ik. Net als mijn zusje Vanessa. Hij was ook net als zij blond, blauwogig en lief. Mensen hadden zin om in zijn wangetjes te knijpen.

Maar ik heb voor mezelf een nieuwe, andere, wereldlijke ziel opgepikt – misschien was het een ziel die ik heb gevonden in het stuivende water dat wordt opgeworpen door de snelle stroming van die verre Afrikaanse rivier terwijl die op zwarte rotsen neerstort en een permanente regenboog opzendt in het zonlicht. Misschien heb ik een ziel gevonden die boven de zee zweefde toen mijn ouders de overtocht van Afrika terug naar Engeland maakten. Of het was een dolende ziel die ik heb gevonden in het door arbeiders bevolkte, tot-op-het-bot-vochtige Derbyshire.

Ik kwam ter wereld met een dikke bos zwart haar en donkergroene ogen. Ik had het soort uitdrukking op mijn gezicht alsof iemand al in mijn wangen had geknepen (zodat er niet nóg een keer in geknepen hoefde te worden). Ik heb van die karakteristieke zoenlippen. Bij mij zagen ze er te groot en pruilerig uit.

Mijn ziel heeft geen thuis. Ik ben noch Afrikaans, noch Engels, noch van de zee. Ondertussen zwierf Adrians rusteloze Afrikaanse ziel nog steeds rond. Wachtend. Wachtend om terug te keren en nóg een baby mee onder de grond te nemen.

Adrian is een Terugkeerbaby, als je kunt geloven in wat sommige Afrikanen zeggen.

Ik had een Terugkeerbaby moeten zijn, maar ik geloofde niet in wat sommige Afrikanen zeggen.

Die Terugkeerziel zocht naar me. In de trein vanaf Kaapstad is er onderweg ongetwijfeld om mijn ziel gestreden. Als ik ooit iets van een Terugkeerbaby heb gehad, dan was het op dat moment.

Engeland

1969

Aanvankelijk woonden ze in een halfvrijstaand huis in Stalybridge, Cheshire. Maar mijn ouders piekerden er niet
over in zulke gewone lage-middenklasse-omstandigheden
te blijven leven. Dus kochten ze, ondanks hun gebrek aan
fondsen maar met hun gebruikelijke, schaamteloze veronachtzaming van zulke details, met geleend geld een boerderij in het aangrenzende Derbyshire. Er was geen huis op
de boerderij, alleen maar een stal, waar nog steeds de
scherpe stank hing van koeienstront, oeroude paardenpis
en oude stoffige kippenuitwerpselen. Papa verkocht landbouwchemicaliën aan achterdochtige boeren met lage
voorhoofden, mama was met opgerolde mouwen druk in
de weer met haar twee kleine kinderen, een geit, verscheidene kippen en een hok vol konijnen. Toen de tijd rijp was
om de konijnen tot pasteivulling te verwerken, kon ze het
niet over haar hart verkrijgen ze te slachten, dus liet ze ze
los, met als gevolg dat er een overbevolking van konijnen
in het landschap van Derbyshire ontstond.

Toen in de winter de regen kwam en er zover het oog

reikte een grauwsluier boven de heuvels hing, was er weinig over van het avontuurlijke van Engeland. Mijn ouders waren krapper bij kas dan ooit, maar ze wilden onder geen beding wegrotten onder een druipende Engelse hemel. Papa nam ontslag. Ze rolden de hele boerderij op en verkochten haar als graszoden aan een hoveniersbedrijf die haar zouden afrollen als gazon in voorstedelijk Manchester. Ze verhuurden de stal (inmiddels voorzien van doortrek-wc's en stromend water en ontdaan van koeienmest zodat er geboende, oude stenen vloeren vrijkwamen) aan lichtgelovige stadsmensen als 'boerenhuisjes' en poetsten de plaat.

Papa ging per vliegtuig vooruit naar Rhodesië. Mama volgde per schip met twee honden en twee kinderen.

Het schip rolde gestaag voort langs de Afrikaanse kust terwijl de trage, warme winden het zuidwaarts duwden, voorbij de evenaar, waar de lucht dikker aanvoelde en de zon feller brandde, helemaal tot aan de uitnodigende, wuivende stranden van de tropen en naar het zuidelijke puntje van het continent.

Toen het schip koers zette naar Kaap de Goede Hoop, rook mama de kruidige, houtachtige geur van Afrika in de van richting veranderende wind. Ze rook de mensen: rauwe uien en zout, de geur van mensen die niet bang zijn om vlees te eten en die vis roken boven open vuren op het strand en maïs tot meel stampen en in de buitenlucht werken. Ze hield mij omhoog zodat ik de gronderige lucht het hoofd kon bieden en de vingers van warmte mijn zwarte krullen naar achteren duwden, en haar bleekgroene ogen werden helder-glazig.

'Moet je ruiken,' fluisterde ze, 'dat is thuis.'

Vanessa rende heen en weer over het dek, onverklaarbaar wild voor een kind dat normaal gesproken zo rustig was. Nu al onder de invloed.

Ik nam een gezicht vol Afrikaanse lucht tot me en viel terstond ten prooi aan koorts.

45

Tegen de tijd dat we op de trein zaten van Kaapstad naar Rhodesië, was ik zo geradbraakt door ziekte dat ik bijna bewusteloos was; trillend en schuddend en met koudbrandend zweet.

Sommige Afrikanen zouden zeggen: 'Het kind is natuurlijk bezeten.' Vanwege de Terugkeerbaby. 'En er zijn diverse magische handelingen die je met de hulp van een medicijnman kunt verrichten als je haar wilt behouden.'

Sommige Afrikanen zouden zeggen: 'Wat een onzin. Er bestaan geen terugkerende baby's. Wikkel het kind in azijnpapier.'

Sommige Afrikanen zouden zeggen: 'Goed, laat haar maar sterven. Wie heeft er behoefte aan de zoveelste blanke baby die opgroeit tot een bazige blanke mevrouw met haar handen op de heupen?'

Maar ik was al gemaakt van mijn eigen ziel. Ik was een blijver.

Mama liet hen de trein tot stilstand brengen. Ik werd naar het dichtstbijzijnde ziekenhuis gestuurd. Niemand kon zeggen wat me mankeerde. Ze namen mijn temperatuur op, lieten me aspirines slikken die in bittere stromen mijn neus uitkwamen en betten mijn armen en benen met een vochtige washand totdat ik overeind ging zitten en eten eiste.

'Je moet "alstublieft" zeggen,' zei mama.

Hoewel ik verwekt was in Afrika, had ik in stedelijk Engeland het levenslicht aanschouwd (zoals een tere plant die binnenshuis wordt opgekweekt omdat hij daar veilig is – op een kwetsbare leeftijd – voor epidemieën en te veel zon). Ik had het gestel van een missionaris.

Binnen een dag was ik voldoende opgeknapt om de reis naar Rhodesië te vervolgen.

De trein zwoegde in de hitte noordwaarts door Zuid-Afrika, trok zichzelf heuvels op, ging *tsjaka-tsjaka* (een oorlogsgeluid van de Ndebele) door verzengende vlakke savannen die eruitzagen alsof ze zouden kunnen ontvlammen bij de aanblik van onze metalen snelheid. Op hete wielen doorsneed hij het land, steeds verder naar het noorden. Dit was de weg die Cecil John Rhodes voor ons Britten had bedoeld. Van de Kaap naar Caïro, was zijn droom geweest. Eén lange vlek Brits territorium langs de ruggengraat van Afrika. Hijzelf, de grote blanke kaalkop, had het niet verder gebracht dan Rhodesië.

Onze trein verliet Zuid-Afrika, reisde noordwaarts over de Grote Grijsgroene Glibberige Limpopo (geheel omzoomd met koortsbomen, zoals Rudyard Kipling zei). Noordwaarts naar de uitgestrekte vlakte waar het stof dag en nacht opwaaide en de lucht ruw was van zoveel wind. Naar Karoi, Rhodesië.

Huis in Karoi

Karoi

Op een gekleurde topografische kaart van Rhodesië zijn het westen en noordwesten van het land aangegeven met zachtgeel dat in groen overgaat, wat betekent dat het laag en vlak, heet en onveranderlijk is. Het betekent dat de wind handenvol bijtend zand oppakt en tegen je huid smijt wanneer het waait.

Hier ligt Dete, in het vlakke deel, in het westen. *Dete* betekent namelijk 'Smalle Doorgang'. Gat.

Toen we net terugwaren in Rhodesië woonden we in het noordwesten, in het vlakke, zachtgele gebied, dat op sommige plekken geleidelijk in oranje was overgegaan, wat betekende dat we, in tegenstelling tot Dete, iets boven de zondoorstoofde laagvlakte zaten. Maar niet genoeg om het verschil te merken. Niet zoveel dat je op een hete dag, wanneer de hittegolven als lange, met speren uitgeruste krijgers boven het grasland dansten en meren van schijnwater, flikkerend boven de teermacadamwegen, pijn deden aan je ogen, ter verlichting naar bergen of rijen groene bomen kon kijken.

Gras, aarde, lucht, gebouwen, huid, kleren, alles nam dezelfde met stof bedekte glinstering aan van te veel hitte die in te weinig lucht opgesloten zit.

We woonden op een boerderij in de buurt van Karoi.

Karoi betekent 'Kleine Heks'. Vroeger, maar niet eens zo heel lang geleden (nog bij mensenheugenis), zijn er heksen in de nabijgelegen rivier de Angwa geworpen. Zwarte heksen, natuurlijk. Niemand zou hebben toegestaan dat een blanke vrouw, hoe hekserig ook, op deze manier de dood tegemoet zou worden gegooid.

Vanessa ging elke ochtend naar het kleine, lage schooltje in de stad. Haar school leek op een bunker. Het speelterrein rook naar zweet-op-metaal door de afgebladderde schommels en glijbanen. Het gras van het speelterrein was afgeschuurd tot kale, bleke aarde.

Ik moest thuisblijven met Violet, de kinderjuf, en Snake, de kok.

Mama was de hele dag niet-storen-ik-ben-bezig. 's Ochtends reed ze, vergezeld van de honden, te paard het erf rond en daarna ging ze naar de werkplaats waar ze houten boekenplanken en kruidenrekjes en pepervaatjes maakte voor de chique dameszaken in Salisbury.

Papa was bij zonsopgang al verdwenen en kwam terug wanneer het licht schemerig-grijs was geworden, de nachtdieren begonnen te roepen en Violet ons het avondeten had gegeven en ons in bad had gedaan. Hij was net op tijd om ons met tabakszure adem een nachtkus te geven en in te stoppen.

's Ochtends werd een van onze paarden gewoonlijk naar het huis gebracht en werd ik de tuin rondgeleid totdat mama naar buiten kwam om de honden mee te nemen voor hun te paard begeleide ochtendwandeling. Dan moest ik buiten spelen. 'Maar niet in de bamboe.'

'Waarom niet?'

Zodra mama uit het zicht was, gingen Snake en Violet er eens lekker voor zitten om plastic mokken vol zoete, melkachtige thee en dikke sneden beboterd brood te nuttigen. 'Daar zitten dingen in die je kunnen bijten.'

'Zoals slangen?'

'Ja, zoals slangen.' Violet nam een hap brood en een grote slok thee en vermengde beide in haar mond. We noemden dit 'metselen' en wij mochten dat niet.

Waarom niet?

Omdat het iets is wat alleen *muntus* doen. Net als neuspeuteren.

'Maar ik heb *Euro's* zien neuspeuteren.'

'Onzin.'

'Echt waar.'

Metselen is als neuspeuteren, sloffen en naar Afrikaanse muziek luisteren. Verboden. Nette, blanke kinderen doen geen dingen die *muntus* doen.

Dus ging ik de bamboe in achter de keuken en speelde ik tussen de knisperende afgevallen bladeren, ging ik op mijn rug liggen en keek ik omhoog naar de lange, sterke, graskleurige stelen, die zo glansden dat het leek alsof ze met dunne groene en dikke gouden strepen beschilderd en daarna gevernist waren. En er overkwam me niets, ook al keek Violet me hoofdschuddend aan en zei ze: 'Ik zou je een pak slaag moeten geven.'

'Dan ontsla ik je, hoor.'

'Tss, tss.'

Maar op een ochtend, toen ik zoals gewoonlijk in de bamboe aan het spelen was, voelde ik een doordringende, brandende beet op wat mijn moeder *vanonderen* noemde. Gillend van de pijn rende ik het huis in en schreeuwde tegen Violet en Snake dat ze me moesten helpen.

Ze zetten hun thee neer, legden hun brood over het kopje heen zodat er geen vliegen in hun thee zouden verdrinken en keken me fronsend aan. Maar ze wilden niet *vanonderen* kijken.

'Auwie, auwie.'

Maar: 'Niet daar,' zei Snake. 'Daar kan ik niet kijken.' Hij pakte zijn brood op, wuifde de vliegen van zijn boterschaafsel en begon zijn thee weer te drinken. Maar de betovering was voor hem verbroken. Het moment van rust in de ochtend was verpest door mij en mijn gebeten, brandende *vanonderen*.

Violet verborg haar mond achter haar hand en giechelde. Ik zou moeten wachten tot mijn moeder thuiskwam van haar rit.

'Het was een spin,' zei Snake.

'Of een schorpioen,' zei Violet, terwijl ze een hap uit het brood en een grote slok thee nam.

'Een schorpioen?' Ik begon nog harder te gillen.

'Misschien een kleine slang.' De kok sloot zijn ogen.

Ik trok aan Violet. 'Een slang? Een slang!'

Violet schudde me van zich af en werkte zonder ervan te genieten snel haar thee en brood naar binnen. Ze wierp me boze blikken toe, alsof ik haar maagpijn bezorgde.

'Help me! Auwie, man!' Ik vroeg me af of ik dood zou gaan.

Ik zei: 'Kijk in mijn *brookies*! Help me alsjeblieft!' Maar op Violets gezicht stond afkeer te lezen en Snake wendde zijn blik af.

Ik lag op de vloer in de keuken te schreeuwen, mijn short vasthoudend, kronkelend en verwachtend dat ik dood zou gaan aan het gif van welk beest het ook was dat me had gebeten.

Toen mama terugkwam van haar rit, rende ik voordat ze zich zelfs maar van het paard had kunnen laten glijden naar haar toe, waarbij ik mijn short naar beneden trok en huilend uitriep: 'Ik ben gebeten! Ik ga dood!'

'Wat een onzin,' zei mama. Ze steeg af en overhandigde de stalknecht de teugels.

'Op mijn *vanonderen*.'

'Bobo!'
'Een schorpioen of een slang, ik zweer het, ik zweer het.'
Mama perste haar lippen op elkaar. 'In godsnaam, zeg.'
Ze trok aan mijn pols. 'Trek je short op,' siste ze.
'Maar het doet auwie, man.'
'Niet waar de bedienden bij zijn,' zei ze. Ze trok me de zitkamer in en deed de deur dicht. 'Je mag nooit, maar dan ook nooit meer je short naar beneden trekken waar een Afrikaan bij is.'
'Auwie!'
'Hoor je me?'
'Ja, ja! O, het doet zeer!'
Ze bukte zich en trok aan de zachte, gebeten huid.
'Daar,' zei ze, terwijl ze me een piepkleine teek liet zien die ze tussen haar duim en wijsvinger gedrukt hield. 'Al die opwinding om zo'n klein teekje.'
'Wat?'
'Zie je?' De teek wuifde met zijn pootjes naar me als begroeting. Hij had nog steeds een hap roze huid, míjn roze huid, tussen zijn kaken. 'Niet bepaald iets om je druk over te maken.'
Ik schudde mijn hoofd en veegde mijn neus af aan mijn arm.
'Ga nu Violet maar zoeken en zeg haar dat ze je gezicht moet wassen,' zei mama. Ze perste de teek tussen haar nagels tot hij barstte, waarbij mijn bloed uit de teek spatte en mama's vingertoppen besmeurde.

Zo herinner ik me Karoi. En de van stof stekende wind die op een hete, droge septemberavond door de maïs waait. En een oprolbaar en verwijderbaar gazon vol stekelige papierdoornen. En de intocht van de legerjongens: mannen in camouflagekleding die als een lint uit de achterbak van een legertruck tevoorschijn komen, een lint dat zich op de weg ontrolt: kaalgeschoren hoofden, gezichten fris en onbevangen. Mannen met geweren in hun armen. En de intocht van niet langer in camouflagekleding gehulde, wezenloos kijkende mannen die hun ledematen kwijt zijn.

Bobo en Van

Het Birmadal

De hoofdader van Rhodesië stijgt tot een plateau dat de Great Dyke wordt genoemd. Daar is het grootste deel van de bevolking van het land gaan wonen. De uithoeken van het land worden voornamelijk gekenmerkt door extreme hitte, meedogenloze, met struikgewas begroeide vlakten, droogten en malaria. De hoofdader is vruchtbaar. Er groeien rododendrons. De paarden glimmen er met dikke, glanzende vachten. De kinderen lijken er lange ledematen en hoge voorhoofden te hebben, intelligent te zijn. Voldoende vitamines binnen te krijgen.

En dan, in het oosten, voorbij Salisbury, is er een smalle, verwrongen bult, een knoestige vuist van hooglanden. Als je daar goed kijkt, zie je te midden van de lieflijke paarskleurige zwellingen, waar het bijna altijd koel is en de lucht scherp en gezond door de eucalyptus- en dennenbomen en waar geen muskieten zijn, een diep, steil aflopend dal (op de kaart is er een plotse overgang van paars naar roze en vervolgens naar oranje en geel om de afdaling naar hitte, vlakheid en malaria aan te geven). Dit dal, in het uiterste oosten van het land, is het Birmadal. Hier hangen de paarden mager rond in de drukkende, vochtige hitte, hun huid gespannen over heupen als katapulten. De kinderen hebben wormstekige ellebogen en knieën en zijn hol-oranje van te veel hitte, huidverschrompelende uitdroging en rokend-drinkende ouders. De honden hebben korsten van putzi-vliegen die eitjes leggen op vochtige plekjes aarde of ongestreken kleren en zich nestelen onder de huid, waarna de eitjes maden worden, openbarsten tot levende, wriemelende steenpuisten, en tevoorschijn komen als volwassen, gevleugelde vliegen.

'Geen kleren dragen die niet zijn gestreken.'

'Waarom niet?'

'Anders krijg je putzi's.' Baby's krijgen die op hun bips van vochtige katoenen luiers.

Mama vertelde ons dat Vanessa ze ooit had gekregen van een ongestreken luier.

'Vanessa had putzi's in haar bi-hips. Vanessa had putzi's in haar bi-hips.'

'O ja? Nou, ik heb tenminste geen teek op mijn *vanonderen* gehad.'

Mama en papa vertrokken uit Karoi en kochten een boerderij in het Birmadal, in het uiterste oosten van Rhodesië, omdat ze weg waren van het uitzicht. Toen ze op de plek hadden gestaan waar de nieuwe veranda op een dag zou worden gebouwd aan de voorkant van het oude boerderijhuis, en hadden gekeken naar de heuvels die zich blauwgroen uitstrekten in een waas van verre bosbranden, en toen ze de onschuldig ogende bult van het boerenerf hadden gezien dat zich aan hun voeten uitstrekte in de richting van Mozambique, scheen het hun toe dat deze boerderij hun dromen kon bevatten in haar geheime dalen, gutsende rivieren en rotsachtige heuvels.

Het loodgieterswerk was grillig en doorzichtig (een loogveld dat groen slijm bloedde achter het huis) en er was geen elektriciteit.

Ze zeiden: 'We nemen het.'

Het was niet vreemd dat het dal de eerste Europese kolonist aldaar had doen denken aan Birma. Het was vochtig en dichtbegroeid met jungle en kruipers, en doorsneden met rivieren waarvan de oevers weelderig begroeid waren met varens, mossige rotsen en bomen boordevol korstmos die op het punt van neerstorten stonden, en het rook er vruchtbaar-vies (alsof de verrotting nabij was). Het dal hield een groen-bebladerde leugen van welvaart in zijn met juwelen versierde vuist.

Het dal vertegenwoordigde de waanzin van de tropen die zo hachelijk zijn voor de broze Europese psyche. Het kon je van de ene op de andere dag in een spiraal van gekte slingeren, als je blank en overgevoelig was. En dat waren wij.

Het was niet moeilijk om Karoi achter te laten. Karoi was ons altijd voorgekomen als een perron van een treinstation, een vlakke plek waarvandaan we elk moment hoopten te vertrekken naar iets interessanters en pittoreskers.

We laadden twee katten, genaamd Fred en Basil, en drie honden, genaamd Tina, Shea en Jacko, in en reden, onze aardse bezittingen in een wankele stapel op het dak van de auto, dwars door Rhodesië, van het vlakke westen naar het kronkelige oosten. We stopten om de benzinetank te vullen, cola te drinken en zakken Willards-chips te kopen ('Maak muziek in je mond'). Iedereen, de honden incluis, werd uitgelaten om een plas te doen langs de kant van de weg, achter de bougainvillestruiken.

'Wie nu niet piest is de pisang.'

Papa stopt niet graag. Zelfs als je met gekruiste benen zit en je scheel ziet van het nodig moeten, stopt hij niet graag. Hij zegt: 'Je had daarnet moeten gaan toen je de kans kreeg.'

'Ja, maar daarnet hoefde ik niet.'

Papa steekt een sigaret op en negeert ons.

'*Agh*, alsjeblieft papa.'

'Ik moet plassen, man.'

'Ze gaat het in haar broek doen,' waarschuwt Vanessa.

'O in gódsnaam. Tim, stop even, wil je?'

De honden hijgden met hete adem in onze nek en wij hadden jeuk van hun geïrriteerd afgekrabde haar. De katten jankten boos in hun dozen, stevige windvlagen dreigden de matrassen van ons dak te kiepen. Papa rookte en wij doken op de achterbank weg voor zijn as. Mama las, zo nu en dan wegduttend in een gebroken-kippennekslaap. Vanessa en ik vochten en jammerden en ontweken de consequent maaiende, naar onze bipsen uithalende handen.

Rebel, het paard, stond in een aanhangwagen met de sofa en de eetkamertafel en mama's houtbewerkingsmachines. De ruimte om hem heen was opgevuld met onze lakens en handdoeken en twee koffers waarin mama al onze kleren had gepakt. Ons hele hebben en houden, alles wat we waren en alles wat we bezaten, zat in een Peugeot-stationcar en een aanhangwagen. Stel dat we van het ene op het andere moment van de aardbodem verdwenen, opgezogen werden in de atmosfeer, dan zou niets erop duiden dat ons gezinnetje ooit op de planeet was geweest. Zelfs Adrians graf, dat nooit gemarkeerd was, zou niets meedelen over onze korte, onbelangrijke doortocht op deze aarde.

Terwijl we over de Christmas-pas reden, door de Mutarandanda-heuvels, twinkelde ons plotseling het stadje Umtali tegemoet in de felle oosterse hooglandzon die daar schitterender en heviger leek dan in het stoffig-gele westerse gedeelte van het land.

Umtali (verbastering van het woord *mutare*, dat 'stuk metaal' betekent) is de laatste stad in Rhodesië voordat de enigszins mysterieuze, lichtelijk exotische grens van het door Portugezen gekoloniseerde Mozambique een rode lijn over de kaart trekt.

Tegen een klip die over de weg uitkeek was een heg geplant om de tekst WELCOME TO UMTALI te vormen. Tijdens de oorlog hadden de terroristen de L in welcome weggehakt, waardoor de groet veranderde in het huiveringwekkende WE COME TO UMTALI. Hoe snel de vrouwen van de Tuiniersvereniging Umtali de 'tuinjongens' ook opdroegen de ontbrekende vitale L te herplanten, hij werd er steeds weer uitgerukt, totdat de oorlog was gewonnen (of verloren, het is maar hoe je het bekijkt) en de heg opnieuw werd geplant om de tekst WELCOME TO MUTARE te vormen.

We stopten in Umtali bij het Cecil Hotel (na de oorlog herdoopt tot Manica Hotel). Vanessa en ik kregen een cola, niet uit een fles en warm, maar in een glas, waarin wonderbaarlijke ijsklontjes dreven. Een glimmende Afrikaanse ober met onberispelijke handen en verzorgde, schone nagels bracht ons kleine witte bordjes met hamsandwiches waar de korsten van afgesneden waren en die rijkelijk waren bestrooid met groene sliertjes sla en flinterdunne schijfjes tomaat.

Mama en papa waren in de bar voor een paar biertjes.

Vanessa en ik haalden de groenten van de sandwiches en aten ons maal snel op, terwijl we elkaar in het oog hielden en net zoveel als de ander, zo niet meer, in onze mond probeerden te proppen. Toen renden we rond op het tapijt met het blauwe patroon, duizelig van luxe en cola ('voor meer pit'); kamerbreed tapijt; de onbekende, bitterruikende frisheid van de airconditioning; omfloerste lichten; krachtig doorspoelende wc's; lichtvoetige obers wier glimmende uniformen waren gemaakt van dikke, glanzende, roomkleurige nylon, die fris waren afgezet met gouden galons en voorzien van blauwe epauletten op de scherp gesneden schouders. De stoelen waren zo zacht dat je erdoor werd opgeslokt. Alles was uitgevoerd in fonkelend goud en groenblauwe tinten. Een blanke dame met haar als een paarsgeverfde hooiberg en lange rode nagels fronste naar ons vanachter de receptiebalie. Ik had me nog nooit ergens zo op mijn gemak gevoeld. Ik zou met alle plezier voor de rest van mijn leven op de vloer hebben geslapen, onder een van de ronde koffietafels met glazen bovenblad. Ik zou nooit meer hoeven prikken van het zweet, omdat ik voorgoed lekker, licht gekoeld zou zijn. Geen teken of vliegen of schorpioenen of slangen op dit kriebelende, schone tapijt. Koude cola en hamsandwiches als ontbijt, lunch en avondmaaltijd tot in eeuwigheid. Armen.

Op de weg uit Umtali, die almaar oostwaarts ging, verder en verder in de richting van Mozambique, stopten we bij het kleine plattelandspostkantoor, Paulington, dat de Vumba-hooglanden en het Birmadal bediende, om de sleutel van onze nieuwe postbus te halen. En toen kronkelden we over de kam van de bergen die uit Umtali leidden, scheurden door de stoffige stamtrustgebieden, en zwenkten van de bergen af naar de bodem van het dal.

Het was adembenemend, die eerste rit het dal in, het zanderige plateau van de ontboste stamtrustgebieden afdalend waar Afrikaans vee met zware hoorns zwaaide en zich in doornige kralen verzamelde voor de avond en waar het land geribbeld was van erosie, en dan steil naar beneden het dal in, de weg nu omzoomd door dikke, oude, met klimplanten bedekte bomen met een dicht bladerdak en ondoordringbaar kreupelhout. We waren na één steile bocht in de weg van de woestijn in de jungle beland.

Toen reden we bijna zo ver als we konden in de richting van de Mozambiquaanse heuvels het dal door totdat we, stoffig en prikkend van het zweet, onder de hondenharen, aankwamen bij het grote, lelijke, plompe huis dat de volgende zes jaar ons huis zou zijn. Hier zouden we blijven tot aan het eind van de dertien jaar lange burgeroorlog.

'Thuis,' zei mama monter.

We krabbelden de auto uit, zeeziek na de hobbelige tocht

door de zich ontvouwende heuvels (cola en hamsandwiches ongemakkelijk klotsend). We staarden argwanend, niet geïmponeerd naar het huis. Het zag eruit als een legerbarak, laag en degelijk met geloken ramen en een nietszeggende uitdrukking. Het erf, bezaaid met frangipanepeulen, was groot, kaal en rood. Het gazon was uitgedroogd en weggewaaid.

Papa

Chimurenga

1974

Dat was in 1974, het jaar dat ik vijf werd.

Juist in dat jaar liep in het naburige Mozambique een tienjarige burgeroorlog ten einde tussen de rebellen van Frelimo en het koloniale Portugal en stond een nieuwe burgeroorlog tussen het rebellenleger van Renamo en het nieuwe Frelimo-regime op het punt van uitbreken.

We konden vanaf ons huis de Mozambiquaanse heuvels zien. Ons boerenerf eindigde waar de Mozambiquaanse heuvels begonnen.

In 1974 was de burgeroorlog in Rhodesië acht jaar oud. Binnen een paar maanden zouden de terroristische strijdkrachten, die hun basis hadden in Mozambique onder het nieuwe en guerrilla-vriendelijke regime van Frelimo, de grens met Rhodesië overstromen om nachtelijke razzia's te houden, landmijnen te leggen en, *zeiden ze*, de oren, lippen en oogleden van kleine blanke kinderen af te snijden.

'Denk je dat het zeer doet?'

'Wat?'

'Wanneer je lippen worden afgesneden.'

'Waarom zouden je lippen afgesneden worden?'

Ik haalde mijn schouders op.

'Door wie? Wie heeft je dat verteld?'

'Iedereen weet dat *terro's* je lippen afsnijden als ze je te pakken krijgen.'

Mijn zus en ik hebben allebei dikke lippen. Zoenlippen noemen de andere kinderen ze. Afrikanen hebben ook zoenlippen. Ik probeer eraan te denken mijn lippen naar binnen te zuigen, vooral bij foto's, voor het geval iemand het in zijn hoofd haalt te denken dat ik deels *muntu* ben. Ik zou het niet erg vinden als mijn lippen afgesneden zouden worden, of ten minste een paar maatjes kleiner zouden worden gesneden, want dan zou ik niet gepest worden door de andere kinderen.

'Jij hebt zoenlippen. Net als een *muntu*.'

'Nietes.' Ik zuig ze naar binnen.

'Je zuigt je lippen naar binnen.'

'Nietes!'

Mama zegt: 'Het zijn geen zoenlippen, het zijn volle lippen.' Ze zegt: 'Brigitte Bardot heeft ook volle lippen.'

'Is zij een *muntu*?'

'Nee, absoluut niet. Ze is heel aantrekkelijk. Ze is Frans.'

Maar het kan me niet schelen hoe Frans of aantrekkelijk Brigitte Bardot is; zíj wordt niet met mijn lippen gepest.

Vanessa zegt: 'Wanneer je lippen worden afgesneden doet het *sterik* zeer. Natuurlijk doet het zeer, man.'

Natuurlijk. Het doet zeer.

'Ik zou niet huilen.'

'Ja, dat zou je wel.'

'Nietes.'

Vanessa neemt mijn pols in haar handen en verdraait de huid voorzichtig in tegengestelde richting: prikkeldraad.

Ik heb lange haren op mijn armen, achterovergetrokken door snotplakkaten op de plekken waar ik mijn neus heb afgeveegd. Het snot vormt een groen, lang patroon door het blonde, zongebleekte haar.

'*Yurrah* man!'

'Doet dat pijn?'

'Ja, ja! O, dat doet pijn!' Ik begin te huilen.

'Zie je wel?'

'Ja.'

'Kom op, niet huilen.'

'Oké,' ik veeg mijn neus af aan mijn arm.

'Je moet je neus niet aan je arm afvegen, man, gétver.'

Ik ga harder huilen.

'Wanneer je lippen afgesneden worden, doet het nog veel meer pijn.'

'Oké.'

'Dus je zou gaan huilen?'

'Ja, ja. Ik zou huilen.'

Robandi, de boerderij, was genoemd naar de twee zonen van de oorspronkelijke eigenaar, Rob en Andy. Robandi. Bijna een Afrikaans woord. Zoals het woord in Lozi: *Banani* – zij hebben. Of het woord in Tonga: *Ndili* – ik ben. Of in Nyanja: *Pitani* – naar de...

We zijn verhuisd, moeder en vader met twee kinderen, een paar katten, drie honden en één paard, naar het exacte middelpunt, de geboorteplaats en het epicentrum, van de burgeroorlog in Rhodesië en een pas aangewakkerde burgeroorlog in Mozambique. Er is voor ons nu geen uitweg uit het dal meer. We hebben geld geleend om de boerderij te kopen. Geld dat we misschien nooit kunnen terugbetalen. En wie zal de boerderij nu van ons overnemen? Wie zal onze boerderij kopen en onze plaats innemen midden in een burgeroorlog? We zitten klem.

We plaatsen een enorm hek om het huis met erbovenop

achteroverhellend prikkeldraad. Mama plant voor de zekerheid mauritiusdoorn rond de binnenkant van het hek. Hij groeit ruig uit met zijn voorwaarts-achterwaarts hakende doorns. We gaan bij de s.p.c.a. in Umtali langs waar we een meute enorme honden halen, en vervolgens nemen we honden mee die zijn achtergelaten door boeren die op de vlucht zijn voor de burgeroorlog. Deze honden worden aangetroffen terwijl ze aan bomen vastgebonden zijn of hoopvol de vlakke oprijlanen afkijken, wachtend op hun niet-terugkerende eigenaars. Hun eigenaars zijn midden in de nacht vertrokken naar Zuid-Afrika, Australië, Canada, Engeland. Wij noemen het de 'hazenloop'. Of we zeggen: 'Ze zijn ertussenuit geknepen.' Maar ze zijn ertussenuit geknepen zonder hun huisdieren.

Op een dag zegt papa: 'Als we niet een paar van die rothonden wegdoen, ga ik zelf weg.'

'Maar ze kunnen nergens heen.'

Papa is woedend. Hij trapt naar een groepje honden die zijn gebaar vrolijk beantwoorden door tegen hem op te springen en hem te likken met een laten-we-spelen-uitgelatenheid.

Mama zegt: 'Zie je nou? Wat lief.'

'Ik meen het, Nicola.'

De honden blijven dus bij ons tot de dood hen scheidt.

De levensverwachting van een hond op onze boerderij is niet hoog. De honden worden gedood door bavianen, zwijnen, slangen, strikken van ijzerdraad en elkaar. Een paar eten de gifblokjes die in de stallen zijn gelegd voor ratten. Of ze eten koeienstront waarop insecticide voor het doden van teken is gespat en komen met schuimbekkende stuipen aan hun eind. Ze krijgen tekenkoorts en hun hart begeeft het van de hitte. Er komen nieuwe honden om de plaats in te nemen van de honden wier graven bestaan uit behuilde bulten in het veld beneden het huis.

We kopen een landmijnbestendige landrover uit 1967,

compleet met sirene, en noemen haar Fortuna. Fortuna, voor fortuin.

'Waar hebben we die ta-tuut voor?'

'Om de terroristen af te schrikken.'

Maar mama en papa gebruiken de sirene alleen om hun komst aan te kondigen bij feestjes.

Er zijn twee wegen die uit het dal leiden. We kunnen omhoogrijden naar de Vumba-hooglanden in noordelijke richting of naar het oosten door de stamtrustgebieden. Geen van beide wegen is geplaveid, dus kunnen er gemakkelijk landmijnen geplaatst worden. We moeten in konvooi reizen als we naar de stad gaan.

Een konvooi is: een *Pookie*, een voertuig voor mijndetectie dat over een lucifersdoosje kan rijden zonder het te pletten. Er zit iets in de *Pookie* dat piept als hij metaal detecteert. En landmijnen zitten in metaal verpakt. Vervolgens twee of drie lange vrachtwagens die eruitzien als krokodillen en stekelig zijn van de Rhodesische soldaten, wier FN-geweren uit de zijkanten van het voertuig steken als evenzoveel stoppels, klaar om terug te schieten als we worden aangevallen vanuit een hinderlaag. En ten slotte wij. Boeren en hun kinderen in gewone voertuigen of mijnbestendige landrovers, uit de raampjes waarvan onze eigen geweren steken, op weg naar de stad in onze mooiste kleren. Als we gedood worden in een hinderlaag of opgeblazen worden door een landmijn, zullen we schone *brookies* dragen, onze mooiste jurken, en zwartrode halssnoeren gemaakt van de zeer giftige zaden van Lucky-Beanbomen. Dan zullen we toonbaar genoeg zijn om aan de linkerhand van *Goddevader* te gaan zitten.

De derde weg uit het dal is nu te gevaarlijk voor onbekommerd reizen. Het was voor de oorlog mogelijk om over de bergen naar Mozambique te klimmen via voetpaden die niet bewaakt werden door douanebeambten. Maar deze geheime paden zijn geblokkeerd door het mijnenveld dat langs de grens is gelegd. Bijna dagelijks, en vaak 's nachts, gaan er landmijnen af onder de nietsvermoedende poten van een baviaan of de benen van een mens – een visser die terugkomt van de visrijke stuwmeren in Mozambique of een soldaat in een troep terroristen. We juichen als we de zwakke, in de maag voelbare dreun van een ontploffende landmijn horen. Er is ofwel een Afrikaan ofwel een baviaan gewond of gedood.

Honderd baviaantjes spelen op het mijnenveld. Honderd baviaantjes spelen op het mijnenveld. En als één baviaantje per ongeluk ontploft, spelen er negenennegentig baviaantjes op het mijnenveld.

Er kwam een politieagent bij ons op school om met ons te praten over landmijnen. Vanessa zei dat hij was gekomen omdat ik op mijn duimen zoog en de politieagent hier was om mijn duimen af te hakken. Ik stopte mijn duimen in mijn vuisten, maar de politieagent stond op een podium in de aula en wipte op en neer op zijn strak-krakende schoenen en staarde over onze hoofden heen en keek niet één keer naar mijn duimen.

'Landmijnen zitten verborgen in koek- en biscuitblikken,' liet hij ons zien. De blikken waren felgekleurd en zagen er veelbelovend uit met hun op de zijkanten geschilderde plaatjes van rozen, of van roodwangige, achter besneeuwde bomen hollende kinderen in ouderwetse winterkleren, of van boterzachte zandkoek met in het midden een kersenhart. 'Zou een van jullie dit blik willen openmaken?'

Enkelen van ons staken gretig hun hand op.

'Kinderen zoals jullie maken de blikken open en worden aan stukken gereten.'

Wij gulzige, domme enkelingen gingen schielijk weer op onze handen zitten.

De politieagent liet ons foto's zien van gaten in de grond waarin een landmijn had gezeten.

Een kind vroeg, naar de foto wijzend: 'Was er een kind opgeblazen door die landmijn?'

De politieagent aarzelde: enerzijds wilde hij ons de stuipen op het lijf jagen, maar anderzijds wilde hij onze kinderlijke onschuld behouden. Hij zei: 'Niet door deze specifieke mijn. Maar je kunt nooit voorzichtig genoeg zijn, hè?'

Wij schudden ernstig ons hoofd.

'Landmijnen kunnen ook begraven worden, en dan weet je nooit waar ze liggen.'

Een klein stemmetje in de aula vroeg: 'Zelfs in je oprijlaan?'

'O ja. O ja.'

Er klonk een geritsel van geprikkelde angst in het publiek. De onderwijzers keken verveeld, de armen over elkaar geslagen, waakzaam. Wachtend tot een van ons zich zou misdragen zodat ze ons konden opsluiten.

Ik ken maar een paar mensen die over landmijnen zijn gelopen.

Een meisje dat naar de middelbare school in Umtali ging, is over een landmijn gelopen zodat haar benen onder haar vandaan zijn geknald, maar ze overleefde het. Ze was dapper en mooi, en toen ze een paar jaar na het ongeluk ging trouwen in Zuid-Afrika, wijdde *Fair Lady* een groot artikel aan haar en toonde foto's van haar waarop ze door het middenpad van een kerk liep, heel schuimig in een witte jurk en een lange witte sleep en ondersteund door bruidsmeisjes en krukken.

Fanie Vorster, een boer in het Birmadal, is ook over een landmijn gegaan, maar zijn benen zijn niet onder hem vandaan geknald. Als dat wel zo was geweest, zouden de kinderen misschien een kans gekregen hebben om van hem weg te rennen wanneer hij probeerde ze in zijn logeerkamer op te sluiten en ze onder zijn dikke, met grijs haar begroeide buik op het eenpersoonsbed neer te drukken terwijl mama's en papa's in de keuken koffie dronken met zijn wandelende-takachtige, paarsgevlekte, bont en blauwe vrouw. Fanie Vorster kreeg niet eens hoofdpijn toen hij over de landmijn ging omdat hij in een landmijnbestendige landrover zat, zodat de achterkant eraf knalde en de cabine intact bleef met Fanie erin, volkomen ongedeerd. Hij ging aan de kant van de weg een sigaret zitten roken tot er hulp kwam.

Zo blijkt maar weer dat niet alle gebeden worden verhoord.

Op een keer reden Vanessa en ik met mama terug van een kerstpartijtje en zagen we vóór ons een Afrikaanse bus die over een landmijn was gereden. De explosie had in het midden van de weg een gat ter grootte van de bus achtergelaten en de bus lag blind op zijn zijkant als een oogloos dood insect met zijn pootjes in de lucht. Mama zei: 'Hoofd naar beneden!' Mama zei: 'Niet kijken.' Dus deed ik mijn hoofd naar beneden en kneep mijn ogen dicht en keek Vanessa uit het raam terwijl we voorbij de bus reden. Ze zei dat er stukken en brokken van Afrikanen aan de bomen en struiken hingen als zwartrode kerstversiering. Enkele passagiers waren niet dood, vertelde Vanessa me, maar zaten aan de kant van de weg, onder het bloed en met hun benen recht voor zich uit, als mensen die zojuist volkomen zijn verrast.

Ze zei: 'Heb je gekeken?'

Ik zei: 'Nee, kom zeg.'

Op een keer, toen we in het politiebureau waren, zag ik hoe de legerjongens lijken in zwarte plastic lijkzakken achter uit een pick-up laadden en hoorde ik het vochtigdode geluid van zwaar vlees dat de grond raakt.

Ik vertelde mama dat ik dode terroristen had gezien.

Ze zei: 'Niet overdrijven.'

'Wel waar. Ze zaten in zakken.'

'Dan heb je lijkzákken gezien,' hield ze me voor, 'geen lijken.'

Zo stel ik me lijken voor: als dingen in lange zwarte zakken, waarvan de uiteinden netjes zijn dichtgebonden. En ik stel me lijken voor als repen vlees die als gevolg van een landmijnexplosie aan de bomen hangen als repen drogende, gezouten biltong, al kan ik alleen op Vanessa afgaan.

We rijden door de stamtrustgebieden om naar de stad te gaan, langs Afrikanen wier haat in ons gezicht weerkaatst als zonlicht in een spiegel, onmogelijk te negeren. Jonge Afrikaanse mannen hangen agressief tegen de muren van de kroegen. Ze volgen ons met hun ogen terwijl we voorbijsnellen en we staren naar hen tot ze worden verzwolgen door een stofwolk die opstuift achter het gewapende konvooi, de landmijn-detecterende *Pookie* en de stoet boeren die naar de stad gaan om groene pepers, maïskolven, tabak en melk te verkopen. Voor een van de Afrikaanse winkels (die op reclameborden vol kogelgaten adverteren met Cafenol voor hoofdpijn, Enos-zuiveringszout voor indigestie en cola voor meer pit) hangt een gong aan een boom. Wanneer ons konvooi langsdendert, komt een oude vrouw die gehurkt in de schaduw van de boom zit, moeizaam overeind en slaat verrassend krachtig op de gong.

Het geluid van die gong echoot door de vlakke, droge stamtrustgebieden en weerkaatst tegen de omringende heuvels. Iedereen die zijn tenten in die beschutting biedende, dichtbegroeide heuvels heeft opgeslagen of weggedoken zit achter zwerfkeien langs de kant van de weg, kan die waarschuwing horen. Wij weten dat we worden gadegeslagen. Een flits van verrekijkerglas tegen de rotsen boven in de heuvels. Een onnatuurlijke schommeling van

dij-hoog gras op een windstille dag. Het trillende gebla-
derte van een boom terwijl takken uiteen worden gebogen
en vervolgens weer terug mogen zwiepen.

Mama leunt achterover in haar stoel en schuift de loop
van de uzi uit het raam.

Ze zegt: 'Klaarzitten om weg te duiken, meisjes.'

*Papa op
herhaling*

Oorlog
1976

Mijn vader en moeder sluiten zich allebei aan bij de Politie-Reservisten, wat inhoudt dat mijn vader tien dagen achtereen op patrouille de bush in moet om terroristen te zoeken en tegen ze te vechten.

Ik kijk toe hoe hij zijn geweer uit elkaar haalt en schoonmaakt; het ligt in stukken op de vloer van de zitkamer, en het huis, onze kleren en de honden stinken naderhand naar geweerolie. Papa laat mij het magazijn vullen met kogels.

'Sneller. Je zou het veel sneller moeten doen.'

Achter in mijn kast staan onder mijn enige hangende jurk (die te warm is om te dragen, me door oma is opgestuurd uit Engeland en naar mottenballen ruikt) de rantsoenpakketjes opgestapeld. Kleine, door de overheid verstrekte kartonnen doosjes waar het volgende in zit: roze, gesuikerde pinda's, kleine kleverige pakjes koffie dic op alle andere dingen lekken, twee blokjes cowboykauwgum, een doosje lucifers, theezakjes, een blikje cornedbeef, een pakje poedermelk, suiker, Pronutro. Papa stopt vijf rantsoenpakketjes en een veldfles met smokkelwhisky in zijn camouflagerugzak, samen met tien pakjes sigaretten.

71

Hij trekt zijn camouflage-uniform aan en hij draagt een camouflageband die mama heeft gemaakt om over zijn horloge te doen zodat het niet glinstert in het zonlicht en de aandacht trekt van de terroristen. Hij verft zijn gezicht en armen met zwarte, dikke verf en wanneer ik vraag: 'Waarom?' zegt hij: 'Zodat de *terro's* me niet zien.' Maar hij gaat niet op in de omgeving. Hij steekt erbij af. Hij is een blanke, menselijke gestalte, gebukt onder het gewicht van een rugzak en zijn geweer. Hij heeft zijn hoofd gebogen en stapt met o-benen voort, als een cowboy zonder zijn paard in een film. Ik kan hem helemaal tot aan het begin van de oprijlaan zien, waar hij in de landrover stapt die hem komt ophalen. Hij draait zich niet om om te zwaaien, hoewel ik met beide armen in de lucht zwaai en schreeuw: 'Dag papa! Dag papa!'

Ik wil hem waarschuwen dat ik hem helemaal tot aan het begin van de oprijlaan kan zien, dat hij helemaal niet opgaat in de omgeving. De *terro's* zullen hem zó zien en hem neerschieten. Hij kan maar beter geen oprijlanen aflopen. Ik schreeuw één laatste, ijle, hysterische boodschap in de warme lucht. 'Laat je niet kisten, papa!'

Mama zegt: 'Sst. Zo is het wel genoeg.' Papa heeft zijn rugzak op zijn schoot gehesen en zich omgedraaid om aan een vriend een vuurtje te vragen voor zijn sigaret. De landrover trekt op. Terwijl papa uit het zicht verdwijnt, terwijl de landrover over de hobbel rijdt aan het begin van de oprijlaan, waar de slang in de duiker leeft, heft hij zijn hand en denk ik dat hij zwaait. Maar hij neemt alleen maar een trekje van zijn sigaret.

Ik heb een brok in mijn keel die pijn doet wanneer ik slik en ik kan niet praten, anders begin ik te huilen. Mama laat haar hand zakken. Ik mag vrijwel nooit haar hand vasthouden. Ik laat mijn hand in de hare glijden en we beginnen naar het huis terug te lopen. Het voelt algauw vreemd om mama's hand vast te houden en in een mum van tijd heeft zich een ongemakkelijk laagje zweet tussen ons gevormd. Ik bevrijd me uit mama's greep, veeg mijn hand af aan mijn broek en ren vooruit naar het huis. Ik storm de warme, naar vlees ruikende keuken met zijn vettige muren binnen, waar July brood aan het maken is en de lucht verzadigd raakt van de geur van borrelend gist (die op de geur van puppypis lijkt).

Mama draagt een net, grijs uniform – een jurk met zilveren knopen en epauletten en de letters B.S.A.P. op de mouw.
'Waar staat dat voor?' Ik bevoel de letters.
'British South African Police.'
'Maar we zijn Rhodesisch.'
'Mmmm.' Ze duwt haar haar onder een pet en kijkt met opgetrokken mondhoeken in de spiegel zoals mensen doen wanneer ze met zichzelf ingenomen zijn. 'Hoe zie ik eruit?'
'Mooi.'
Ze werpt me een glimlach toe als beloning. Ik zit benen-zwaaiend-verveeld op het bed.
Mama trekt een nylon panty over vochtig-warme benen en doet zwarte veterschoenen aan die op schoenen van een schooluniform lijken.
'Ben je een politieagent?'
'Een politiereservist.'
'O.'
We rijden Umtali in. Mama stopt om de lunch te kopen. Voor elk een worstenbroodje en een met chocolade omhulde muis van biscuitdeeg van Mitchells the Bakery in Main Street, en een cola voor mij.
Het politiebureau ligt in de richting van het Afrikaanse deel van de stad, in het Derdeklassedistrict, dat minder is dan het Tweedeklassedistrict (met de Indiase winkels en moskeeën), en al helemaal minder dan het verre Eerste-klassedistrict waar de Europeanen winkelen en wonen.

Er is een grijs dienstkamertje voor de politiereservisten met onder een raam een houten bureau waar mama achter zit. Ze heeft een boek meegebracht. Ze zucht, doet haar schoenen uit en wrijft onder het lezen haar in nylon gehulde voeten tegen elkaar. Tegen de andere muur staat een dun, smal bed voor degene die de hele nacht dienst zal hebben. Ik zit op de grond aan de heerlijke, vlokkige, vettige weelde van mijn worstenbroodje te knabbelen en me door het pasteideeg naar het zoute vlees middenin te werken. Ik word gekweld door de wetenschap dat het worstenbroodje op zal raken. Maar ik verkneukel me ook bij de gedachte dat ik hierna de chocolademuis nog heb en vervolgens mijn cola. Ik doe zo lang mogelijk over mijn lunch, lik voor lik, slokje voor slokje. Aan de muur boven het bed hangt een kaart met het legeralfabet. Als ik mijn lunch op heb, druk ik mijn rug tegen het koele metalen frame van het bed (mijn buik gezwollen) en staar een tijdje zwijgend naar de muur tot de woorden volledig in mijn hoofd zitten: 'Alfa, Bravo, Charlie, Delta, Echo, Foxtrot...', helemaal tot aan 'Zoeloe'. Ik doe alsof ik zesentwintig paarden heb die naar het legeralfabet zijn genoemd en laat ze op het bed rondgalopperen, waarbij mijn vingers over rimpels springen en waterhindernissen ontwijken. Ik fluister: 'Kom op, India. Sjtsj, Sjtsj. Omhoog, jongen.'

Naast het bed hangt een map van Manicaland met daarop verspreid een heleboel piepkleine lampjes.

'Waar zijn die lampjes voor?'

'Die geven aan waar mensen wonen.' Ze wijst naar waar wij wonen, ons stipje loopt bijna in Mozambique over.

'Maar waarom lampjes?'

'Als iemand aangevallen wordt, zetten ze het landbouw-alarm in werking en dan gaat hier het lampje branden en kan ik zien wie er aangevallen wordt.'

'En dan?'

'Dan bel ik de legerjongens en gaan ze het slachtoffer redden.'

'Maar als ze allemaal al dood zijn tegen de tijd dat de legerjongens daar aankomen, wat dan?'

'Niet van die domme vragen stellen.' Ze neemt haar boek weer ter hand.

Dus ga ik naar buiten om naar de gevangenis te staren die achter het politiebureau staat. Het is een klein, grijs gebouwtje met twee cellen. De cellen hebben geen ramen maar er zitten kleine gleuven in de deur en vóór de deur zijn twee omheinde binnenplaatsen, zoals de binnenplaatsen bij de s.p.c.a. waar we soms naartoe gaan om honden te redden die we toevoegen aan De Roedel. Ik kijk lang genoeg met samengeknepen ogen tegen de zon in en tuur doordringend genoeg naar de deuren om beloond te worden door de geschrokken ogen – erg wit en starend vanuit de diepten van de gevangenis – van een echte gevangene. Ik glimlach en zwaai, zoals sommige mensen een reactie proberen te ontlokken aan een verveeld dier in een dierentuin, om te zien of er iets zal gebeuren. De ogen knipperen dicht. Het gezicht verdwijnt.

Ik zit onder de frangipane op het stekelige, uitdrogende gazon van het politiebureau, met zijn rand van gewitte stenen en bloembedden met aloë vera, en ik duw grassprietjes in mierenleeuwenvallen om de kleine mierenleeuwen met scherpe klauwen te zien opspringen in de verwachting een mierenmaal aan te treffen, wat ik en mijn grassprietje niet zijn. Dan komt een van de Afrikaanse brigadiers het politiebureau uit met bladen voedsel voor de gevangenen. Ik ga plat op mijn buik liggen, op de gespikkelde schaduwen van de frangipane. Ik wil niet dat er 'naar binnen nu' tegen me gezegd wordt. De brigadier opent het hondenrenhek en bonkt op de grijze celdeuren. De luikjes gaan open. De sergeant schuift de bladen half door gleufmonden, en ze verdwijnen in de maag van de politiecellen.

Dan komt mama naar buiten en zegt: 'Bobo!' En vervolgens: 'O, ben je daar. Kijk nou toch, je zit onder het stof.'

Ze werpt een blik op de gevangeniscellen. 'Binnenkomen nu. Het is tijd om te rusten.'

Ik moet op de kriebelige, grijze, door het leger verstrekte deken liggen om te rusten. Mama steekt haar voeten omhoog, legt ze op de rand van het bed en gaat haar boek lezen. Het geluid van haar ademhaling, haar over elkaar wrijvende nylon-kousenvoeten, haar zachtjes ritselende bladzijden en de toenemende kracht van de vurig-gele zon zijn bedwelmend. En dan val ik in slaap.

Aan het einde van de middag heeft mama haar boek uit en is er nog steeds niemand aangevallen, hoewel ik uit mijn middagslaap ben ontwaakt (met droge mond en brandende ogen) en tijdenlang hoopvol op mijn zij heb liggen staren naar de lampjes op de kaart. De vliegen zoemen verhit tegen de ramen en de zon is onder het niveau van het dak van golfplaten gezakt en glijdt ademloos over de muur met het legeralfabet (Alfa tot en met Golf en Hotel verblekend). Er wordt op de deur geklopt en het dienstmeisje van het politiebureau komt binnen met een blad met de thee (een bord met mariakaakjes, twee gescherfde mokken, zoete poedermelk die in een plastic kannetje is opgelost, een kuipje witte suiker en een kleine, door de overheid verstrekte metalen pot voor de thee, zodat mama onmiddellijk om meer vraagt, vooruitlopend op haar tweede kopje).

Mama schenkt de thee in de twee gescherfde bekers. De handvaten ervan zijn vettig.

'Ik hoop dat de gevangenen niet uit deze bekers hebben gedronken.'

'Die hebben vast hun eigen plastic mokken.'

'Hoe zit het met de andere Affies?' Ik bedoel de zwarte agenten en het dienstmeisje van het politiebureau.

'Die mogen vast niet uit dezelfde mokken drinken als wij.'

'Mooi zo.' Ik dompel mijn mariakaakje in de thee en bekijk de kruimels die op het hete, vettige oppervlak drijven.

Na het theedrinken leest mama me voor. Ik lig op het veldbed onder de kaart met het legeralfabet. Ze leest voor uit *De leeuw, de tovenares en de kleerkast* van C.S. Lewis. Lucy is in het land waar het nooit zomer zal zijn, de sneeuw knerpt onder haar voeten. De benauwde middag, flets van de zon die alles onderdompelt in haar licht, en het vage gegons van het wegverkeer dat het politiebureau passeert, vloeien allemaal naar de achtergrond. Ik word meegesleept naar een koele besneeuwde wereld met jonge hertjes, heksen, en Peter, Susan, Edmund en Aslan. Ik sluit mijn ogen en spreid mijn ledematen zodat mijn zwetende huid kan afkoelen; de wereld van Narnia is waarachtiger en schitterender dan de wereld waarin ik leef.

'Hoezee!' zingt mama zaterdagavond op de sociëteit. 'Ik ben een rover. Ik ben een rover uit Irak. Ik haal het snelst de trekker over. Als ik schiet dan schiet ik raak...' Ze beweegt haar heup opwaarts onder het zingen en soms klimt ze op de bar, waar ze danst en haar schouders optrekt, langzaam-sexy, ogen halfstok, en soms valt ze weer van de bar af. Maar ze kan niet raak schieten. Tijdens het schijfschieten heeft ze haar ogen dicht en zijn haar lippen net zo strak samengeknepen als de billen van iemand die wormen heeft. Ze heeft ooit een kogel door de muur van het zwembad gejaagd en een andere keer heeft ze in de schors van de flamboyantboom achter in de tuin een kogelpatroon geschoten dat veel wegheeft van kralen aan een snoer. Maar ze heeft het doelwit nog nooit in het hoofd of het hart geschoten, waar je het eigenlijk zou moeten raken.

Ze heeft de paarden geleerd niet bang te zijn voor geweren. Ze heeft een hele ochtend lang papieren zakken bij hun voeten laten ploffen. Ze heeft een hele middag ballonnen laten klappen. En de volgende dag heeft ze vlak bij hun hoofd geweren afgeschoten tot ze alleen nog maar

met hun staart zwiepten en met hun hoofd schokten bij
het geluid, alsof ze zich probeerden te ontdoen van een
steekvlieg. De paarden negeren geweervuur dus sloom
wanneer we buiten aan het rijden zijn, maar ze steigeren
nog steeds als ze geritsel in de bosjes horen of verrast worden door een koe, of als ze een aap of een slang zien, of als
er een troep bavianen plotseling de bush uitkomt met hun
waarschuwende roep: 'Wa-hoe!'

Papa en Pinnin

Hondenredding

Toch heeft mama ooit wel degelijk een Egyptische spu-
wende cobra geraakt, en gedood. Maar dat was in het echt,
toen de honden werden bedreigd, wat serieuzer is dan
schijfschieten.

We zitten aan de ontbijttafel havermoutpap te eten.
Mama negeert mijn reeks vragen. Ze leest een boek en de
radio is aan. Sally Donaldson presenteert *Strijdkrachtver-
zoeken* en draait liedjes die door liefhebbende bloedver-
wanten zijn aangevraagd voor de jongens in de bush.

'*Yesterday, all my troubles seemed so far away,*' zing ik mee.

Mama zegt geïrriteerd: 'Sst', en zet de radio zachter. Als
ik om het enorme, met een stenen muur omringde bloembed heen kijk dat mama heeft gebouwd om te verhinderen
dat er bommen en kogels door het eetkamerraam naar
binnen komen, kan ik zien dat Flywell de paarden naar het
huis heeft gebracht voor onze ochtendrit. Ik kijk naar
mama. Ze is in haar boek verdiept. We zullen pas uit rijden
gaan als het te heet is en dan zullen we tot in de middag rijden, voorbij lunchtijd, voorbij het tijdstip waarop mijn

maag draait en in de knoop gaat van de honger en mijn keel brandt van de dorst en de zon onze nek verbrandt. Ik zal klagen dat ik dorst heb en mama zal zeggen: 'Dan had je bij het ontbijt maar meer thee moeten drinken.'

Ik trap tegen de stoelpoten. Mama zegt zonder op te kijken: 'Niet doen.' En dan: 'Eet je bord leeg.'

Maar ik heb mijn bord al leeggegeten. 'Mag ik nog wat?'

'Vraag maar aan July.'

Maar eer ik bij de keuken kan komen om July te vragen of er nog pap is, beginnen de honden zich te roeren onder de eettafel. Ze krabbelen met hun poten op de cementen vloer totdat ze houvast vinden en vliegen keffend de voorraadkamer in die tussen de keuken en de eetkamer is gelegen. Mama kijkt op van haar boek. 'Wat hebben jullie?' vraagt ze.

Drie van de honden trekken zich schaapachtig terug uit de voorraadkamer en plotseling zegt mama: 'O god,' omdat ze aan hun gezichten kan zien en aan hun stemgeluid kan horen dat ze naar een slang blaffen. En dan begint het dienstmeisje in de deuropening van de keuken 'Mevrouw! Mevrouw!' te schreeuwen en te wijzen. Ze heeft haar hand voor haar mond: 'Mevrouw! *Nyuka!*'

Mama en ik staan in de deuropening van de voorraadkamer en staren naar binnen, naar de slang. Zijn hals is afgeplat, zo breed als een waaier, en hij zwaait heen en weer en hij is lang.

Mama schreeuwt: 'Ga achter de tafel staan.' Ze roept de honden. Shea en Jacko, Meest Beminde Honden, staan nog steeds te blaffen tegen de slang. 'Kom!' schreeuwt mama. Ze laadt het geweer. Ik hoor de kogels erin gaan, klik-klik. 'Kom hier!' Plotseling verheft de slang zich achterwaarts, schiet naar voren en verspreidt een giftige dunne nevel in de lucht. De honden deinzen terug uit de voorraadkamer, jankend en blind, wankelend van de pijn. Mama heft het geweer naar haar schouder. Ze knijpt haar ogen dicht en haalt de trekker langzaam over. Er is een explosie van glazen, flessen en blikken en een wild geratel van kogels. Mama heeft de uzi op 'automatisch' staan. Ze leegt een heel magazijn op de slang en dan is er stof, het versplinteren van nog steeds vallend glas, de jankende honden. Violet, July en ik kruipen voorzichtig naar mama toe. De slang is uiteengespat tot een rood mozaïek op de achtermuur van de voorraadkast, samen met bierspetters en de klonterige inhoud van ingeblikt vlees, tomatensaus, erwten. Geëxplodeerde bloem is vredig op de chaos neergedaald in een fijn, kantachtig doodskleed.

'Mevrouw,' zegt July bewonderend, 'maar u hebt hem in één keer te pakken!'

Ondertussen zijn de ogen van Shea en Jacko opgezwollen als tennisballen. Mama schreeuwt om melk en July brengt de kan uit de paraffinekoelkast in de keuken. Mama giet de melk in de ogen van de honden en ze janken van de pijn. Mama zegt: 'We moeten ze naar oom Bill brengen.'

We mogen het dal niet verlaten zonder een gewapend escorte omdat er op de weg naar Umtali landmijnen zijn en hinderlagen van terroristen en papa op patrouille is, zodat wij vrouwen-zonder-mannen zijn, wat als een verzwakte stand van zaken wordt beschouwd. Maar dit is een noodgeval. We stoppen de honden in de auto en rijden zo snel we kunnen het dal uit, de steile helling op naar het stoffige braakland van het stamtrustgebied. We volgen de kronkelige weg die zich aan de berg vastklemt en ons uitspuugt bij de papierfabriek (die een penetrante, warme stank van verrotting verspreidt) zodat, wanneer we er als gezin langsrijden, Vanessa haar neus dichtknijpt en zingt: 'Bobo heeft een scheet gelaten.'

'Nietes.'

'Bo-bo heeft een scheet gela-ten.'

Totdat ik in tranen ben en mama zegt: 'Mond houden, jullie, of jullie krijgen allebei een pak rammel.'

En nu sjezen we langs het benzinestation dat de toegang tot de stad markeert en scheuren we langs de bonte reeks Indiase winkels in het Tweedeklassedistrict waar we nooit winkelen. We hobbelen door de tunnel onder de spoorweg waarop reclame staat voor sigaretten: 'People say Players, Please' en snellen door het centrum van de stad, het Eersteklassedistrict waar we wél winkelen. Oom Bills veterinaire praktijk is aan de andere kant van de stad, voorbij de middelbare school. De honden janken zachtjes in zichzelf. Shea zit op mama's schoot en Jacko zit bij mij op de passagiersstoel.

Oom Bill zegt: 'Ben je hier alleen naartoe gereden?' Hij klinkt boos.

'Wat kon ik anders?'

Hij werpt een blik op mij, perst zijn lippen op elkaar en zegt: 'Goed. Laat me eens kijken.'

Tante Sheila zegt: 'Bobo, wil je met me meekomen?'

Ik wil niet met tante Sheila mee. Ze heeft een keiharde boezem, gehuld in een twinset. Ze heeft haar als een wespennest van grijs papier.

Mama zegt op waarschuwende toon: 'Wat zeg je dan, Bobo.'

Dus zeg ik: 'Ja graag, tante Sheila,' en zij neemt me mee naar haar onberispelijke zitkamer waar de wachtkamer van de kliniek op uitkomt. Ze zegt: 'Ga daar maar zitten wachten, en nergens aankomen,' en ze gaat de keuken in en komt terug met een dienblad met thee en een bord eten, waar ik dankbaar voor ben omdat ik geen lunch heb gehad. Ik mag niet op de stoelen eten, die zorgvuldig schoongehouden worden en gehaakte vingerdoekjes op hun armen hebben. Ik moet op de gewreven vloer zitten met het porseleinen bord op schoot. Tante Sheila zegt: 'Ik heb geen kinderen, ik heb honden.'

Ze heeft een zooi kleine verwende hondjes die op haar mooie leunstoelen mogen (in tegenstelling tot mij) en een paar grotere honden die buiten leven.

Ik drink mijn thee op, eet het bord met biscuits leeg en staar veelbetekenend naar mijn lege bord totdat tante Sheila zegt: 'Wil je soms nog een...'

En ik zeg snel: 'Ja,' voordat ze van gedachten kan veranderen.

'Ben jij even een hongerig meisje,' zegt ze, nauwelijks in staat haar afkeer te verbergen.

'Dat komt omdat ik wormen in mijn kont heb,' zeg ik terwijl ik zo vrij ben een roze vanillewafel te pakken.

We kunnen de honden die avond niet mee naar huis nemen. Ze moeten bij oom Bill blijven. Als we ze een paar dagen later komen ophalen (deze keer rijden we de stad binnen in een fatsoenlijk konvooi), is alleen Jacko nog steeds een beetje blind aan één oog.

Als papa terugkomt van patrouille, laat mama hem de voorraadkamer zien en vertelt hem over de slang.

Papa fronst naar de kapotgeschoten chaos van de voorraadkamer en zegt tegen me: 'Mijn God, je moeder is een waardeloze schutter.'

Maar hij heeft niet gezien hoe breed de hals van de slang was, hoe hij heen en weer zwaaide en kronkelde en hoe zijn kop naar voren schoot naar de honden. 'Ik vind haar een prima schutter,' zeg ik loyaal.

Van

Vanessa

Vanessa zal ons trouwens wel redden als we ooit aangevallen worden. Ze is in ons gezin de schoonheid die gesprekken doet stokken. Sommige oude mannen proberen haar te kussen en vragen naar haar borsten en een van hen heeft haar aangedaan wat Fanie Vorster mij heeft aangedaan, alleen erger. Maar Vanessa kan zichzelf wel redden. De man heette Roly Swift en hij woonde met zijn vrouw in Umtali. Mama en papa lieten ons op een ochtend bij Roly Swift achter toen ze werk te doen hadden. Roly's vrouw vergezelde mama en papa, die zeiden: 'Wees aardig tegen meneer Swift terwijl we weg zijn.'

Roly was vóór de lunch al dronken, en hij begon Vanessa en mij door het huis achterna te lopen en hij kuste mij en probeerde me tegen de muur van de gang te drukken. Vanessa zei: 'Laat mijn zus met rust.' Roly lachte Vanessa uit en probeerde haar toen te kussen en stak zijn handen onder haar rok. Vanessa duwde hem weg, maar het had alleen maar tot gevolg dat Roly haar nog steviger probeerde vast te houden. Hij lachte, hoewel hij geen blije uitdrukking op zijn gezicht had en iets onder Vanessa's rok aan het doen was waarvan ze een rood gezicht kreeg.

Ze zei: 'Laat me met rust!' Er waren tranen in haar stem.

Roly trok Vanessa een slaapkamer in waaruit ik de geluiden van een knokpartij hoorde komen, en vervolgens kwam Vanessa met slordige haren en verwarde kleren tevoorschijn. Ze greep mijn hand. 'Snel, we gaan ervandoor.'

We renden naar buiten.

Vanessa zei: 'Kom.'

'En meneer Swift dan?'

'En meneer Swift dan? Niks meneer Swift.'

Ze leidde me de weg over en klopte op de deur van een naburig wit huisje.

'We moeten hier onderdak,' zei ze tegen de verbijsterde dame die de deur opendeed.

Schoorvoetend liet de verbijsterde dame ons binnen. Ik hield Vanessa's hand vast.

Vanessa schraapte haar keel en zei met luide, dappere stem: 'We hebben nog niet geluncht.'

Er werd een lunch voor ons bereid en we mochten in het naburige witte huisje blijven totdat mama en papa terugkwamen en toen slopen we naar hun auto die in de oprijlaan van de Swifts stond geparkeerd, ineengedoken – alsof we onder vuur lagen – zodat Roly ons niet zou zien. Mama en papa stonden met opgewekt-natuurlijke stemmen met Roly te praten alsof Alles Normaal was hoewel Roly moest zeggen dat we naar de buren waren gelopen en Alles Niet Normaal was. Maar hij zei niet waarom we weggelopen waren.

'Ah,' zei papa toen hij ons plotseling bij de auto zag opduiken, 'daar zijn jullie.'

Daar waren we. Ik had een vieze smaak in mijn mond en ik was misselijk. We stapten in, bezoedeld als we waren, en mama en papa reden stijfjes weg, als skeletten naar Roly grijnzend. Vanessa vertelde mama en papa wat er was gebeurd en ze zeiden: 'Niet overdrijven.' Vanessa had de gewoonte om in de verte te staren wanneer mama en papa niet luisterden. Ze staarde nu ook in de verte, alsof ze nergens om gaf.

Ze heeft de enorme ogen van onze grootmoeder van vaders kant geërfd; een flets, bijna glazig blauw, en ze kan als een kat haar ogen halfdicht doen en roerloos, onpeilbaar en afstandelijk worden. Ze heeft erg lang, dik blond haar dat ze in een polsdikke vlecht op haar rug draagt. Ze heeft volle lippen en een zeer trotse, zeer Afrikaanse houding (schouders naar achteren, lome manier van lopen, op het luie af) en ze luistert niet meer. Als een Afrikaan.

Mama zegt: 'Waarom luisteren jullie verdomme niet?' tegen de kok, het diensmeisje, de stalknecht en de tuinman, en ze zwijgen en je ziet dat ze zelfs nu niet luisteren.

Net als alle andere kinderen van boven de vijf in ons dal hebben Vanessa en ik geleerd het magazijn van een FN-geweer te laden, alle geweren in het huis te ontmantelen en schoon te maken, en uiteindelijk te schieten om te doden. Als we aangevallen worden, en mama en papa gewond of gedood zijn, zullen Vanessa en ik moeten weten hoe we onszelf moeten verdedigen. Mama en papa en al onze vrienden zeggen: 'Vanessa is een Slome Tinus.' Maar ik weet dat ze ongelijk hebben. Mama en papa zeggen dat Vanessa niet in staat zal zijn een geweer te hanteren. Ze zeggen dat ze te kalm is. Dan kennen ze Vanessa niet. Ze is geen Slome Tinus. Ze is een Rustig-Wachtende-Alerte Tinus. Ze is een Ziedende Tinus.

Ik wil op een legerjongen lijken, dus ik stort me enthousiast op het schoonmaken en laden van papa's FN en mijn moeders uzi, maar de geweren zijn te zwaar voor me, zodat ik niet veel meer ben dan een wandelende tak die aan de kolf van een ratelend geweer bungelt. Ik moet het geweer tegen een muur laten steunen om te schieten, anders word ik omvergegooid door de terugslag. Ik mag met mijn moeders pistool schieten, maar zelfs dat knakt mijn pols en mijn hele arm gaat heen en weer door de schok van het schot.

Vanessa moet gedwongen worden het geweer te ontmantelen en schoon te maken. Ze is langzaam en onwillig, zelfs wanneer papa zijn geduld verliest en naar haar begint te schreeuwen en zegt: 'In godsnaam, sta daar niet zo, doe iets! Stelletje-slappe-wijven-in-huis.'

Vanessa krijgt haar katachtig halfdichte, Afrikaans uitdrukkingsloze, niet-luisterende ogen.

'Je moet leren hoe dit ding in elkaar zit,' zegt papa. 'Kom op, haal dat rotding uit elkaar.'

Vanessa beweegt zich langzaam, onwilligheid in persoon.

'Nu moet je het weer in elkaar zetten,' zegt papa, naar het geweer kijkend.

Vanessa kijkt papa met toegeknepen ogen aan. Ze zegt: 'Dat doet Bobo maar.'

'Nee, jij moet het leren.'

'Ik doe het wel. Ik doe het wel,' zeg ik. Ik wil het doen om papa te laten zien dat ik niet onderdoe voor een jongen. Ik wil geen stelletje-slappe-wijven-in-huis zijn.

'Vanessa moet het leren.'

Maar Vanessa weigert resoluut het ding weer in elkaar te zetten. Het ligt in losse onderdelen vóór haar op een laken in de zitkamer en ze wil er geen geheel meer van maken. Papa geeft het op.

Ik zeg: 'Ik doe het wel. Ik doe het wel.' Mijn teveel aan gretigheid irriteert papa evenzeer als Vanessa's gebrek aan gretigheid. Het is ook nooit goed.

Papa zegt: 'Schiet op dan.'

Met mijn tong uit mijn mond doe ik mijn best om het goed te doen. Ik zet het geweer in elkaar.

Achter in de tuin, aan de andere kant van ons van schorpioenen vergeven zwembad, staat een enorm stuk karton waaruit een gebogen, rennende terrorist is gesneden (uitgerust met een door de Russen verstrekt uniform en dreigend met een AK 47); rondom zijn hart zijn een stel ringen aangebracht, als een diagram in een biologieboek. De bavianen die het graan stelen en op de vlucht slaan voor de gong in de hut van de bewaker, zien eruit als deze terrorist, met een lange hondenneus en een laag, hoekig voorhoofd.

Papa laat Vanessa zien wat ze moet doen. Hij bukt zich tot op haar hoogte: 'Til de loop van het geweer op en leg hem op de muur, op deze manier. Ga stevig staan, benen uit elkaar. Hou je kin van de kolf vandaan, duw de trekker in – tel één-Zambezi, twee-Zambezi – laat los.' Ik druk mijn handen tegen mijn oren en doe mijn ogen dicht. Het geluid van het geweer splijt de lucht en raakt me boven mijn buik. Dat is waar geweergeluiden belanden, met hun schreeuw de lucht uit je wegstotend.

Papa geeft Vanessa het geweer: 'De terugslag slaat je tanden eruit, als je niet oppast,' zegt hij. 'Gebruik de muur om het geweer vast te houden. Goed? Maak je er geen zorgen over of je het doelwit raakt, probeer alleen geen gat te maken in de muur van het zwembad.' We lachen.

Ik zeg: 'Ja, Van, geen schorpioen neerschieten, hoor. Haha. Of een kikker.'

Papa zegt: 'Zo is het. Laten we eerst eens kijken of je een schot kunt lossen zonder achterover te vallen.'

Vanessa neemt het geweer van hem over en haar ogen worden oppervlakte-kil, als water op het stuwmeer in de winter.

'Nee, niet zo,' zegt papa, 'hier, gebruik de muur.' Hij gaat achter haar staan om iets aan haar armen te veranderen. Hij wil het geweer boven op de muur zien te krijgen, maar voordat hij Vanessa heeft kunnen aanraken, knijpt ze in de trekker. Papa zet verschrikt een stap achteruit. Het geweer stoot omhoog. Mama zegt: 'Zo meteen breekt het kind haar kaak.' Vanessa luistert niet naar ons.

Ze schiet opnieuw op het doelwit. Ze heeft de rennende-baviaan-terrorist één keer dwars door zijn neus geschoten en één keer dwars door zijn hart. Ze geeft het geweer aan papa terug.

'Goed schot, Van!' schreeuwen we allemaal tegelijk.

'Waar heb je dat geleerd?' vraagt papa.

Ik spring op en neer en wijs op het doelwit: 'Je hebt hem gedood! Kijk, je hebt hem gedood!'

Vanessa's gezicht blijft effen en uitdrukkingsloos, maar ze kijkt lange tijd naar het doelwit. En dan wendt ze zich met een lichte frons van ons af. Ik wil aan haar hand hangen maar ze schudt me ongeduldig af.

Ik zeg: 'Sjonge man, Van. Je hebt hem op zijn sodemieter gegeven. Je hebt hem in één keer gedood!'

Mama zegt: 'Dat mag je niet zeggen, Bobo.'

'Wat?'

'Je mag geen "sodemieter" zeggen. Dat is plat.'

'Oké.' En dan: 'Sjonge man, Van!'

Vanessa ziet er berustend uit en helemaal niet triomfantelijk. Ik zou willen dat ze glimlachte en blij was omdat ze de terrorist heeft gedood.

Ik zeg: 'Laat mij het ook eens proberen, hé. Mag ik het ook eens proberen? Kijk Van, kijk naar mij.'

Maar ze heeft zich afgewend en loopt naar binnen. Een paar van de honden volgen haar.

Mama, papa en Bobo

Missionarissen

1975

Mijn tweede zusje – mijn moeders vierde kind – werd in augustus 1976 geboren.

Begin oktober 1975, toen de eerste regens al gekomen waren maar nog niet besloten hadden wat voor soort seizoen ze zouden creëren (boordevol overstromingen en gezwollen, dode koeien in onze rivier of een karige en pesterige droogte), daalde er een kleine plaag van twee missionarissen op ons neer.

Ze waren vanuit Salisbury via Umtali naar het dal gereden, naar het meest afgelegen huis met mensen erin dat ze in Rhodesië maar konden vinden, en die mensen waren mama en ik die om twee uur 's middags op haar bed lagen te luisteren naar Sally Donaldson op de radio. Papa was ergens in de bush tegen *gooks* aan het vechten. Vanessa was op kostschool. Mama en ik wachtten op de uitzending van *Het vrouwenuurtje.*

Het is oogbal-brandend heet. Ik lig op mijn buik en beweeg mijn benen loom op en neer, mijn hoofd in mijn elleboogholten, waar mijn voorhoofd een zweterige band drukt op de huid. Mama is aan het lezen. Het is zo heet dat de flamboyantboom buiten bij zichzelf aan het kraken is, alsof hij een voorproefje neemt op hoe het zal voelen om in brand te staan. De honden liggen languit op de grond, overal waar ze maar blootliggend cement kunnen vinden, hijgend en plasjes vormend met hun druipende tongen. We hebben perkamenten kelen van de hitte; we nippen net genoeg van koppen koude, melkachtige thee om speeksel in onze mond te maken. De hemel en lucht zijn zo doortrokken van de rook van Grieks vuur dat we de heuvels niet kunnen zien. Het zijn verre, wazige vormen, dezelfde kleur als de nevel, alleen compacter. Die kleur is een warme, geelgrijze, ademloos makende, verstikkende kleur. Gezwollen wolken schrapen met paarse, vette buiken over de toppen van de omringende heuvels.

Plotseling is er het krabbelende-poten-alarm van honden, dat in de klamme, zware hitte van twee uur 's middags aanzwelt tot groot alarm. Ze stormen naar buiten, de binnenplaats op, waarbij ze blaffend met hun dorstige, hese zomerstemmen een terracottawolk achter zich opjagen.

'Wat nu weer?' zegt mama. Ze hangt haar uzi aan haar schouder, controleert of hij vergrendeld is (hoewel ze haar vinger tegen de veiligheidspal houdt, klaar om de stand daarvan ogenblikkelijk te veranderen) en schuift haar voeten in de dikke, zwarte sandalen die van repen afgedankte tractorbanden zijn gemaakt en die we beiden dragen. We noemen ze *manutella's.* Het zijn goede boerderijschoenen. Er is geen doorn in Afrika die door die zolen heen komt, ze zijn koel in de hitte en het maakt niet uit of ze nat of modderig worden of onder de olie komen. Het enige nadeel dat ze als boerderijschoenen hebben, is dat ze onze enkels en de bovenkant van onze voeten bloot laten, en dat zijn plekken waar je de meeste kans hebt door een slang gebeten te worden.

'Nog vlak voor *Het vrouwenuurtje* ook,' zegt mama.

De honden zijn nog steeds aan het blaffen. Vooral Bubbles, die een ongelukkige kruising is, half labrador en half Rhodesische draadhaar. Hij heeft de kleur van een leeuw, leeuwgele ogen en een valse, slangachtige manier van lopen, als een leeuw. Bubbles kan bavianen doden. Hij is de enige hond die ik ken die een baviaan kan doden. Bavianen zijn kolossaal: wanneer ze op hun achterpoten staan, zijn ze zo groot als een man. En ze hebben lange puntige tanden en opereren in troepen. Ze draaien hun prooi op zijn rug en scheuren zijn maag eruit. Soms gaat Bubbles er voor een paar dagen vandoor, om met hangende pootjes van vermoeidheid en schrammen op zijn buik, maar verder bijzonder zelfvoldaan terug te keren. Hij laat een spoor van dode bavianen achter.

De foxterriër, de teckel, de Duitse herder, de twee zwarte labradors en de springerspaniëls komen het huis weer in om te zien waar we blijven. Alleen Bubbles blijft buiten volharden in een fel, diep uit de keel komend geblaf.

Mama roept: 'Ik kom, ik kom. Wie is daar?'

Ik volg haar naar buiten. De honden verdringen zich achter me.

Een visioen: twee mannen stappen uit een witte stationcar. Ze dragen witte button-down overhemden die netjes in hun hoog opgetrokken, gekreukte shorts zijn gestopt, opgetrokken sokken en nette veterschoenen. Ze hebben een zonnebril op maar geen hoed. Ik ken niet veel mannen die zonnebrillen dragen. De mannen die ik ken, kijken met toegeknepen ogen in de zon. Als ze al zonnebrillen hebben, dan gebruiken ze die om op te kauwen terwijl ze in de verte, de hoop-op-regen, de dreiging-van-terroristen of de mogelijkheid-van-een-koedoe staren.

Mama houdt haar hand boven haar ogen tegen de zon en loopt langzaam, achterdochtig, naar de auto toe. Ik blijf achter haar. Mama's vinger danst over de bovenkant van de veiligheidspal op haar geweer. 'Ja? Kan ik u helpen?' We kunnen niemand meer vertrouwen. Zelfs blanke mannen niet.

Pas dan zien we dat de beide mannen gewapend zijn met dikke, glanzend-zwarte bijbels.

Mama moffelt haar geweer weg achter haar rug. 'O, verdomme, Jezus-kwezels,' mompelt ze en vervolgens harder: 'Hallo.'

De mannen komen dichterbij. Onze meute honden krioelt grommend, de nekharen overeind, rond hun enkels. Een van de mannen, blond en te zwaar (te zwaar voor de hitte, te zwaar voor een oorlog, te zwaar voor een arme boerderij zo ver van de stad), loopt naar voren, zijn bijbel voor zich uit, zijn hand uitgestoken. Hij stelt zichzelf en zijn metgezel voor. 'En we zijn hier om u over de Heer te vertellen.' Het is een Amerikaan. Ik begin te giechelen.

Mama zucht. 'Nou ja, kom toch maar een kop thee drinken,' zegt ze.

De andere man is ook dik. Als hij zich omdraait om achter mama aan het huis in te lopen, zie ik dat zijn korte broek in zijn bilspleet is gedrongen. Zijn benen steken zakkerig, grijs en harig als olifantenpoten onder de te hoog opgetrokken korte broek uit. Zijn overhemd plakt aan zijn rug van het zweet, twee natte kringen komen onder zijn oksels uit. Ik giechel opnieuw.

Mama zegt: 'Bobo, ga July alsjeblieft even vragen of hij een blad met thee voor ons wil maken.'

Ik tref July slapend aan op het koele, vochtige lapje cement achter de wasserij.

'Er zijn een paar door God gestuurde bazen op bezoek,' zeg ik tegen hem, terwijl ik hem met de neus van mijn *ma-*

nutella in zijn ribben prik, 'die helemaal uit de stad zijn gekomen om hier thee te drinken.'

'Huh?' July springt overeind.

'*Faga moto*,' zeg ik tegen July. Dat betekent letterlijk: 'Zet vuur' maar figuurlijk: 'Maak voort'.

July kijkt me woest aan. 'Jij bent te brutaal,' zegt hij tegen me.

'Schiet op! Hé! Schiet op. Ze wachten.' Ik ben erop gebrand om onze middagverrassing uit te buiten. We hebben niet zo vaak nieuwe bezoekers. Vooral niet sinds het erger is geworden met de landmijnen en hinderlagen.

'De thee komt eraan,' zeg ik en ga op de grond zitten met mijn rug tegen de naar oude as ruikende haard, waar ik iedereen goed kan observeren. De zitkamer is smoorheet; de sofa en de stoelen ademen hitte uit; vochtige, van hitte doordrenkte lucht deint in de ramen. De honden beginnen rusteloos vóór de missionarissen heen en weer te lopen, die in de stoelen van de honden zitten. De foxterriër kijkt boos, de labrador-draadhaarkruising gromt zachtjes en ziet er baviaanmoordenaar-verontwaardigd uit. De springerspaniëls doen herhaalde pogingen om bij de bezoekers op schoot te springen en de missionarissen houden het af, op een nonchalante, ik-duw-je-hond-niet-echt-van-schoot-ik-hou-eigenlijk-wel-van-honden-manier.

De blonde Amerikaan zegt: 'We zijn gekomen om u deelgenoot te maken van de leer van Christus.'

'Wat aardig.' Mama zwijgt even. 'We zijn anglicaans.'

De missionarissen kijken elkaar eens aan.

July brengt de thee. Hij ruikt sterk naar groene waszeep en zojuist gerookte inheemse *gwayi*-tabak. De kopjes zijn vettig, ongelijksoortig en op één na gescherfd. Mama deelt de gescherfde mokken uit aan de gasten en mij, en houdt de beste mok voor zichzelf. Op een bord liggen sneeën zelfgebakken brood met daarop boterkrullen en komkommer in hachelijk evenwicht. De komkommers zijn royaal bestrooid met zout en er komen waterparels op.

Mama vraagt me: 'Wil jij de suiker uitdelen?'

De missionarissen houden hun op niet-bijpassende schotels wiebelende koppen thee op schoot, waar de kans gevaarlijk groot is dat een ijverige spaniël elk moment het kopje de lucht in kan laten vliegen. Ik bied ze suiker aan en vervolgens een snee zoute komkommer met brood. Ze zijn te beleefd om het af te slaan en te beleefd om te weten hoe ze het moeten eten. Het brood is dagen oud en kruimelig; het deeg voor het brood bestond uit een mengeling van maïs en tarwe om het meel langer te laten meegaan. De bezoekers zijn ontwapend. Ze kunnen door de thee en de honden en het topzware brood niet bij hun bijbels.

De thee doet ons zweten. Mama zegt dat thee daarom goed voor je is. Als je halverwege de middag een kop thee drinkt en iets zouts eet, raak je niet bevangen door de hitte. Het zweet zal ons afkoelen. Het zweet loopt kriebelend over de achterkant van mijn benen. Het zout zal het zout vervangen dat we door het zweten verliezen. Ik kauw op mijn brood, de honden doen steeds verwoedere pogingen om op onze schoot te klauteren. Ze likken de kruimels van mijn hand. Ik schenk een beetje thee op een schoteltje voor de teckel.

'Ik heb nog nooit een hond thee zien drinken,' zegt Olifantenkont.

Mama staart de man met koele verbazing aan. 'Wat merkwaardig,' zegt ze.

De missionarissen schrompelen ineen.

Mama drinkt haar thee op. 'Iemand nog een kopje?'

De missionarissen glimlachen, schudden hun hoofd. De blonde schraapt zijn keel. Hij begint op de sofa heen en weer te schuiven, zoals honden doen wanneer ze wormen uit hun achterste wrijven op een kleed of op het meubilair, wat we 'zeilen' noemen. 'O, kijk mama, Shea is aan het zeilen!' Waarop mama zegt: 'Ik zal het hele stel weer moeten ontwormen.' Olifantenkont begint ook heen en weer te schuiven. Ze zetten hun koppen thee neer, ontdoen zich van hun beknabbelde zoute-komkommer-brood en staan op, alsof ze willen vertrekken. Nu al. Ik ben teleurgesteld. Ik hoopte op een gevecht. Ik hoopte deze twee mannen 'de goede strijd' te zien strijden.

'Nou, dank u wel...' zegt Olifantenkont en stormt naar de deur, gevolgd door zijn partner. Mama en ik zien tegelijkertijd dat beide mannen roze striemende vlooienbeten achter op hun zachte, witte, mollige benen hebben. Ik begin weer te giechelen.

Mama heeft keer op keer geprobeerd de vlooien te doden, maar vlooien zijn taaie rakkers. Vlooien klampen zich tot op het laatste moment aan hondenhaar vast en verdrinken als peperspikkeltjes in het schuim boven op het melkachtige giftige badwater dat mama één keer per maand in een ijzeren ton in de achtertuin bereidt. Terwijl mama de honden wast (die ze bij hun nekharen vasthoudt, haar lippen op elkaar persend om geen gif in haar mond te krijgen wanneer de honden tegenstribbelen en zich uitschudden), springen een paar dappere, schrandere vlooien op haar armen, maar gewoonlijk drukt ze de vlooien dood tussen haar nagels voordat ze haar kunnen bijten. Mijn armen en benen zijn door de honden van boven tot onder bedekt met vlooienbeten; het zijn kleine vertrouwde rode bultjes – bijna vriendelijk – en minder irriterend dan de gezwollen bobbels van muskieten of de brandende plek waar een teek heeft gebeten en die je in de gaten moet houden voor het geval er infectie optreedt. Mijn vlooienbeten zijn piepklein, het soort beten dat je krijgt als je aan vlooien gewend bent zodat je er niet zo'n last meer van hebt. De beten van de missionarissen zien er – zelfs al zijn ze vers – nu al geïrriteerd, jeukerig en hinderlijk uit, omdat deze mannen blijkbaar geen vlooien gewend zijn.

Mama zegt: 'Erg aardig van u om langs te komen.' En

heeft daar onmiddellijk spijt van omdat de missionarissen dit meteen aangrijpen: 'Wilt u met ons bidden voordat we vertrekken?'

Dus gaan we op de rood-stoffige binnenplaats bij elkaar staan terwijl de honden, die nu rusteloos op hun middagwandeling wachten, rond onze voeten krioelen. De missionarissen steken hun handen uit. 'Laten we elkaars hand vasthouden,' zegt de blonde.

Mama kijkt ijzig, maar ze steekt haar handen uit. Ze zegt: 'Hou hun handen vast, Bobo.'

Van schaamte laat ik mijn schouders hangen, maar neem de toegestoken handen schoorvoetend in de mijne. We houden in ons gezin vrijwel nooit elkaars hand vast en met vreemden doen we hct al helemaal nooit. *Sis*, man. Mama staart me woest aan. Vanaf de plek waar ik sta, kan ik zien dat July, Violet en de tuinman zich bij de keukendeur hebben verzameld en met onverholen pret naar ons staan te turen. Violet giechelt achter haar hand.

De mannen beginnen te bidden. Ze bidden eindeloos door. Onze handen wisselen zweet uit, beginnen weg te glijden en worden opnieuw vastgegrepen. Ik kan me niet concentreren op de woorden die de mannen zeggen, omdat ik denk aan hoe glibberig onze handen zijn geworden. Olifantenkont zegt: 'Zou je willen bidden?' Het duurt even voordat ik besef dat hij het tegen mij heeft.

'Wat?'

'Je kunt God alles vragen wat je maar wilt.'

Ik begin snel te spreken, voordat mijn kans om rechtstreeks met God te communiceren me wordt afgenomen. 'Een broertje of zusje,' zeg ik. 'Ik wil een nieuwe baby in de familie. Alstublieft.'

Iedereen lacht ongemakkelijk behalve ik.

Op dat moment tilt Bubbles zijn poot op bij het been van de blonde missionaris en laat er een dikke gele stroom alfamannetje-hondenpis tegenaan komen en onze gebedsbijeenkomst rechtstreekse-verbinding-met-God wordt abrupt beëindigd.

Tien maanden later wordt Olivia Jane Fuller geboren in het ziekenhuis in Umtali. Zo blijkt maar weer dat sommige gebeden worden verhoord. Olivia is mijn schuld. Ze is het rechtstreekse gevolg van mijn gebed. Heimelijk ben ik uitzinnig trots.

In januari 1977, wanneer Olivia 5 maanden oud is, voeg ik me bij Vanessa op kostschool.

Olivia

Olivia

JANUARI, 1978

Het is kerstvakantie en alles is groen-groeiend door het regenseizoen. De wegen zijn glibberig van de met voren doortrokken modder. Mama en papa hebben Vanessa meegenomen naar Umtali om een paar nieuwe schoolschoenen te kopen en achterstallige boodschappen voor de boerderij te doen. Ze laten Olivia en mij achter bij tante Rena.

Tante Rena heeft een winkel op haar boerderij. Hij heet de *Pa Mazonwe*-winkel en geurt naar schatten. Er hangen felgekleurde nylon jurken aan de dakbalken tussen de glimmende zilverzwarte fietswielen. Helemaal aan de rechterkant van de winkel liggen stapels dikke grijze en roze dekens die een speciale jeukerige geur hebben, een geur die je doet denken aan het gevoel van ruwe huid die blijft haken aan polyester. En er staan kratten coca-cola en rollen stof. Daarnaast staan kisten thee, koffie, Pana-dol, Enos-zuiveringszout en sigaretten, die ofwel per pak-je ofwel per stuk worden verkocht.

En dan volgt de explosie van fonkelend snoepgoed; de walnootrotsjes verpakt in doorzichtig papier met blauwe letters erop; kauwgom met goudfolie aan de binnenkant van een bobbelig roze wikkel; potten met gele syntheti-sche 'abrikozen' ter grootte van een duim en zwarte, zoete toverballen die lagen van verschillende kleuren onthullen wanneer je erop zuigt. En naast het snoepgoed de zakken Willards-chips en de rijen met weke verfrissingen voor een cent, sigaarvormige plastic pakjes met suikerwater dat we drinken door een hoekje van het plastic af te bijten en de warme nectar achter in onze keel te spuiten.

Aan de rechterkant, bij de deur die naar tante Rena's kli-niek leidt, staan de stapels Pronutro en babyvoeding, melkpoeder, suiker, zout en jutezakken vol gedroogde ka-penta – een piepkleine gezouten vis, compleet met oogbal-len en vinnen – die de hele winkel zijn ziltige, scherpe aro-ma geven. Onder glas aan het eind van de toonbank liggen vertinde goudkleurige oorringen en klossen veelkleurig garen en kaarten met felgekleurde, glanzende knopen. Op de veranda laat een oude kleermaker stroken stof door zijn vingers snorren. Zijn getrap op het pedaal eet de vormelo-ze stof op en verandert deze op een wonderbaarlijke ma-nier in jurken met pofmouwtjes en button-down over-hemden. Zijn trap-trap is een ritmisch, constant achter-grondgeluid samen met dat van de kleine zwarte winkelra-dio, waarvan de achterkant openhangt en batterijen en draden onthult, en dat de heupwiegende Afrikaanse mu-ziek speelt die ik zou moeten verachten maar waar ik niet anders naar kan luisteren dan met schuldbewust genot.

'Hou een oogje op je zusje,' zegt mama.

'Zal ik doen,' zeg ik, schommelend in de opening in het bovenblad van de toonbank, waar alleen de bevoorrechten doorheen mogen.

'Hou je van je zusje?' vraagt tante Rena.

Ik hou meer van Olivia dan van alle andere dingen die ik kan bedenken maar ik zeg: 'Niet echt.'

De grote mensen lachen.

Terwijl ik word betoverd door de overvloed van schatten in de winkel en door de klanten die behoedzaam naar de toonbank komen om hun maandsalarissen zorgvuldig uit te geven, moet Olivia uit de winkel zijn getrippeld en naar achter zijn gedwaald waar de eenden in een enkeldiepe, eendenstrontgroene vijver poedelen. Tante Rena is in de kleine, van een strodak voorziene, gewitte hut vóór de winkel om rantsoenen uit te delen aan de Mazonwe-arbeiders; een gedeelte van hun maandsalaris krijgen ze in de vorm van zout, maïsmeel, gedroogde vis, thee, zeep, suiker en olie.

'Als je deze drommels geld geeft, geven ze het grootste deel uit aan *Chibuku*,' zegt papa. *Chibuku* is het klonterige, uit maïs gebrouwen bier waar Afrikaanse mannen zich op betaaldag mee bedrinken.

Duncan, Rena's jongste zoon, en ik zijn in de winkel om toe te kijken hoe Afrikanen kopen wat ze niet hebben gekregen als onderdeel van hun rantsoenen: garen, snoepgoed, batterijen, knopen. Ik schommel nog steeds in de opening in de toonbank waar het hout door vele handen zacht-glad en zacht-vettig is geworden.

De Afrikaanse vrouwen bewaren hun geld in een gevouwen pakje in hun jurken, tegen hun borsten, zodat het zacht en gekreukeld en warm is als ze het op de toonbank leggen om het uit te tellen. Een zak meel, een doosje lucifers en dan, na een genietende aarzeling, één sigaret en een cola. Hun kinderen zeuren om suikergoed.

Pas tegen lunchtijd merkt iemand dat Olivia weg is.

Ze drijft voorover in de vijver. De eenden zijn inmiddels gewend aan haar lichaam, peddelen en waggelen eromheen, gooien hun kopjes achterover en drinken het water dat vol is van haar laatste adem. Ze draagt een paarswit vest dat mama heeft geknoopverfd tijdens een van haar artistieke opwellingen om ons anders dan alle anderen te kleden. Als we haar omdraaien zijn haar lippen even violet als haar ogen, haar wangen grijswit. Tante Rena legt haar op de vloer in de kliniek en pompt eendenstront uit haar longen. Het groene vuile water wordt naar boven gepompt op het grijze cement en ligt als een halo om haar hoofd. Heel mijn gelukkige wereld draait dan van me weg – ik voel hoe hij me verlaat, zoals iets warms en behaaglijks je in een wolk hete adem verlaat – en een koude rilling nestelt zich boven op mijn maag. Zelfs mijn huid is koud geworden van de schok.

Ik zal nooit meer rust hebben, besef ik. Ik zal me mijn hele leven nooit meer op mijn gemak of gelukkig voelen.

Oh my darling, oh my darling,
oh my darling Clementine,
You are lost and gone forever,
Oh my darling Clementine.

Na een halfuur geeft tante Rena het op. Ze heeft in een langzaam, hopeloos ritme zacht-dood, groen water uit Olivia's mond geperst en lucht in haar neus en mond geblazen. Nu zegt ze: 'Olivia is dood.' En dan zegt ze: 'Mijn god, dit is al de tweede.'

Ik zeg: 'Doet u alstublieft iets, tante Rena. Tante Rena, alstublieft.'

Ze zegt tegen Duncan: 'Neem Bobo mee het huis in.'

'Wat gaat u met Libby doen?' Ze kan niet dood zijn. Dit kan niet het einde van haar leven zijn. Zomaar. Er is geen sprake geweest van een bom of een geweer of een terrorist-onder-het-bed. Ze was de hele ochtend in leven. Ze hoort nog steeds in leven te zijn.

'Ze is dood,' zegt tante Rena, en ze trekt een laken over Olivia's hoofd.

Ik zeg: 'Laat me eens voelen.' Ik druk mijn vingers tegen Olivia's pols, zoals ik dat tante Rena heb zien doen, en hou mijn adem in. 'Ik geloof dat ik iets voel,' zeg ik hoopvol.

Tante Rena wendt haar blik af: 'Neem Bobo mee het huis in,' zegt ze weer.

Duncan neemt me mee naar zijn kamer en laat me zijn stripboeken zien. *Desperate Dan*, *Minnie the Minx*, *Roger the Artful Dodger*. Ik zeg: 'Ik wil alleen Olivia terug.'

Hij zegt: 'Ze is dood.'

'Ik wil haar terug,' houd ik vol.

'Ze is zo dood als een pier.' Hij heeft weet van de dood vanwege zijn experimenten met het doden van jonge katjes. Hij heeft al eens jonge katjes verdronken, verbrand en begraven. Op die manier, zegt hij, weet hij hoe het is als hij aan de beurt is. Hij zegt: 'Verdrinken is beter dan een kat in het vuur.'

Ik zeg: 'Misschien wordt ze beter.'

'Je wordt niet beter van dood zijn.'

Ik huil hevig in Duncans kussen tot hij zucht en wat wc-papier voor me haalt. 'Hier,' zegt hij terwijl hij me het papier geeft, 'snuit je neus.'

Ik veeg mijn neus af aan mijn arm. 'Mijn broer is ook doodgegaan,' zeg ik tegen hem terwijl ik het papier tot een bal verfrommel in mijn vuist.

'Je hebt geen broer.'

'Wel waar, maar hij is dood. Hij is vóór mijn geboorte doodgegaan.'

'Dan was hij niet echt je broer.'

'Wel waar.'

'Niet als hij een dode broer is. Dood voordat jij leefde, bedoel ik.'

'Toch hoorde hij bij ons gezin. En toen ging hij dood. Als hij niet was doodgegaan, zou hij nog steeds bij ons gezin horen.'

'Hoe is hij doodgegaan?' vraagt hij uitdagend.

'Doordat mama en papa met Vanessa zijn gaan lunchen toen hij in het ziekenhuis lag.'

'Daar ga je niet dood aan.'

'Hij wel.' Ik begin weer te huilen.

Duncan zegt: 'Hou op met huilen.'

Ik begin harder te huilen.

Hij zegt: 'Ik zal je voorlezen.'

Ik blijf huilen.

'Ik lees je alleen voor als je ophoudt met huilen.' En dan, met een stem die schril wordt van ongeduld en snijdend van paniek: 'Hé, hou op met huilen.' Hij legt zijn armen onhandig om mijn magere, van de wormen opgezwollen lijf. 'Alsjeblieft, Bobo. Hou alsjeblieft op met huilen.'

'Oké.' Ik snuf en duw Duncan weg. Ik wrijf krachtig met mijn onderarm over mijn gezicht. 'Zo,' zeg ik, 'ik ben opgehouden met huilen.'

Ik blijf lange tijd bij Duncan zitten. Hij leest me zijn stripboeken voor en probeert daarbij alle stemmetjes na te doen. Ik kan niet horen wat hij zegt, maar ik hoor buiten wel auto's en stemmen van volwassenen en het geblaf van de Staffordshire-terriërs. Ik kan horen hoe de kok in de keuken zijn gelukkige, normale dag voortzet door eieren te tellen, brood te bakken, het avondeten te koken. Dan komen Duncans zusters en zeggen tegen me: 'Je moet flink zijn.'

Ik knik.

De zusters nemen me mee naar buiten naar een auto en iemand rijdt me naar de boerderij van Dickinson, die naast de onze ligt, maar niemand vertelt me waarom we daarheen gaan. Ik zeg: 'Waar zijn mama en papa?'

Iemand zegt: 'Die komen straks.'

Ik laat mijn kin op mijn borst zakken: 'Ze zullen me vermoorden,' zeg ik.

'Wat? Ze zullen je niet vermoorden.'

Ik knik en begin weer te huilen. 'Ik heb Olivia laten verdrinken.'

'Dat was niet jouw schuld.'

Ik kijk uit het raam naar de stekelige velden met ananas die door de Dickinsons wordt gekweekt. De ananasvelden zijn door mijn tranen opgelost in oranje en groene wazige vlekken. Het was wel mijn schuld. Het was beslist mijn schuld. Uit pure, opgesloten ellende geef ik een schop tegen de stoel voor me. Ik wou dat ik het was die in haar plaats dood lag. Ik zal de rest van mijn leven in de penarie zitten. Olivia ligt in het logeerbed in het huis van de Dickinsons. Iemand heeft alle eendenstront van haar gezicht gewassen en haar donkere krullen gekamd waar de algen zich in hadden verstrengeld. Haar haar heeft tijdens haar leven nooit kamsporen vertoond. Tijdens haar leven was haar haar een zachte, borstelbare halo. Mama borstelde de bruin-glanzende krullen altijd uit met een zachte blauwe borstel. Ik denk: dan is ze dus echt dood.

Er liggen enkele bloemen uit Carina Dickinsons tuin bij haar hoofd op het kussen. Ik staar onafgebroken naar haar gezicht. Ik wil dat ze leeft. Ik ben degene die haar die dag met de missionarissen tot leven heeft gebeden. Nu is het mijn schuld dat ze dood is. Ik heb de andere kant uitgekeken en Olivia's leven vloog uit haar lichaam omdat ik er niet op paste. Daar ligt ze dan op het logeerbed van de Dickinsons, haar huid een blauwgrijze bleekheid, met zomerviooltjes rond haar hoofd, en ze ademt niet.

Dan verschijnen Rena's twee dochters, Anne en Ronelle. Ronelle pakt me bij de schouder en zegt: 'Zo is het welletjes', en zij en Anne nemen me uit wandelen.

Anne zegt: 'Je zult haar niet meer zien. Ze is naar Jezus gegaan.'

Dat is een leugen. Ze is niet naar Jezus gegaan. Haar lichaam ligt nog steeds op dat bed. Jezus heeft haar niet 'tot Zich laten komen'. Ik pers mijn lippen op elkaar. Mijn keel doet pijn omdat er nooit genoeg gehuild kan worden om van het verdriet van binnen af te komen.

Mama en papa komen uit de stad terug en ik ren ze tege-moet op de oprijlaan waar ik met de zusjes Viljoen heb ge-lopen. Papa vangt me op in zijn armen. Hij huilt geluid-loos, zijn beide wangen zijn nat en zijn gezicht is afgetobd en grijs. Hij droogt zijn tranen aan mijn hals en zegt: 'Je bent zo flink, wijfie.'

Maar ik heb het gevoel dat hij dat niet zal zeggen zodra hij erachter komt dat Olivia's dood aan mij te wijten is. Ze is dood omdat ik niet heb opgelet. Ik denk: 'Dan zal hij me wel haten.' Maar ik vertel hem niet wat er is gebeurd. De brok in mijn keel maakt het slikken pijnlijk.

Die nacht slapen Vanessa en ik in de slaapkamer van mama en papa, alleen we slapen geen van allen. Het is de eerste keer in mijn leven dat ik de hele nacht, van begin tot eind, wakker lig. Ik luister naar mama's zachte, verdoofde gesnik. Tante Rena heeft haar een paar pillen gegeven: 'Je moet deze innemen om te kunnen slapen.' Papa is een bult in het donker, hoog tegen de muur. Hij rookt de ene siga-ret na de andere; de gloed van hun rode punten is gestaag op weg naar zijn lippen. Vanessa ligt heel rustig naast me op de vloer, heel stil. Ik weet dat ze in de diepte en stilte van zichzelf is gekeerd. Ik fluister haar naam in de naar bij-tende rook ruikende dichtheid van ons gezamenlijk ver-driet, maar ze antwoordt niet.

Ze weet het, denk ik bij mezelf. *Ze weet dat ik Olivia heb ge-dood en nu haat ze me.*

En ze zal me altijd haten.

De volgende ochtend ga ik naar Olivia's kamer en kijk in het ledikantje. Het bed is nog steeds gekreukeld van haar lichaam zoals het daar de vorige ochtend nog lag. Haar speeltjes liggen uitgespreid op haar lakens. Haar pyjama ligt opgevouwen op haar kussen. Mama heeft haar gezicht begraven in Olivia's beddengoed en wanneer ik binnen-kom kijkt ze naar me op. Ze zegt met een verstikte stem: 'Het ruikt nog steeds naar baby.'

Nog lang daarna is mama het grootste deel van de tijd heel stil. De boeren van het Birmadal leggen geld bij elkaar en schrijven een cheque voor ons uit zodat we op vakantie kunnen gaan, misschien naar Zuid-Afrika, naar het strand, zeggen ze. Maar papa wil de cheque niet verzilveren. Hij zegt: 'We zijn allemaal krap bij kas. Zij zijn ook krap bij kas.' Hij lijst de cheque in en hangt hem op in de woonkamer. Hij zegt: 'Laten we bij wijze van vakantie wat in Rhodesië rondrijden. We nemen wat blikjes voedsel en slaapzakken mee. Dat kost niet veel.'

Dus we begraven Olivia in een kistje van babyformaat op het kerkhof waar de oude blanke kolonisten liggen in hun grote, trotse graven met bemoste witte grafstenen en permanente potten met bloeiende planten en keurige, exclusieve hekken die daar staan voor de show en niet kunnen verhinderen dat de apen de graven op rennen. En nadat Olivia is begraven, rijden we naar het dichtstbijzijnde huis; alle families in het Birmadal, gekleed in hun netste, treurigste kleren, rijden in een lange, gesegmenteerde slang van droef-trage auto's naar het huis van een Afrikaner, en we eten de zoete vettige *cook sista's* en het viervierdengebak en de scones die de Afrikaner vrouwen de hele ochtend hebben staan bakken en we drinken zoete melkige thee totdat iemand een fles brandy vindt en een paar biertjes en die begint door te geven. Wat ons de moed geeft een kleine kerkdienst te houden op de enige manier waarop we dat als gemeenschap kunnen: dronken en huilerig. Alf Sutcliffe haalt zijn gitaar tevoorschijn. Hij kent geen kerkliederen, dus we zingen *You chose a fine time to leave me, Lucille* en *Love me tender* totdat zelfs de volwassen mannen, zelfs de harde oude Boeren met de rug van hun hand hun tranen wegvegen.

Een paar dagen na de begrafenis stappen we in de volgeladen groene Peugeot-stationcar en rijden het dal uit. Maar we kunnen niet wegrijden van de herinneringen aan het kindje dat onder de zachte, zwijgende hoop rood-vruchtbare aarde ligt in een amper omsloten kerkhof tegen de rand van de dalbodem, waar voornamelijk oude mensen zachtjes liggen weg te rotten in de regens of tot stof opdrogen in het droge seizoen.

Niemand heeft ooit open kaart gespeeld en onomwonden gezegd dat ik verantwoordelijk was voor Olivia's dood en dat Olivia's dood mama van een prettige dronkelap in een gestoorde, trieste dronkelap heeft veranderd, zodat ik ook verantwoordelijk ben voor mama's gekte. Niemand heeft ooit open kaart gespeeld en het met woorden gezegd en met wijzende vingers. Dat was niet nodig.

Mama

Later

Mijn leven is in tweeën gesneden.

De eerste helft bestaat uit de gelukkige jaren voordat Olivia sterft.

Bijvoorbeeld: Vanessa en de oudere kinderen laten hun voeten voor de voorruit bungelen; hun benen zijn bespikkeld met klompjes rode modder. Wij zitten achter de grote broers en zussen – wij kleinere telgen – en we gebruiken hen als schild tegen de rondvliegende modderspatten en de dikke, vochtige wind die kouder wordt naarmate de avond nadert.

'Zingen!' schreeuwt vader naar ons, dreigend ons van het dak te slingeren door de auto slippend tot stilstand te laten komen. 'Zingen!'

We zijn uitgelaten van half-angst, half-genot door de manier waarop papa rijdt. Olivia zit voorin op mama's schoot, schreeuwend van opwinding. Haar lieve babygeluk bereikt ons bij vlagen op het dak.

'Hij is *penga!*' zegt een van de grote broers.

En dan begint iemand te zingen: *'Omdatte we,'* (pauze), *'allen Rhodesiërs zijn en vechten door dikkendun!'* en we zingen allemaal mee.

En papa schreeuwt: 'Dat is beter' en scheurt vooruit, waarbij de grote broers en zussen met verse modder worden bespikkeld.

Wij werpen ons hoofd in de nek: *'Blijft dit land,'* (adempauze), *'een vrij land en komt de vijand er niet in.'* We schreeuw-zingen. We zullen voor eeuwig en altijd Rhodesiërs zijn terwijl we boven op het dak door de modder tegen een berghelling op rijden, door dichte geheime wouden waar het misschien wel krioelt van de terroristen. We blijven zingen om de auto voort te laten gaan.

'De Zambezi komen ze niet over tot die rivier is opgedroogd! En dit geweldige land zal bloeien, want Rhodesiërs gaan nooit dood!'

Het spuug vliegt uit onze mond en droogt in zilveren strepen over onze wangen. Onze vingers zijn verstijfd rond het imperiaal, wit als botten. We zijn extatisch van angst-vreugde.

De tweede helft van mijn kindertijd is nu. Na de dood van Olivia.

Na de dood van Olivia wordt mama en papa's vreugdevolle, zorgeloze omhelzing van het leven weggezogen, zoals water de afvoer in kolkt. De vreugde is verdwenen. De liefde is weggesijpeld.

Nu zijn mama en papa soms beangstigend. Beangstigend omdat ze niet lijken te zien dat Vanessa en ik achterin zitten of omdat ze vergeten zijn dat we op het dak van de auto zitten. Ze rijden te hard onder lage doornstruiken door en de uitdrukking op hun gezicht is grimmig.

We mogen na het invallen van de duisternis niet rijden – er is een avondklok – maar de oorlog, muskieten, landmijnen en hinderlagen lijken voor mama en papa van geen belang meer na de dood van Olivia. Vanessa en ik zitten buiten voor de sociëteit terwijl mama en papa binnen zitten te drinken tot ze het autoportier amper open kunnen krijgen. We hangen rond op het haveloze gazon, bij de vijver waarin Olivia is verdronken (inmiddels omheind, en bovendien leeg). Muskieten vliegen in wolken rond onze enkels, en mama en papa bekommeren zich niet om malaria. We zijn verbrand van de zon en dorstig, verveeld. We gaan op onze rug liggen op het prikkende gras en kijken naar de lucht die van dag in nacht verandert.

We rijden in de ondoordringbare nacht over zandpaden naar huis door de zwarte, geheimzinnige, terrorist-verbergende jungle, en papa heeft zijn raam omlaag en zit te roken. Het geweer ligt geladen op zijn schoot.

Vanessa en ik hebben geen avondeten gehad.

Dus kopen mama en papa extra cola en chips voor de tocht en zeggen tegen ons dat we achterin bij de hond moeten zitten die de hele middag vergeten in de auto heeft gezeten en die nu moet plassen.

We laten Shea eruit om te plassen.

Mama is klungelig dronken en papa, die scherp-dronken is, begint boos te worden. 'Kom op,' zegt hij tegen Shea, naar haar schoppend, 'ga nu verdomme die auto in.'

'Je moet haar niet schoppen,' zegt mama, vaag beschermend.

'Ik schopte haar niet.'

'Wel waar, ik zag het.'

'Ga verdomme die auto in, jullie allemaal!' schreeuwt papa.

Vanessa en ik stappen gauw in de auto en beginnen ruzie te maken over waar Shea moet zitten: 'Op mijn schoot.'

'Nee, op de mijne.'

'Op de mijne. Het is mijn hond.'

'Niet waar.'

'Wel waar. Mama, is Shea mijn hond of Bobo's hond?'

'Hou je mond of ik geef jullie allebei een flink pak slaag.'

Vanessa meesmuilt naar me en trekt Shea op haar schoot. Ik steek mijn tong uit naar Vanessa.

'Mama, Bobo heeft haar tong naar me uitgestoken.'

'Niet waar.'

Mama draait zich om en haalt woest naar ons uit. We krimpen ineen voor haar maaiende hand. Ze is te dronken, triest en halfstok om ons te raken.

'Nog één geluid van een van jullie en ik maak schaapskoteletten van jullie,' zegt papa. Die zit. Schaapskoteletten willen we niet worden. We houden onze mond.

Vanessa en ik eten onze chips langzaam, een voor een, en laten ze smelten op onze tong. Het zout bijt, dus we nemen een flinke slok cola om de prikkeling weg te spoelen. We hebben Shea allebei drie of vier chips gevoerd. Zij heeft ook geen avondeten gehad.

Papa rijdt wild, maar het is niet kinderen-op-het-dak-wild, wat leuk en tegelijk eng is en waarbij we zingen en het speeksel in dunne zilveren draden uit onze mond komt. Dit is zoals een man rijdt wanneer hij hoopt dat hij tegen een boom zal knallen en er daarna stilte zal zijn en hij niet meer hoeft te denken. De lol is verdwenen. Nu zijn we alleen nog bang.

Mama is gaan slapen. Ze is slap-dronken, stomdronken. Als papa vaart mindert om een bocht te nemen, zakt ze voorover, slaat met een doffe klap met haar voorhoofd tegen het dashboard en schrikt even wakker. In de auto hangt een sterke lucht van sigarettenrook en verschaald bier. Boer- en scheet-bier. Uitgeademd bier. In het donker kijken we naar de helderrode punt van papa's sigaret. Zijn gezicht wordt erdoor verlicht en de lijnen op zijn gezicht zijn oud en boos. Vanessa en ik hebben onze cola en chips op. Onze buikjes zijn vol-met-niets-stekend-hongerig. Shea slaapt op Vanessa's schoot.

Als we ons te pletter rijden en we allemaal verongelukken zal dat mijn schuld zijn omdat Olivia is gestorven en mama en papa daardoor gek zijn geworden.

Zo staan de zaken ervoor na Olivia's dood.

Vakantie

Het huis is meer dan we kunnen verdragen zonder Olivia. De leegte van het leven zonder haar is luid, fel en pijnlijk, zoals in de withete zon vertoeven zonder een stukje schaduw om in te schuilen.

Papa heeft gezegd dat we met vakantie gaan.

'Waarheen?'

'Maakt niet uit. Zolang het maar niet hier is.'

Dus rijden we roekeloos door het door oorlog geteisterde Rhodesië.

Een groene Peugeot, ratelend over de uitgestorven teerstroken terwijl er toiletpapier triomfantelijk uit de achterraampjes wappert (waar Vanessa en ik aan het uitproberen zijn hoe lang het duurt tot het afscheurt en achter ons op de weg blijft liggen als een dikke, witte, overreden slang, kronkelend van de pijn). Terwijl de wegen van Rhodesië zich voor ons nieuwe, hongerige verdriet ontrollen, zongen we:

'Iemand ging eens schoffelen, gingkartoffelenschoffelen,' en

'Honderd baviaantjes spelen op het mijnenveld. En als één ba-

viaantje per ongeluk ontploft, spelen er negenennegentig bavi-
aantjes op het mijnenveld.'

En als we ophouden met zingen, schreeuwt papa: 'Zingen!'

Dus zingen we: '*Omdatte we*' (pauze), '*allen Rhodesiërs zijn*
en vechten door dikkendun, blijft dit land een vrij land en komt
de vijand er niet in. De Zambezi komen ze niet over, tot die ri-
vier is opgedroogd. En dit geweldige land zal bloeien, want Rho-
desiërs gaan nooit dood.'

En we zingen: '*Zeg papa, neem ons mee naar het variété, alle*
zes, zeven, acht, negen, tien.'

Totdat mama zegt: 'Alsjeblieft Tim, mogen we niet even
een beetje rust? Hè? Een beetje rust en vrede.'

Mama is stilletjes en gestaag aan het drinken uit een veldfles met koffie en brandy. Ze is zoetjes, droevig dronken.

Papa zegt: 'Oké jongens, *zoishetgenoeg.'*

Dus zitten we aan beide uiteinden van de achterbank met
het gapende gat in het midden waar Olivia zou moeten zijn
en kijken toe hoe mama's ogen halfstok gaan.

Het is net of we door een droomlandschap rijden. De
oorlog heeft een afschuwelijke magie bedreven, als de betovering van het kasteel van Doornroosje. Alles sluimert
of houdt zijn adem in om geen landmijn tot ontploffing te
brengen. Alles is afwachtend, waakzaam en achterdochtig.
Uit het struikgewas zouden plotseling stekelige ak 47's tevoorschijn kunnen schieten en dan zouden we heen en
weer gerammeld worden door mitrailleurvuur en liploos
en oorloos op de weg liggen voor het uitgebrande, smeu-
lende plastic en verschroeide metaal van onze smeltende
auto.

De enige levende wezens die onze oorlog vieren, zijn de
planten, die zich in de stamtrustgebieden triomfantelijk
rond gebouwen en gesloten scholen verspreiden, verstren-
gelen en omhoogwinden, of zich om de voet van lege kralen wikkelen. De oorlog van Rhodesië heeft het land tot

zichzelf teruggebracht, het de vegetatie teruggegeven waarmee het vóór de komst van de mensen was overwoekerd. En vóór de praal van de mensen: gewassen, koeien, geiten, huizen en zaken.

En dan, dwars door de doodstille, lange-lege-weg-verveling, heel plotseling, even verrassend als de prins in Doornroosje, die zich als een bezetene door doornstruiken vocht om een slapende vrouw te bereiken die hij nog nooit had gezien, verschijnen er twee blanke gestaltes op de weg. Het zijn geen prinsen. Zelfs van verre kunnen we zien dat het geen prinsen zijn. Ze zien er grijsbruin besmeurd uit in vuile reiskleren en hebben weerbarstig haar dat rechtovereind staat van het vuil en het stof. Het zijn ook geen Rhodesiërs, dat zien we zo, want ze lopen op de weg en blanke Rhodesiërs lopen nooit op een weg omdat Afrikanen dat doen en het dus gerekend wordt tot de dingen die blanke mensen niet doen om zich te onderscheiden van zwarte (niet in het openbaar in je neus peuteren of naar *muntu*-muziek luisteren of 'metselen' of je schoenen bij de hielen los dragen). Eén van de lopende blanke mannen steekt zijn duim in de lucht als we naderen.

Mama zakt als een zoutzak naar voren als papa vaart mindert. Papa werpt een bezorgde blik op haar. Mama glimlacht zuur. Ze zegt: 'Waarom minder je vaart?'

'Lifters.'

'O.'

Papa zegt: 'Ik kan ze verdomme toch niet langs de kant van de weg laten staan?'

'Ik zou niet weten waarom niet. Daar hebben we ze ook aangetroffen.' Mama, die elk zwervend dier oppakt dat ze ziet.

Papa zegt: 'Stomme hufters.'

Op dit punt van onze reis, wanneer we de lifters zien, heeft Vanessa een barrière van slaapzakken en koffers tussen ons opgeworpen zodat ze niet naar me hoeft te kijken, want ze heeft me verteld dat ik zo weerzinwekkend ben dat ze wagenziekte van me krijgt. Het toiletpapier dat we voor de reis hadden gekocht is op. Het ligt nu verstrooid in ons kielzog of blijft fladderend vastzitten aan doornbomen langs de kant van de weg. We hebben 'ik zie ik zie wat jij niet ziet' gespeeld tot we elkaar van valsspelen beschuldigden.

'Ma-maaa, Bobo speelt vals.'

'Niet waar, Vanessa speelt vals.'

'Bobo speelt vals.'

Ik begin te huilen.

'Zie je wel? Ze huilt. Dat betekent dat ze vals speelde.'

Mama draait zich om in haar stoel en haalt ondoeltreffend naar ons uit, slowmotion-dronken. Tot dat moment heeft ze zich een uur lang aangenaam beziggehouden door naar zichzelf te kijken in de achteruitkijkspiegel en verschillende gezichtsuitdrukkingen uit te proberen om te zien welke haar lippen het meest flatteert. Nu zegt ze: 'Als een van jullie nog een kik geeft, gaan jullie allebei met de benenwagen.'

Als een lifter.

En nu dit. De twee *mazungu*-gestaltes die uit de hete, op ons af razende weg opdoemen.

'We hebben geen plaats voor linkerds,' zegt Vanessa, wijzend op de stapel tussen ons in en de achterbak van de auto, die al boordevol koffers en slaapzakken is.

'Hoor je dat Tim, haha. Vanessa noemt ze linkerds.'

Papa stopt en schreeuwt uit het raampje: 'Waar gaan jullie heen?'

'Waar u heengaat,' zegt de kleine blonde met een Amerikaans accent.

'We hebben geen vast plan,' zegt papa, terwijl hij uitstapt en te midden van onze bagage, onze slaapzakken en tussen Vanessa en mij in, ruimte probeert te maken voor de twee mannen.

'Dat is prima wat ons betreft,' zegt de kleine.

'Wat ons betreft niet,' mompelt Vanessa.

De lifters wurmen zich op de hun toegewezen plek en papa rijdt verder door het lege land.

De kleine zegt: 'Ik ben Scott.'

'Je bent een stomme idioot,' zegt papa.

Scott lacht. Papa steekt een sigaret op.

De grote, donkere man zegt: 'Ik ben Kiki.' Hij heeft een zwaar Duits accent.

Mama draait zich om en glimlacht breed om papa's onvriendelijkheid goed te maken. 'Ik ben Nicola,' zegt ze en dan gaat de poging om terug te staren naar onze nieuwe passagiers kennelijk niet goed samen met koffie en brandy want ze verbleekt, hikt en draait zich abrupt weer naar voren.

'Ik ben Bobo,' zeg ik. 'Ik ben acht. Bijna negen.'

Papa zegt: 'Wisten jullie wel dat het hier oorlog is?'

'O, ja. Wai dachten dat het een goede tait zou zain om te raizen. Niet te veel andere toeristen.'

Papa kijkt met opgetrokken wenkbrauwen in de achteruitkijkspiegel naar onze lifters. Hij heeft hemelsblauwe ogen die erg priemend kunnen zijn. Hij blaast rook uit zijn neus, tikt buiten het raampje as af en begint afwisselend zijn kaken op elkaar te klemmen en te ontspannen, zodat ik weet dat hij voorlopig niets meer zal zeggen.

Dus zeg ik: 'En dat is Vanessa, ze is elf, bijna twaalf.'

Onze avocadogroene Peugeot rijdt de zonsondergang tegemoet op weg naar de Motopos-heuvels. We stoppen om achter een paar struiken te plassen en mama geeft ons elk een banaan en een plastic mok met warme, te lang getrokken thee uit de thermosfles. We hebben geen van allen zin om weer in de auto te stappen. Kiki slaapt, Scott leest. Papa rookt, mama bekijkt zichzelf in de zijspiegel. Ik ben gedwongen uit de raampjes te staren. Het lezen van mijn verzameling boeken (ik heb een kleine bibliotheek meegebracht om me op mijn reis te vergezellen) maakt me wagenziek en de penetrante bedorven-worstlucht die uit Kiki's sokken opstijgt is niet bevorderlijk. Kiki is gaan zweten van de inspanning om in een kleine ruimte opgesloten te zitten. Omdat we met zijn zessen in de stationcar zitten, moet Kiki achter in de auto met zijn neus tegen het dak gedrukt boven op de koffers en slaapzakken liggen. Zijn voeten steken uit aan weerszijden van Scott en mij.

Aan de stukken weg die door Europese nederzettingen voeren, staan bloeiende struiken en bomen – gesnoeide bougainvilles of kleine frangipanes, jacaranda's en brachychitons – die op pittoreske afstand van elkaar geplant zijn. De bermen van de weg zijn gemaaid om zicht te bieden op nette prikkeldraadomheiningen en velden met militaristisch stramme tabak, maïs en katoen of vreedzaam grazend vee dat glanzend en mollig is van de sappige weiden. Af en toe kan ik de aan blanken toebehorende boerderijen zien opglanzen uit een oase van bomen en een lap gazon, allemaal achter afrasteringen die blikkeren als scheermessen, een en al afweer.

In de stamtrustgebieden daarentegen is de vegetatie totaal weggevaagd. Stekelige wolfsmelkheggen die giftige, brandende melk afscheiden wanneer hun stengels gebroken worden, steken groenig uit de verder dorre, uitgeputte grond omhoog. De scholen hebben de uitdrukkingsloze gezichten van oorlogsgebouwen, hun ramen blindgeknald door stenen, geweervuur of mortieren. Hun pleisterwerk is een acne van kogelgaten. De ineengedoken hutten en huisjes zijn open en kwetsbaar; hun deuren bestaan uit fragiele stukken karton of slap neerhangende zakken. Kinderen, kippen en honden scharrelen in de rode, ruwe aarde en staren naar ons terwijl we door hun blootliggende, wegterende levens rijden. Lange rijen magere koeien schommelen langs; terug van of op weg naar ver weg gelegen water of nog verder weg gelegen weiden. Er zijn winkels en zwarte kroegen waar jongemannen omheen hangen. De winkels hebben vervaagde, geschilderde advertenties voor Madison-sigaretten, Fanta Orange, Coca-Cola, Panadol, Enos-zuiveringszout ('Eerste hulp voor magen, met Enos voel je je als nieuw').

Ik heb voldoende kennis van het boerenbedrijf om te weten dat de Afrikanen geen goede technieken toepassen voor het behoud van de grond, de uitoefening van het boerenbedrijf en waterbeheer. Ik vraag: 'Waarom?' Waarom doen ze niet aan wisselbouw? Waarom staan ze overbegrazing toe? Waar is hun windbreking? Waarom zijn er geen aardruggen of voren om de regen op te vangen?

Papa zegt: 'Omdat het *muntus* zijn, daarom.'

'Als ik groot ben, zal ik leiding geven aan *muntus* en ze laten zien hoe je goed moet boeren.'

'Je bent al een echt mevrouwtje,' zegt Scott tegen me.

'Ik ben een reuzegoede boer,' zeg ik terug. 'Nietwaar, papa, ben ik geen goede boer?'

'Ze is een uitstekende boer,' zegt papa.

Ik glimlach zelfgenoegzaam.

Vanessa krimpt steeds meer ineen. Ze wacht tot ik naar haar kijk en veegt dan met één geluidloos met de lippen gevormd woord de zelfvoldane blik van mijn gezicht: 'Uitslover.'

Bo en Burma
Boy

Chimurenga

1979

De jonge Afrikaanse mannen die we vroeger altijd tegen de zwarte kroegen in de stamtrustgebieden geleund zagen staan, zijn verdwenen toen de oorlog heviger werd. Ze hebben hun huizen verlaten en zijn naar buurlanden gegaan om zich te voegen bij de kampen van guerrilla-militairen aldaar. Op heldere dagen kunnen we zien waar nieuwe paadjes zich door het rotsige struikgewas in de heuvels bij de mijnenvelden slingeren. Wanneer deze jongemannen terugkomen uit Mozambique of Zambia en zich voorzichtig een weg banen door de mijnenvelden en naar beneden klauteren, de jungles of vlakke, hete savannes in, gaan ze tegenwoordig niet naar de dorpen waar ze wonen, maar blijven ze in de bush om te vechten in de bevrijdingsoorlog.

Terwijl we over de stoffige wegen door de stamtrustgebieden rijden, op weg van de boerderij naar de stad, zien we alleen vrouwen, ouderen en kleine kinderen. Ze krimpen ineen voor onze blik, voor onze geweren die her en der uitsteken. Sommigen van de grotere kinderen rennen achter ons aan en gooien stenen naar de auto. Hun moeders schreeuwen, maar hun woorden worden weggegrist door het stof, opgezogen in de razernij van onze vaart.

De guerrilla's komen van hun trainingsbases terug naar Rhodesië onder dekking van de duisternis, en ze verschuilen zich in geheime kampen in de bush. Die kampen zijn gemakkelijk te verhullen als er Rhodesische strijdkrachten in de buurt zijn. Spookkampen. Soms vinden mijn zus en ik de spookkampen op de boerderij: gedoofde vuren, lege blikken, gebroken flessen, flarden van kapotte, achtergelaten schoenen. Het gras is in kleine kringen geplet, zoals de kringen die dieren achterlaten op de plekken waar ze hebben geslapen. De wind waait droog door de heuvels. De sporen van het kamp zijn bedekt met stof, bladeren en gras.

Als we hoog op rotsen rondom de spookkampen gaan zitten, kunnen we ver kijken en zien we wat de guerrilla's moeten hebben gezien toen ze hier hun kamp hadden opgeslagen. We zien dat ze ons hebben gadegeslagen, dat ze moeten weten waar we elke dag naartoe gaan, wat onze favoriete wandelingen zijn, welke weg we te paard afleggen. Ze hebben me 's ochtends voor dag en dauw naar de melkschuur zien rennen, en mama en mij uit huis zien komen (te laat om voor het donker terug te zijn) voor haar avondwandeling. Ze hebben Vanessa in haar eentje in de tuin zien schilderen en lezen. Ze hebben papa naar de stallen zien benen of zandwolken zien opjagen als hij wegscheurde op zijn motor. Toch zijn ze niet uit de heuvels komen stormen om ons te doden, om ons liploos, ooglidloos, bloedend, dood achter te laten.

De guerrilla's komen alleen 's nachts uit hun bushkampen tevoorschijn om naar de dorpen terug te gaan. Ze komen om *pungwe* (politieke bijeenkomsten) te houden en *mujiba* (jonge jongens) en *chimwido* (jonge meisjes) te recruteren die voedselvoorraden naar hun bushkampen

moeten brengen. Onder de zwarte, stille, geheime, onverschillige Afrikaanse hemel dringen ze er bij kinderen, amper ouder dan mijn zus, op aan met hen mee terug te gaan
naar de bush, zich bij hen aan te sluiten in hun strijd voor
onafhankelijkheid. Ze dragen de *mujiba* en de *chimwido* op
informatie te verschaffen over de manoeuvres van de Rhodesische strijdkrachten.

De *mujiba* en de *chimwido* zijn de kleine, duistere, bewe-
gende schaduwen in het dichtbegroeide junglegebied. Ze
zijn de hoge, schreeuwende stemmen, als krassende uilen,
in de stille nachtlucht. Ze zijn een geritsel in de bush aan
de kant van de weg. Ze kunnen zich in duikers en holle bomen of achter kleine rotsen verstoppen. De oorlog is nu
kalm-gewelddadig, geheim, ernstig geworden.

Meer dan een miljoen Afrikaanse dorpelingen worden
gedwongen in 'beschermde dorpen' te wonen, omringd
door prikkeldraad en bewaakt door Rhodesische rege-
ringsstrijdkrachten zodat er geen *pungwe* meer gehouden
kunnen worden. Gevechtsrijpe kinderen worden onder
schot gehouden. Peuters, ouderen en vrouwen zitten gehurkt bijeen onder het toeziend oog van hun overweldi-
gers. Ze mogen water halen. Ze krijgen te eten. Maar ook
de gevangenen kijken. Met hun hand boven hun ogen tegen de zon staren ze de heuvels in die plotseling ritselen
van beweging; een keten van wiegend gras en struiken. De
Rhodesische strijdkrachten kijken snel over hun schouders, maar ze zien niets. Alleen het gras dat beweegt in de
wind. Wat de oude vrouwen en de kleine kinderen en de
moeders zien zijn vertrouwde gestaltes (soldatenbroers, -
zusters, -vaders, -tantes) in een colonne, zich snel voort-
bewegend over ruw terrein. De vrouwen trekken hun baby's naar hun borsten, laten zich weer op hun hurken zakken en wachten op de bevrijding.

De onverzorgde gewassen in de stamtrustgebieden ver-
dorren in de hete zon, krullen om en waaien weg. Het

Afrikaanse vee sleept zich voort, verhongerend, onverzorgd, totdat ze ten slotte door de hekken van naburige, door blanken beheerde commerciële boerderijen breken, waar de wei weelderig en verzorgd is.

De langhoornige, hoogschonkige Sanga-runderen van het dorp verspreiden teken naar onze overvoede, met gras vetgemeste koeien die onmiddellijk bezwijken aan tekenkoorts, bloedwatering, zweetkoorts, en wier buiken opzwellen met de baby's van de inheemse stieren. Die rennen onbeheerd in de heuvels achter ons huis, tot ze verwilderen. 's Nachts horen we ze naar elkaar brullen, niet het lieflijke, pastorale loeien van ons huisvee in de weiden rond het huis, maar dat van wilde dieren in de heuvels, die voor de nacht een territorium afbakenen tegen luipaarden en bavianen, of geile, onbeantwoorde kreten uitstoten.

Papa is steeds vaker van huis. De stof van zijn uniform wordt op de schouderbladen dunner, als vleugels. De huid op zijn schouder, waar zijn FN-geweer hangt, vertoont een streep van blauwe plekken. Mama beheert nu de boerderij. Wanneer papa weg is, krijgen wij een Helder Licht – een gewapende man die ongeschikt wordt geacht om te vechten in de daadwerkelijke oorlog, maar goed genoeg om Europese vrouwen en kinderen te bewaken – om op ons te passen. Ons Heldere Licht heet Clem Wiggens. Hij zit van top tot teen onder de tatoeages; op zijn oogleden staat respectievelijk 'Ik ben' en 'Dood' te lezen. Zijn voeten hebben respectievelijk de opschriften 'Ik ben moe' en 'Ik ook'. Hij verschijnt laat aan het ontbijt, verkreukeld, nadat hij straal door de wekker heen is geslapen. Hij heeft vurig rode ogen die marihuana uitwasemen. Hij is vriendelijk tegen de honden, maar als we ooit aangevallen worden, zegt mama, 'is het gewoon een extra kind om voor te zorgen'. Soms zegt ze tegen hem dat hij maar eens een kijkje moet gaan nemen bij de andere vrouwen-zonder-mannen en hún kinderen. En dan verlaat hij ons en zit hij de hele dag op de veranda van een ándere vrouw en drinkt sloten van háár thee en staart met onverholen lust naar háár dienstmeisjes.

Mama en ik zitten te ontbijten. Vanessa is aan het schilderen op de veranda. De kok komt met een dienblad met toast: 'Philemon wil u spreken, mevrouw.'

Ik loop achter mama aan naar buiten, naar de achterdeur. De honden, hopend op een wandeling, lopen voor onze voeten.

'Ja, Philemon?'

'De wilde stieren zijn vannacht de omheinde wei binnengedrongen, mevrouw,' zegt Philemon, 'ze zijn de melkkoeien aan het bespringen.'

'Verdomme.' Mama bijt op de binnenkant van haar lip.

'Ze zullen de koeien ziek maken,' zegt Philemon.

'Weet ik. Dat weet ik.'

Philemon wacht, gaat op zijn hurken zitten en rolt tabak in een vierkantje krantenpapier.

Mama snuift. 'Ik zal zien wat ik kan doen,' zegt ze.

Ze fluit de honden bijeen, draagt mij op m'n gympies aan te doen voor een wandeling en loopt statig naar de omheinde wei, mijn windbuks onder haar arm en haar uzi, zoals gewoonlijk, over haar borst hangend (waar hij permanente grijze vlekken op haar kleren begint te maken). Ik draaf buiten adem achter haar aan.

'Wat ga je doen?' vraag ik, terwijl ik over een pluk papierdoorn spring en onder het prikkeldraad door duik terwijl mama door het Rhodes-gras op de inheemse koeien afstapt, die kleurrijk en broodmager afsteken tegen onze rode koeien met stevige rompen.

'Die klootzakken in hun ballen schieten,' zegt ze.

'O.'

'Zie je?' zegt ze terwijl we het inheemse vee naderen dat

in de buurt van onze koeien graast, maar in hun eigen afzonderlijke groep, zoals nieuwkomers op een feestje. 'Ze hebben het op mijn kleine vaarzen gemunt.'

'O.'

Ze zegt: 'Ga weg van mijn mooie koeien,' en legt met mijn windbuks aan op de konten van de aanstootgevende stieren. Ze mist.

'Verdomme.'

'We hebben Vanessa nodig,' zeg ik. Maar Vanessa zit midden in het zoveelste kunstproject, wat betekent dat ze de eerstvolgende dagen niet van de veranda zal komen.

Mama komt stapje voor stapje dichter bij de inheemse koeien die kalm van haar weg lopen, met hun staart zwiepend en hun koppen voortdurend laag houdend in het hoge, verstrengelde Rhodes-gras. 'Nu,' zegt mama, de windbuks naar haar schouder heffend en met een 'paf' afschietend. Er gebeurt niets.

'Heb ik gemist?'

'Op welke heb je gemikt?'

'Op allemaal. Heb ik er een geraakt?'

'Ik geloof van niet.' Ik kijk met dichtgeknepen ogen in de hoge zomerzon, een grote rode bal die je door het waas van Griekse vuren ziet hangen, boven de gele vijgenboom op het verste veld. 'Het is moeilijk te zeggen in dit licht.'

Mama overhandigt mij het geweer. 'Probeer jij maar eens,' zegt ze.

Ik breek het geweer, laat een hagelkorrel in de loop glijden, leg aan en schiet.

Maar het inheemse vee is taai. De hagel uit mijn windbuks stuit af op hun onverzettelijke huiden, zelfs van dichtbij.

'Verdomme,' zegt mama. Ze raapt een aardkluit op en gooit hem zwakjes naar de aanstootgevende koeien. 'Ga weg,' schreeuwt ze, 'ga naar huis!' De kluit aarde valt niet ver van onze voeten op de grond en verkruimelt in een kleine zuchtende adem van stof. Een paar zilverreigers

vliegen opgeschrikt op uit het gras, als een aan flarden ge-
scheurd wit picknicklaken dat uit de aarde wordt geschud,
en strijken dan weer neer bij de koeienpoten.

Mama's schouders gaan hangen en haar gezicht verkreukelt, verslagen.

Ik zeg: 'Ze zijn behoorlijk dik, sommige.'

'Van onze wei.'

We beginnen terug te lopen naar het huis, omhoog langs
de naar diesel ruikende werkplaats en de naar scherpe tabak ruikende stallen. Mama is stil en boos, gaat stampvoe-
tend over de weg.

Wanneer ik de volgende ochtend aan het ontbijt verschijn,
heeft mama al tweederde van haar pot thee leeggedron-
ken.

Ik ga zitten en wacht tot July me een kom pap brengt. Ik
bestel twee gebakken eieren met toast.

Mama zegt: 'Dooreten.' Ze kijkt over mijn schouder uit
het raam. 'De paarden staan klaar.'

Ik ben verbaasd. Meestal treuzelt mama bij het ontbijt,
luistert ze met een half oor naar de radio als er nieuws is of
Verhaal in de ether en leest ze een boek dat tegen het toast-
rekje staat terwijl ze tegelijkertijd de voortdurende
stroom verzoeken afhandelt, afkomstig van de arbeiders
aan de achterdeur en doorgegeven via het klopje van de
trillende hand van de kok, die begroet wordt met een vijandig: 'Wat nou weer?'

'Malaria, mevrouw,' zegt July, of: 'Zieke baby', of: 'Slan-
genbeet', of: 'Brandongeval.'

Maar deze ochtend zegt mama tegen July: 'Ik sta vandaag niemand te woord. Zeg hun dat ze weg moeten gaan.
Ze kunnen morgen terugkomen.'

De kok weifelt, van streek. 'Maar mevrouw...'

'Niks te maren. Ik meen het,' zegt mama. 'Ze zullen niet
doodgaan als ze nog een dag wachten.'

Ze schoudert haar uzi en zet haar hoed op. 'Kom mee Bobo,' zegt ze, 'je zult de rest moeten laten staan...'

Ik staar ontzet naar mijn half leeggegeten kom pap en mijn veelbelovende bord met eieren en toast.

'Maar...'

'Er is werk aan de winkel.'

'Wat dan?'

'We gaan alle afgedwaalde koeien op deze boerderij bij-eendrijven,' zegt ze, 'en dan gaan we een koeienverkoop houden.'

Die dag rijden mama en ik de heuvels in op jagerspaadjes en weggetjes die de terroristen hebben gebruikt. Deze paden zijn al overwoekerd met verse begroeiing, met de belofte van een nieuw regenseizoen. De vlugge groene draden van kruipplanten strekken zich uit over oude, droge paadjes en verzwelgen voetpaden, daarbij aantonend hoe snel dit deel van Afrika zijn wilde gebieden zou terugwinnen als het ongemoeid zou worden gelaten. De paarden strompelen over rotsen. Hun onbeslagen hoeven glijden steeds meer weg tegen de harde grond naarmate we hoger de bergen in klimmen. Mama rijdt voorop op haar grote volbloed vos, een voormalige draver, gered uit een huis waar hij mishandeld werd en weer berijdbaar gemaakt door mama's geduldige training. Ik zit op mijn dikke, kastanje-bruine pony, Burma Boy, een slechtgehumeurd en onge-manierd dier; geregeld bokkend, op hol slaand, trappend en bijtend – wat volgens papa allemaal goed voor me is. De honden zwermen met hun neus bij de grond door de bush vóór ons, jankend van opwinding wanneer ze een haas of een mangoeste opjagen en hysterisch door de bush sprin-gend als ze een zeeduiker of wild zwijn in het oog krijgen.

Aan het eind van de ochtend zijn we op de grens van onze boerderij in de hoge dichte bush, dichter bij Mozambique dan ik ooit op een paard ben geweest.

'Pas op voor buffelboon,' zegt mama.

Ik begin meteen te krabben en kijk nerveus voor me. Buffelboon is een klimplant die in de lente pronkt met een aantrekkelijke paarse bloesem, opgevolgd door een grote hoeveelheid bonen die zijn bedekt met piepkleine fluwelen haartjes die in de wind afwaaien en zich in je huid kunnen nestelen. De haartjes kunnen zo'n hevige reactie veroorzaken, zo branderig en hardnekkig, dat volwassen mannen er naar verluidt gek van zijn geworden en de bush in zijn gevlogen op zoek naar modder om zich in te wentelen ter verlichting van hun kwelling. Ik ben ook gedwongen ineengedoken te zitten, mijn hoofd tegen Burma Boys hals gedrukt, om de sterke, ingewikkelde webben te ontwijken die strak gespannen zijn over ons pad. In het midden van deze heldere, strakke webben zitten grote spinnen met roodgele poten hoopvol te wachten tot er een prooi in valt. Burma Boys oren zijn afgezet met de zilveren draden.

Mama volgt de sporen van de inheemse koeien; verse mest en voetsporen en pas vertrapte struiken. Ze gaat maar door, zo nu en dan van haar paard komend om de grond te inspecteren en dan met meer vertrouwen doorrijdend. 'Ze zijn deze kant uit gegaan. Zie je?' De koeien zijn dicht bij de bronnen gebleven die uit de bergen komen en door deze heuvels stromen, om uit te monden in de rivieren in het hart van onze boerderij.

'Kijk,' zegt mama fel, 'stomme koeien! Kijk!' Ze wijst naar de beschadigde oevers van het stroompje en geeft Caesar met hernieuwde vastbeslotenheid de sporen, een frons op haar gezicht. De paarden zwoegen, nat van het zweet en wit schuimend onder staart en manen. Zelfs de honden zijn opgehouden hun neuzen achterna te gaan en vooruit te springen achter wildgeuren aan. Ze beginnen de paarden vlak op de hielen te zitten, tongen uit de bek. Ik zeg: 'Zijn we er al bijna?' Ik begin dorst te krijgen en we hebben niets te drinken meegenomen.

Mama zegt: 'Niet zo jengelen.'

'Ik jéngel niet. Ik zéí het alleen maar.'

'Ga *mombies* zoeken.'

De koeien die op deze hoogte zijn gebleven, zijn wild. Even snel als wij hun verse sporen uitwissen, gaan zij verder, voor ons blijvend, uit het zicht en bijna buiten gehoorsafstand. Mama zegt: 'Ik ga er omheen. Jij blijft hier en vangt ze op als ze naar beneden komen.' Ze drijft Caesar voort in de dichte bush terwijl de honden achter haar aan krabbelen, en verdwijnt algauw uit zicht. Even nog kan ik haar en de honden horen terwijl ze zich een weg banen door de bush, en dan is het stil. Ik houd mijn adem in en luister. Ik ben omringd door het hoge, gierende geluid van insecten – hun bezeten lentegezang in het droge gras – en af en toe klinkt er een schreeuw van een onzichtbare vogel. Burma Boy doet zijn kop omlaag en begint aan het dunne, bitter-droge gras te trekken. Het is heel heet en stil en ik ben gehuld in de zilte damp die van de zwetende Burma Boy afslaat; mijn vingers doen pijn van de leren leidsels en mijn ogen branden. Zweet druppelt van mijn hoedenlint en vliegen zwermen op onze roerloosheid af om gebruik te maken van het vocht, kruipen over mijn ogen en lippen tot ik ze van me afsla. Ik heb nu een vreselijke dorst.

'Ma-ham,' klinkt mijn stem hoog en ijl in de hitte.

Ik wacht. Er komt geen antwoord. Ik houd mijn adem in en roep opnieuw, luider nu: 'Ma-ham!' Nog steeds geen antwoord. Ik kijk om me heen, me plotseling voorstellend dat ik elk moment door terroristen beslopen en overrompeld kan worden. Ik vraag me af waar mama naartoe is gegaan; ze heeft het geweer bij zich. Ik vraag me af of ze me zou horen als ik word aangevallen door terroristen. Ik doe mijn ogen dicht en haal diep adem. Wat zal Burma Boy doen als we plotseling omringd worden door terroristen? Op hol slaan natuurlijk. En ik zal van hem af geschraapt worden door een boom en verwrongen en gewond op de grond liggen wachten tot mama me komt redden. Ik vraag me af hoe ze me terug zou vinden in deze dichte bush. Ik zou dan al dood zijn. Doodgeschoten. Oogleden afgesneden en gebraden, geen oren meer en geen lippen. Dood. Burma Boy zou thuis zijn. Ze zouden een begrafenis voor me houden, zoals de begrafenis die we voor Olivia hebben gehouden. Ze zouden zeggen dat ik zo flink was. Ik begin te huilen. Ik zou in een kleine kist worden begraven, samen met mijn gebraden oogleden, lippen en oren. Op de kleine kolonistenbegraafplaats zou er verse aarde, krioelend van de aardwormen, boven me worden opgehoopt. Tranen stromen over mijn wangen. De *Umtali Post* zal een ontroerend artikel over mijn dood schrijven.

'Mama!' schreeuw ik, echt bang.

Burma Boy werpt zijn hoofd omhoog bij mijn hulpgeroep.

'Niets aan de hand,' zeg ik beverig, huilend en met mijn hand over zijn natte hals strijkend. 'Niets aan de hand.'

Ik begin me voor te stellen dat mama, Caesar en de honden misschien zelf door de terroristen zijn gepakt. Misschien ligt mama in een bloederige poel, ooglidloos en liploos, terwijl de honden hulpeloos, liefdevol aan haar levenloze handen likken. Ik zal flink zijn op mama's begrafenis. De *Umtali Post* zal een artikel over mij schrijven, verdwaald en alleen in de bush, terwijl mijn moeder daar dood ligt, omringd door haar trouwe honden en loyale paard. Ik laat Burma Boy keren. 'Weet je de weg naar huis?' vraag ik, hem de vrije teugel gevend. Maar hij kijkt even om zich heen, laat dan kalm zijn hoofd zakken en begint weer te eten.

Er lijkt een lange tijd overheen te gaan, een tijd waarin ik beurtelings door een stille, droge paniek ben bevangen en uitbarst in een luidruchtig, onbedaarlijk gehuil, voordat ik mama en de honden hoor aankomen door de bush. Mama zingt zoals de herders die de koeien naar de wasplaats, de 'dip' leiden: 'Hier, dip-dip-dip-dip dip! Dip, dip-dip-dip-dip dip!' En voor haar uit rent een tiental bonte koeien met opgeheven koppen, wild en bang, hun ogen omringd door wit. Met hun lange, onhandelbare hoorns hakken ze in op het struikgewas. Burma Boy werpt zijn hoofd omhoog, geschrokken en schichtig. Ik haal de teugels aan. Mama zegt: 'Ga achter me rijden.'

Ik begin te huilen van opluchting als ik haar zie. 'Ik dacht dat je verdwaald was.'

'Aan de kant,' schreeuwt ze, 'aan de kant. Kom achter me!'

Ik laat Burma Boy keren.

'Kom op,' zegt mama, terwijl ze me voorbijrijdt, 'laten we dit stelletje naar beneden drijven.'

Ik zeg: 'Je bent zo lang weggebleven.'

'Vang de koeien op zodra ze doorkomen.'

Maar de koeien zijn het niet gewend samengedreven te worden en zijn onwillig en bang.

Ze breken vaak los en mama moet dan met een boog terug om de kudde weer in het gareel te krijgen. Mama is erachter gekomen wie de leider is, een hoog-schoftige os met een zeer oude, bijna versleten leren band om zijn hals waaraan ooit een bel moet hebben gehangen. Alle koeien zitten onder de teken; op hun oren zitten korsten van kleine rode teken en hun lijven zijn pokdalig van de grijze, volgevreten volwassen teken die omhooggekomen zijn en eruitzien alsof ze er elk moment af kunnen vallen. Mama zegt: 'Als we de leider kunnen laten doorlopen, volgt de rest misschien vanzelf.' Maar toch kost het ons nog meer dan een uur om de koeien minder dan een kilometer te verplaatsen. Ik begin weer te huilen.

'Wat is er nu weer?' zegt mama geërgerd.

'Ik heb dorst,' huil ik, 'ik ben moe.'

'Nou, ga jij dan maar naar huis,' zegt mama, 'ík breng deze koeien naar beneden.'

'Maar ik weet de weg niet.'

'Jezus Christus,' zegt mama tussen haar tanden.

Ik begin nog harder te huilen.

Ze zegt: 'Geef Burma Boy dan de vrije teugel, hij brengt je wel thuis.'

Maar Burma Boy, de vrije teugel gelaten, stelt zich er tevreden mee Caesar te volgen en lekker te grazen in dit ontspannen tempo. 'Kijk, hij wil niet naar huis.'

'Ríjd hem dan naar huis.'

Ik geef hem zwakjes de sporen: 'Ik heb dorst,' jank ik.

Mama is onverbiddelijk: 'Laten we dan deze koeien thuis zien te krijgen. Hoe eerder we deze koeien thuis krijgen, hoe eerder je iets te drinken zult hebben.'

We rijden nog eens twee uur door. Ik zit onderuitgezakt op mijn zadel, laat me lui wiegen op de gang van Burma Boy. Ik doe geen moeite de koeien bijeen te drijven.

Mama kijkt met een geërgerde blik naar me. 'Beríjd verdorie je paard,' zegt ze.

Ik flapper wat met mijn benen en trek zwakjes aan de teugels. 'Zie je, hij wil niet luisteren.'

'Doe verdorie niet zo slap.'

Er springen nieuwe tranen in mijn ogen: 'Ik ben niet slap.'

Mama zegt: 'Als je zou helpen, zouden we veel eerder thuis zijn.'

We rijden nog eens een halfuur voort in een vijandige stilte. Dan zeg ik: 'Ik denk dat ik buffelboon heb,' en begin me geërriteerd te krabben. Ik heb zo'n dorst dat mijn tong droog en gebarsten aanvoelt. 'Ik val flauw van de dorst.'

Mama gaat met een boog terug om een afgedwaalde koe op te halen.

'Ma-ham.'

Ze is niet van plan te luisteren. Het heeft geen zin. Het is duidelijk dat ik niet thuis zal komen voordat de koeien veilig en wel in de omheinde wei zijn gebracht. Ik trek Burma

Boys hoofd omhoog en laat hem in een boog teruggaan naar achterblijvende koeien, die achter in de kudde treuzelen. 'Dip dip-dip-dip-dip dip,' zing ik, mijn stem droog in de hete lucht. 'Dip dip-dip-dip-dip-dip-dip.'

Een van de koeien probeert uit de kudde weg te rennen en in de bush te ontsnappen. Ik por mijn hielen in Burma Boys flanken en laat hem snel keren, de koe de pas afsnijdend voor ze kan ontsnappen.

'Zo moet het,' zegt mama, 'zo is het beter. Ga zo door.'

Het duurt tot ver in de middag voordat we de koeien beneden in de omheinde weiden hebben, en tegen die tijd zijn de koeienflanken nat van het zweet. Hun hoorn-zware koppen hangen laag bij de grond en zwaaien heen en weer; ze sjokken voorwaarts zonder aan tegenstribbelen te denken. Ik snotter niet meer, maar ik zit voorovergebogen op mijn zadel en probeer er niet aan te denken hoe dorstig ik ben.

'Zo,' zegt mama, het zweet van haar bovenlip vegend terwijl ze het hek sluit achter de wilde koeien, 'dat was geen slechte dag.'

Ik haal mistroostig mijn schouders op.

'Vind je ook niet?'

'Het zal wel.'

Mama bestijgt Caesar weer en geeft hem een klopje op zijn romp: 'Weet je, wij stammen af van veedieven, jij en ik,' zegt ze met glinsterende ogen. 'In Schotland bestond onze familie uit veedieven.'

Ik denk: *In Schotland is het tenminste koel. Daar zijn tenminste stromen met fris water waaruit je kunt drinken. Schotse koeien leiden je tenminste niet de buffelboon in.*

De volgende dag stuurt mama de veedrijvers naar de nabijgelegen dorpen. Ze zegt: 'Zeg tegen de dorpelingen dat ik hun koeien heb. Als ze hun koeien terugwillen, kunnen ze ze komen halen.' Ze wacht even. 'Maar ze zullen me moeten betalen voor het grazen,' zegt ze langzaam. 'Begrijp je? Handenvol geld voor het grazen en voor het verzorgen van hun koeien. Hè? *Wazinzwa?'* Begrijp je?

'*Eh-eh*, mevrouw.'

Niemand komt zijn koeien halen. Mama wast de koeien, ontwormt ze, brandmerkt ze met ons brandmerk, mest ze vet met Rhodes-gras totdat hun huiden glanzen en ze zo dik zijn dat het lijkt of ze elk ogenblik uit elkaar kunnen knappen, en dan stuurt ze ze op de rode veewagen naar het bedrijf voor gekoelde opslag in Umtali, om als rantsoen-vlees te worden verkocht. Van de opbrengst koopt ze een vliegticket voor Vanessa om oma en opa in Engeland op te zoeken, en voor de rest van ons betaalt ze een kampeerva-kantie in Zuid-Afrika, waar we in de tweede nacht aan de westkust uit onze tent worden gespoeld en vervolgens twee natte, dronken weken doorbrengen in een grijs vis-sersplaatsje, waar we de vijandige Afrikaners proberen te vermijden en wachten tot de zon tevoorschijn komt.

Dat is het jaar dat ik tien word. Het jaar voordat de oor-log eindigt.

Violet

Violet

Pru Hilderbrand is als een mama uit een boek. Wanneer we naar haar huis gaan, krijgen we zelfgemaakte limonade en sneetjes zelfgemaakt volkorenbrood met plakken zelfgemaakte boter erop. Haar drie zoontjes hebben geen jeuk in hun kont, of wormen, of vlooienbeten op hun armen. Pru drinkt niet graag bier of wijn en ze haat de sociëteit. Haar kinderen hebben vingerverf en Lego en het huis ruikt naar ontsmettingsmiddel en schone lakens. In de zomer zijn er altijd verse snijbloemen uit haar zachtgroene, rotsachtige tuin en in de winter droogbloemen die in de hooglanden zijn geplukt. Naast de open haard staan kleipotten met kranten en tijdschriften en grote stoelen met kussens en er zijn zachte, geheime plekken in dat huis waar een kind zich op zijn gemak en veilig voelt. Er liggen spreien op de bedden, de thee is een fatsoenlijke maaltijd op de veranda met een pot bruine suiker, en het zout staat in een klein aardewerken potje midden op tafel en bestaat uit fijne korreltjes in plaats van grove, die je met een piepklein houten lepeltje over je eten strooit. Pru speelt cricket met ons op het gazon.

We hebben dus de hele middag doorgebracht bij de Hilderbrands die een squashbaan bezitten en een zwembad dat in de buik van een paar rotsen ligt. Het wordt afgesloten door een betonnen muurtje dat onzichtbaar is omdat het zwembad door een kleine bron wordt gevoed en het water als een waterval over het muurtje mag stromen. Nadat we hebben gezwommen, moeten we ons van Pru afdrogen (ze heeft frisruikende, ruwe handdoeken in de omkleedkamers waarmee we onze huid rauw wrijven) en ze laat ons op het gazon spelen tot de zon bijna ondergaat en dan zegt ze tegen de mama's en papa's dat we met het oog op de avondklok maar beter kunnen vertrekken.

Wij moeten het verst rijden, helemaal naar de andere kant van het dal, dus hoe snel we ook rijden, we zullen de avondklok overtreden, we zullen niet vóór het donker thuis zijn.

De auto gaat trillend over de wasbordachtige Mazonweweg bij het matte licht van een vette Afrikaanse zonsondergang en dan, als we de boerderijweg van Robandi inslaan, is het donker. Dat is hoe de Afrikaanse nacht invalt: lange overvloedige zonsondergangen en dan, abrupt, de nacht. De koelere nachtlucht laat de geuren vrij die door een hete dag zijn ingesloten: het zoete warme vleugje van de aardappelstruik, de scherpe citronellalucht van stekend papegaaienkruid, verse koeienmest, verpulverde koeienmest. We hobbelen over de duiker aan het begin van onze weg (waarin de grote slang leeft) en rijden in de richting van het huis dat een bleke, onverlichte massa is in het avondlicht.

Papa stopt bij het veiligheidshek, dat op slot zit. Hij stapt uit met de FN aan zijn schouder en blijft even luisterend staan voordat hij zich naar het hek begeeft. Vandaag aarzelt hij langer dan gewoonlijk.

'Alles oké?' zegt mama.

'Ik dacht even dat ik iets hoorde.'

'O ja?'

Papa antwoordt niet.

De kok heeft instructie het hek op slot te doen wanneer hij de honden heeft gevoerd, voordat hij 's avonds afnokt. Mama schuift op naar papa's stoel. Ze heeft de auto in zijn achteruit staan, klaar om achterwaarts de oprijlaan af te vluchten en papa aan zijn lot over te laten als we plotseling aangevallen worden. Papa doet er lang over om zijn eigen, door de koplampen van de auto geworpen schaduw in te halen en het hangslot open te maken. Hij doet het hek open en mama rijdt snel de binnenplaats op. Papa volgt ons te voet naar het huis.

Mama zegt: 'Ik zal kijken wat voor avondmaal July voor ons heeft klaargezet.'

Papa heeft nog steeds een bezweet overhemd aan van zijn squashpartij. Hij zegt: 'Ik ga voordat we gaan eten een ander overhemd aantrekken.'

Maar wanneer hij bij de kast komt, blijkt hij geen overhemden meer te hebben.

En wanneer mama de keuken in gaat, staat er geen avondmaal. En de potten, pannen, borden en messen zijn op de grond gegooid en tussen de brokstukken heerst de chaos van een schermutseling die kort daarvoor heeft plaatsgevonden.

Nu hebben we allemaal een kaars en rennen we het huis rond terwijl we naar elkaar roepen wat er allemaal weg is, een waslijst die steeds langer wordt.

'Al mijn kleren,' schreeuwt Vanessa.

'En die van mij.'

'O verdomme, Tim, ze hebben alles meegenomen.'
We houden een kaars bij al onze kasten. Ze zijn allemaal leeg. Onze kleren, ons voedsel, ons beddengoed.

'Mijn ringen!' schreeuwt mama. En er klinkt echte paniek door in haar stem. 'Tim, mijn ringen!'

Aan het begin van elk plantseizoen moet mama haar ringen aan de tabaksman geven die ons dan geld leent om het gewas opnieuw te verbouwen. Hij geeft mama de ringen aan het eind van het seizoen terug wanneer we de tabak verkocht hebben. Nu hebben we geen ringen meer en zullen we wanneer de regens beginnen geen tabak kunnen planten.

Dan zegt papa: 'Wacht eens even.' Hij zegt dat hij iets heeft gehoord toen hij het hek opendeed. 'Weet je nog?'

'Wat voor geluid?'

Een kreunend geluid, zegt hij. 'Ik ga kijken wat het was.'

Mama zegt: 'Vraag om ondersteuning. Ga er niet in je eentje op af.'

Maar papa heeft zich al naar buiten gehaast.

Mama zegt tegen Vanessa en mij: 'Pak een kaars en ga naar jullie kamer.'

We gaan naar onze kamer en Vanessa zegt: 'Ik heb een idee, laten we gaan kaarten.'

We spelen een spelletje eenentwintigen.

Papa is buiten en we horen hem 'Nicola!' roepen.

Mama rent naar buiten en de honden krabbelen over de glanzend-gladde cementen vloer achter haar aan. We laten ons kaartspel in de steek en volgen de honden.

Papa heeft Violet, ons dienstmeisje, in zijn armen. Aanvankelijk lijkt het alsof ze helemaal geen kleren aanheeft maar dan houdt mama de paraffinelamp omhoog en zien we dat Violet een jurk draagt die volmaakt om haar lichaam sluit en dat ze kleverig en glanzend van het bloed is, alsof iemand olie over haar heeft gegoten of haar strak in zwart plastic heeft gewikkeld.

'Ademt ze?'

'Ik weet het niet.'

Haar bloed ziet er zo glanzend uit dat ze haast niet dood kan zijn. Haar bloed is stromend en levend en vult zichzelf op de gladde, glanzende huid van haar jurk voortdurend aan, als een nieuwe slangenhuid.

Mama zegt: 'Hier,' en opent het achterportier van de landrover. Papa schuift Violets lichaam op de achterbank; het maakt een geluid als van een natte spons. Mama heeft een grijze, door het leger verstrekte deken uitgerold en deze onder Violet geschoven. De deken is in een mum van tijd zwart van het bloed.

Mama zegt: 'Ga naar binnen, meisjes.'

Vanessa zegt: 'Kom op, Bobo.'

Papa zegt: 'Ik ga ze grijpen, de schoften die dit gedaan hebben.'

'Vraag om ondersteuning.'

'Kom op, Bobo,' zegt Vanessa weer.

Papa gaat naar binnen om meer munitie te halen en Vanessa gaat naar binnen om het maar niet te hoeven aanschouwen. Maar ik wil zien wat mama aan het doen is. Ik wil alles zien.

Ik zeg: 'Mama, kan ik iets doen?' maar ze geeft geen antwoord.

Ik heb een speciaal Rode-Kruiscertificaat van school. Ik kan gebroken ledematen en een gebroken nek stabiliseren en een verstuiking verbinden. Ik kan een schotwond verzorgen. Ik kan een bed opmaken zoals ze dat in het ziekenhuis doen. Ik kan een ader vinden en een infuus aanleggen, maar ik mag dit alleen doen als Alle Volwassenen Dood Zijn. Ik kan mond-op-mondbeademing en reanimatie toepassen, en ik heb op de kinderen op school geoefend die zich ook voor de Rode-Kruiscursus hadden ingeschreven.

Eerste-Hulpcursussen van het Rode Kruis worden in het oude muzieklokaal aan het einde van het kleuterschoolblok gegeven. Ik oefen mond-op-mondreanimatie. Zo dicht ben ik nog nooit bij iemands mond geweest, een mond die wijdopen staat terwijl ik lucht blaas in de zachte, rode, rijpe holte van andermans lichaam. Ik oefen op een meisje dat Anne Brown heet. Ik heb het gevoel dat mijn zoenlippen, die boven haar lippen zweven, haar wel eens zouden kunnen verstikken.

'Doe haar neus dicht, til haar kin op.'

Ik voel hoe haar neusgaten aan elkaar plakken van het snot als ik ze dichtknijp. De huid op haar neus voelt zweterig, vettig en bobbelig aan.

Het is erg heet in het klaslokaal, waar we de bankjes opzij hebben geschoven om ruimte te maken voor een ziekenhuisbed en verbandmateriaal, lichamen, brancards. Ik buig me over Anne. Er hebben zich zweetdruppeltjes op haar bovenlip gevormd, als een snor.

'Heb je de mond op braaksel gecontroleerd?' vraagt de lerares-verpleegkundige.

Anne doet gehoorzaam haar mond open. Ik schraap met mijn vinger langs de binnenkant van haar mond.

'Vergeet niet dat je eigenlijk bewusteloos bent, Anne. Je moet Bobo niet helpen.'

Anne zet niet-hulpvaardig haar tanden in mijn vinger.

Wanneer ik haar heb gereanimeerd ziet ze er verhit en ademloos uit, nader tot de dood dan toen ik begon. Mijn vinger is paars met volmaakte, Anne-Brownvormige tandafdrukken.

Mama heeft een schaar in haar hand uit haar EHBO-doos die ze achter in de landrover bewaart. Ze is de jurk van Violet aan het wegknippen. In het felle, witte, blauw-sissende licht van de paraffinelamp kunnen we zien dat Violet als bacon in plakjes gesneden is, over de volle lengte van haar dijen, op haar buik, haar armen, haar gezicht.

Mama slaat op de binnenkant van Violets arm om een ader te zoeken. Ze fluistert aan één stuk door: 'Hou vol,

Violet. Hou vol.' Ze is vergeten, of maalt er niet meer om, dat ik toekijk. Papa is weer naar buiten gekomen. Hij heeft zijn FN-geweer op zijn rug vastgesnoerd en hij zegt: 'Ik ga naar het arbeidersdorp.' Hij stapt op zijn motor.

Mama kijkt op van Violets lichaam en duwt met de rug van haar hand haar haar uit haar ogen, zodat er een veeg bloed op haar neusrug en boven haar wenkbrauw komt. Ze zegt: 'Wacht nou toch op ondersteuning.'

Maar papa trapt zijn motor tot leven, en ik kijk toe hoe het rode achterlicht de heuvel af kronkelt en de bocht om gaat, hobbelend als hij over de grote duiker in de bocht rijdt, en dan wordt het geluid van de tweetaktmotor verzwolgen door de nacht.

'Hou vol,' zegt mama tegen Violet in de stilte die het wegstervende geraas van papa's motor heeft achtergelaten. Ze zegt: 'Niet doodgaan. Hou vol.' De lamp sist en de gebruikelijke monotone, raspende roep van kikkers klinkt op uit de vijver. De honden krabben zich en janken als ze zich uitrekken en zich opnieuw in een gemakkelijke houding oprollen, en je hoort het ritmische slip-slepgeluid van een paar van de honden die hun ballen likken. Gewoonlijk zegt mama: 'Hé, ophouden daarmee!' wanneer ze hoort dat ze hun ballen likken, maar nu niet.

Mama heeft één infuus laten leeglopen in Violets arm. Terwijl het infuus leegliep in de bijna platte ader, is mama naar de voorbank van de landrover geklauterd en heeft de draadloze radio aangezet. Ze heeft om ondersteuning gevraagd. Ze zegt: 'Hoofdkwartier, hoofdkwartier, dit is Oscar Papa 28, hoort u mij?'

Er volgt een korte, knetterende stilte. Dan: 'Oscar Papa 28, dit is het hoofdkwartier. Ik hoor u luid en duidelijk. Zegt u het maar. Over.'

'We hebben ambulante medische hulp nodig. We hebben een Afrikaanse vrouw in kritieke toestand. Over.'

'Bent u aangevallen door terroristen? Over.'

'Nee. Het lijkt van... huiselijke aard te zijn. Over.'

Er volgt een ruisende pauze van teleurstelling en dan komt de stem naar ons terug: 'Het ambulante medische team wordt naar Oscar Papa 28 gestuurd. Over.'

'Dank u. Over en sluiten.'

Papa komt terug uit het arbeidersdorp. Hij zegt: 'Het was July.'

Mama recht haar rug en staart papa aan. 'Wat?'

'De jongens hebben hem sinds vanochtend niet meer gezien. Hij is niet in zijn hut.'

'Verdomde kaffer,' zegt mama.

'De jongens komen met me mee. Ik ga hem grijpen.'

'De jongens' zijn papa's loyaalste arbeiders. Duncan is de baas van de jongens. Hij heeft een knap, open gezicht met een lange neus en ver uit elkaar staande ogen. Cephas is een kleine gedrongen man wiens vader, Chibodo, onze medicijnman is. Chibodo heeft heel lange nagels en is ontzettend oud. Hij ruikt zo oud als een eeuwenoude boom, naar verbrande schors. Hij praat niet zo veel, maar áls hij zijn mond opendoet, blijkt hij maar een paar tanden (zwarte en bruine stompjes) en een heel roze, dunne, levende en natte tong te hebben. Hij zit 's avonds in de bewakershut pal tegen de heuvel en bewaakt de maïs, jaagt de bavianen weg die de maïskolven komen stelen. Hij heeft aan een boom een oude ploegrister hangen waar hij met een *simbe* op slaat, zoals de oude vrouw in de stamtrustgebieden die terroristen waarschuwt wanneer er een konvooi aankomt. Cephas heeft geheimen geleerd van zijn vader: hij kan het spoor van dieren volgen die dagen geleden zijn langsgekomen. Hij kan ruiken waar de terroristen zijn geweest, uit de verandering in het landschap opmaken waar ze hun kamp hebben opgeslagen. Hij kan zich verplaatsen in de geest van elk ander levend wezen en je vertellen waar het naartoe gegaan is. Hij kan door de aarde aan te raken vaststellen of daar een dier is langsgekomen.

Maar hij kan je niet vertellen waarom. Philemon, de veedrijver, kan sporen lezen, maar niet zo goed als Cephas. Philemon is degene die een koe in barensnood kan kalmeren en het kalf tot leven kan zingen wanneer het na de geboorte te ziek is om op te staan. Cloud is de man uit de werkplaats die op een draaibank hout bewerkt tot zout- en pepervaatjes, kruidenrekjes, eierdopjes. Hij ruikt naar de glanzende verf die hij op het hout spuit, en zijn ogen zijn altijd vuurrood van de ganja die hij rookt.

'Ik ga de heuvels in. Hij zal Mozambique proberen te bereiken.'

'Hij is gewapend,' zegt mama. July heeft messen gestolen. 'En hij is niet alleen. Hij zou al die spullen nooit in zijn eentje kunnen dragen. Je hebt ondersteuning nodig.'

Papa zegt: 'Ik red me wel.'

'Bel dan tenminste.'

Papa vraagt via de radio om ondersteuning, maar niemand wil met hem meekomen. Dit is geen militair noodgeval, het is niet meer dan beroving. We zijn niet door terroristen aangevallen. Papa's vrienden raden hem af de heuvels in te gaan. Er zitten terroristen in die heuvels en de heuvels zelf zijn onveilig, ze worden omzoomd door mijnenvelden.

Papa gaat op zijn hurken zitten roken. Violet kreunt.

De mannen – papa's jongens – arriveren te voet. Ik zie ze in regelmatig tempo de heuvel naar het huis ophollen; ze hebben boomtakken aangestoken ter verlichting. Ze beraadslagen met papa en besluiten te wachten tot vlak voor zonsopgang alvorens naar de heuvels te vertrekken. Ze willen niet per ongeluk in een terroristenkamp terechtkomen. Papa geeft de mannen elk een pakje sigaretten. Ze praten met zachte, verbeten stemmen tegen elkaar in het Shona. Hun woorden zijn als water over rotsen: bruisend, zacht, niet-aflatend. Papa laadt voedsel en water, een schop, een hakmes, lucifers en een geweer in. Ze zullen zo ver ze kunnen de heuvels inrijden en vervolgens daarvandaan naar Mozambique lopen.

Voor zonsopgang, nog voordat papa vertrekt, arriveert het ambulante medische team. Tegen de tijd dat ze het huis bereiken, heeft Violet drie infusen gehad, één in de ene arm en twee in de andere, en haar ogen zijn een paar keer trillend opengegaan, maar elke keer wordt ze weer overspoeld door de pijn en diep een gelukzalige, donkere, lege plek ingetrokken. Dicht bij de dood.

Mama zegt: 'In godsnaam, hou vol. Je haalt het wel.'

De eerste man van het medische team hupt de landrover uit, geweer over zijn schouder, en komt naar Violet kijken. Hij wendt zich af en kotst achter het bloembed waarin onze tuinman wat bloemriet heeft laten groeien. De tweede man stapt uit. Hij wuift met een sigaret naar papa.

'*Hoeistie?*'

Papa zegt: 'Goed.'

Het medische team dromt samen rond de achterbank van de landrover. Mama kruipt naar buiten. Haar handen en kleren zijn bedekt met bloed. 'Ze haalt het wel,' zegt ze.

Het medische team staart haar aan. 'Verdomme, ik weet het niet, hoor. Ze is er behoorlijk slecht aan toe,' zegt een van hen.

Een ander zegt zachtjes: 'Jezus Christus!'

Het medische team rolt Violet op een brancard. Ze is zacht en zwaar. De brancard buigt door onder haar gewicht. Ze leggen haar achter in de landrover.

Mama zegt: 'Willen jullie een borrel?' Het is bijna licht. 'Of een kop thee?'

Ze nemen thee aan uit blikken bekers en drinken hem snel op terwijl de oostelijke hemel wordt verzacht door de zonsopgang. En dan rijden ze weg en zien we Violet nooit meer terug. We horen later dat ze uit het ziekenhuis is gekomen en naar haar dorp is teruggegaan. Naderhand staat er in de *Umtali Post* een verhaal: 'Boer Redt Leven Dienstmeisje'.

Mama zegt: 'De boer had er niets mee van doen. Het was de boerin.'

De hemel begint nu krachtig gestreept te raken, roze-grijs. Papa en zijn bende vertrekken naar de heuvels.

Mama zegt: 'Waarom nemen jullie dan tenminste de honden niet mee?'

Papa schudt zijn hoofd: 'Te veel lawaai.'

Mama gaat haar slaapkamer in maar ze slaapt niet. Vanessa en ik slapen ook niet. We blijven op ons bed, met de honden, en onze ogen branden en onze monden zijn droog. Het is tijd voor het ontbijt maar er is niemand om ons eten te geven. Violet ligt opengesneden en bloedend achter in de landrover van het medische team, op weg naar het ziekenhuis; July is op de vlucht naar Mozambique met al onze kleren, ons geld en mama's ringen. Mama zegt geen woord. Papa is weg om July te vermoorden.

'Laten we gaan kaarten,' zegt Vanessa.

'Dat kan ik niet. Ik heb te veel honger.'

'Ik maak wel wat Pronutro voor je,' zegt Vanessa, 'wil je dan met me kaarten?'

'Oké.'

Vanessa mengt het sojabonenmeel met wat melk tot een pasta en strooit er suiker voor me op. Ze zet de ketel op het houtfornuis om theewater te koken. Het vuur is uitgegaan en we proberen het opnieuw aan te maken, maar het vuur van de kranten die we in de opening van het fornuis stouwen, brengt alleen een dikke, olieachtige zwarte rook voort.

Vanessa zegt: 'De thee komt later wel.' Ze vindt een paar flesjes cola, die we normaal gesproken alleen op zondag mogen, en maakt er een open.

'Daar krijgen we last mee, hoor.'

'We kunnen hem maar beter delen,' zegt ze, terwijl ze de inhoud van het flesje in twee plastic bekertjes schenkt. Warme cola en Pronutro als ontbijt. Het is net kamperen.

We zitten tegenover elkaar aan de eettafel. Vanessa bouwt geduldig een barrière om me heen omdat ze niet kan aanzien hoe ik eet. Ze zet de melkkan voor mijn gezicht, gaat weer zitten en zegt: 'Niet genoeg.' Ze haalt een koffiekan en een paar dozen en flessen uit de provisiekast. Vanachter de barrière zegt ze: 'Ik kan je nog hóren. Je moet langzamer proberen te eten.' Maar ik heb te veel honger om het langzaamaan te doen, ik schrok het voedsel naar binnen, mijn trommelstrakke lege maag in, die zwelt van de deegachtige, koude pap en de warme cola.

Dan brengt Vanessa de kaarten, ontmantelt de barrière en gaan we pesten.

Papa's verhaal komt er bij stukjes en beetjes uit, en ik vang wat op uit de verhalen die rond de bar in de sociëteit worden verteld. En als ik ouder ben zal er rond kampvuren in Malawi en Zambia soms na het avondeten een stilte vallen wanneer we verzadigd en zwaar zijn en drinkend in het vuur staren. Dan zal papa een sigaret roken en plotseling zijn keel schrapen en zeggen, alsof het nog steeds relevant is: 'Het was verdomd de beste spoorvolger die ik ooit heb gezien, die Cephas.' En dan zal hij me het verhaal van die avond vertellen.

Papa en zijn jongens – de mannen – parkeren in de buurt van Ross Hilderbrands oude boerderij. Vóór de oorlog wemelde het in deze heuvels van de blanke boeren. Ze zaten hoog genoeg boven de hete, stomende vallei om koffie te verbouwen in vette rode aarde. Maar de boeren hier werden geïntimideerd door de nabijheid van de grens en ze werden door terroristen aangevallen en hun arbeiders werden ontvoerd en naar Mozambique gebracht. Al die boeren hebben het gebied verlaten. Nu hangen er inmiddels dichte bossen snelgroeiende bougainville en Mauritiusdoorn neer van de veranda's van die oude boerderijen. In de tuinen heeft het bloemriet zich buiten de bloembedden verspreid, is het gras als lang, slordig haar gegroeid en zijn er stenen door de ramen gegooid. Vleermuizen schijten op de vloeren en hangen ondersteboven aan de plafonds waar geelbruine vlekken van rattenpis zich als gemorste thee boven hen uitspreiden. De gewitte zitkamers waar etentjes (met nette couverts en bloemen op tafel en bedienden in wit uniform, stijf van wanhopige beschaving) plaatsvonden, worden kruipenderwijs groen van de schimmel. De irrigatiegreppels die de koeientroggen voedden, staan bol van de buffelboon.

Cephas is de leidende spoorvolger. Hij gaat er rennend vandoor, strak naar de grond kijkend, zonder te aarzelen, en leest stille tekens in de dauw-geplette aarde die hem geheimen onthullen. De andere mannen blijven achter en laten Cephas op kop lopen tot hij het spoor gestaag en vol vertrouwen volgt. Hij heeft de plek gevonden, zegt hij, waar de mannen naartoe zijn gegaan. Hij zegt: 'Het zijn er twee.'

Aanvankelijk kan papa niet zien hoe Cephas kan uitmaken welke kant July en zijn metgezel zijn opgegaan – en hij begrijpt niet helemaal hoe Cephas zo zeker van zichzelf kan zijn – maar dan vinden ze dingen die de kok heeft laten vallen. Een kookpot, een jurk, wat verpakt voedsel. July of zijn metgezel draagt papa's rubberlaarzen. Wanneer de mannen bij een modderige plek komen, kunnen ze de sporen duidelijk zien. En dan vinden ze de rubberlaarzen, afgedankt in het gras. Cephas zegt lachend: 'Zijn voeten gaan zeer doen.' July is geen rubberlaarzen gewend. Hij krijgt elk jaar een nieuw paar Bata-gympies, maar daar hakt hij de neus uit en de veters strikt hij zo losjes dat zijn droog-gebarsten voeten er zelfs inpassen wanneer ze in de hitte opzwellen.

Dan komen de mannen bij een rivier die zo breed en diep is dat ze tot hun middel doorweekt zouden raken. Ze aarzelen. Cephas schudt zijn hoofd: 'Ze zijn hier niet overgestoken,' zegt hij, en dan ziet hij dat er stroomopwaarts een oude brug is. Het pad dat vroeger naar en van de brug voerde, is lang geleden door dichte bodembegroeiing opgeslokt. Kleine struiken en jonge bomen beginnen de kale strook die door het weghakken van de oude begroeiing was ontstaan, langzamerhand op te vullen. Cephas zegt: 'Zij hebben de brug ook gezien.' Hij steekt zijn hand omhoog en de mannen achter hem houden hun pas in. Hij is ineengedoken gaan zitten en zijn energie is voorwaarts gericht en is als iets wat je bijna kunt voelen – als de wind wanneer hij de bladeren en het gras beweegt. Hij sluipt stil de brug over en de andere mannen volgen hem en dan blijft Cephas plotseling staan en schudt zijn hoofd. In één beweging keert hij op zijn schreden terug tot het midden van de brug, waar hij op en neer begint te springen.

'Ze zitten hieronder,' zegt hij. 'Zie je? Deze brug zou moeten doorbuigen. Hij buigt niet door.'

Papa's 'jongens' reppen zich de rivier in en trekken July en zijn metgezel onder de brug vandaan waar ze met hun vingernagels aan de oude, halfrotte balken hangen. Ze sleuren ze de oever op. Een paar minuten lang geven papa's jongens de dieven schoppend en stompend ervan langs, totdat papa zegt: 'Laten we ze mee terugnemen naar de auto.'

Papa zendt vanuit de auto een radiobericht naar mama. 'Oscar Papa 28, Oscar Papa 28, dit is Oscar Papa 28-mobiel. Hoor je mij, over?'

Mama komt haar slaapkamer uit rennen, maar ook Vanessa en ik hebben het boerenalarm knetterend tot leven horen komen. 'Tim? Oscar Papa 28-mobiel? Dit is Oscar Papa 28. Ben je ongedeerd? Over.'

Er valt een stilte en dan komt papa's stem, sissend van de ruis: 'Ik heb de klootzakken. We hebben je ringen gevonden. Over en sluiten.'

Mama schreeuwt: 'Wa-hoe!'

En Vanessa en ik voeren spontaan onze versie van een indiaanse oorlogsdans op: 'Wa-wa-wa-wa', terwijl we van de ene voet op de andere de veranda rondhuppen.

Tegen de tijd dat papa terugkomt met July en zijn metgezel, hebben zowel de kok als zijn medeplichtige opzwellende ogen en lippen, en harde, botachtige bulten op hun gezichten. Vanessa, mama en ik staan op de binnenplaats. Wanneer mama July uit de auto ziet stappen, rent ze op hem af. Ze schreeuwt: 'Vuile rotkaffer! Moordenaar!' Ze begint hem te slaan maar papa trekt haar weg.

Hij zegt: 'Laat de jongens maar met hem afrekenen.' Hij knikt naar de 'jongens'. De landweermannen die zijn gekomen om July te arresteren, knijpen de ogen toe.

Papa's 'jongens' schoppen July en met een zacht geluid, als een zak meel die op beton valt, zakt hij op zijn knieën. En dan schoppen ze hem nog eens, en nog eens. July rolt zich op en bedekt zijn hoofd met zijn handen, maar de voeten van de 'jongens' vinden houvast, draaien hem op zijn rug en wrikken zijn armen open zodat zijn buik en ribben bloot komen te liggen, die ik kan horen kraken als de takken van de frangipane. Zijn huid barst open als een rijpe papaya.

Dan zegt papa: 'Zo is het wel genoeg.'

Maar ze houden niet op.

Papa zegt tegen de landweermannen: 'Jullie moeten ze maar wegtrekken voordat ze die klootzak vermoorden.'

De landweermannen halen de kluwen schoppende 'jongens' uit elkaar. Ze zetten July en zijn medeplichtige achter in hun witte pick-up. De medeplichtige klapt dubbel als een inklapbare stoel, maar July blijft op bloederige benen overeind en grijpt zich blindelings vast aan de rand van de truck. Hij heeft handboeien om en zijn ogen zijn bijna dicht door de zwelling. Terwijl de landweermannen de weg afrijden, doet hij nog één laatste poging om te ontsnappen. Hij werpt zich uit de rijdende auto en valt op de zandweg; ongelooflijk genoeg barst hij op het moment van de klap niet uit elkaar. Twee van de landweermannen springen bliksemsnel van de voorbank van de truck en dan vliegt er stof op en verdwijnen de witte truck, de mannen en July even uit het zicht. Wanneer het stof optrekt, zijn ze July met een touw achter de truck aan het voortslepen. Hij rent mee, waarbij zijn benen ronddraaien als een eierklutser, tot hij van zijn voeten wordt gerukt, waarna hij kronkelend achter de auto wordt voortgetrokken tot deze het einde van de oprijlaan heeft bereikt. Vervolgens gooien de landweermannen hem achter in de truck en doet hij geen poging meer eruit te springen.

*Bubbles, Bobo
en Vanessa*

Verkopen

Wat ik als kind niet kan kennen van Afrika (omdat ik geen herinnering heb aan een andere plek) is zijn geur; heet, zoet, rokerig, ziltig, scherp-zacht. Het is een geur als die van zwarte thee, gesneden tabak, een pas aangestoken vuur, oud zweet, jong gras. Wanneer ik jaren later het continent voor het eerst verlaat en in de vochtige wollen sok van Londen-Heathrow aankom, ben ik (zodra ik mijn hoofd buiten het intestinale proces van reizen steek) niet het meest onder de indruk van de aanblik, maar van de geur van Engeland. Hoe flauw-leeg die is; uitlaatgassen, beton, straat-nat.

Het andere wat ik niet kan kennen van Afrika voordat ik ben vertrokken (en het geluid van andere, koudere, rustiger, meer geïsoleerde plekken heb gehoord) is zijn lawaai.

Bij het krieken van de dag is er een explosie van dagvogels, een felle strijd om territorium, wijfjes en voedsel. Dat geklapper van vleugels en de geheime taal van vogels is zo'n vast achtergrondgeluid dat ik het begin te begrijpen. Als er een verandering van toon, een toenemende vogelactiviteit mijn leven van alledag binnendringt, weet ik dat er ergens een slang is, of ik kijk naar de hemel (zoals iemand werktuiglijk, bijna onbewust, de tijd op zijn horloge vergelijkt met de op de radio aangekondigde tijd) en zie inderdaad een havik zweven.

In het hete, langzame deel van de dag, wanneer tijd, zon en denken vertragen tot een slepend, oppervlakkig, bleek kruipen, is er het geluid van de hitte. De sprinkhanen en krekels zingen en zoemen. Verdrogend gras knispert. Honden hijgen. Er is het geluid van adem en ademhalen, van een hele wereld die is bezweken aan de apathie van de tropen. En om vier uur, wanneer de zon eindelijk is begonnen naar het westen te glijden en koele luchtgolven met de hitte worden gemengd, is er het schuifelende geluid van dieren die weer in actie komen om zich in veiligheid te brengen voor de nacht. Koeien loeien naar hun kalfjes; de hoge, honingzoete roep van de veedrijvers weerklinkt: 'Dip! Dip-dip-dip', terwijl ze de dieren naar de omheinde weiden drijven. Honden ontwaken uit de verdoving van de middagslaap en janken om uitgelaten te worden.

De nachtdieren (die het tijdens de schemering overnemen van de kwetterende, zich ter ruste begevende vogels) zagen en zoemen zo hardnekkig dat de menselijke hersenen gedwongen worden het lied in hartslag te vertalen. Nachtapen, uilen, nachtzwaluwen, jakhalzen, hyena's; deze dieren hebben de *woe-hoepende*, verreikende, landdoorkruisende roep die de nacht een griezelig mysterie geeft. Kikkers kloppen; onmogelijk luid voor zo'n klein lijfje.

Er is maar één moment van absolute stilte. Halverwege de duisternis van de nacht en het licht van de ochtend verzinken alle krekels, vogels en andere dieren in een diepe stilte alsof hun het zwijgen wordt opgelegd door het ondoorgrondelijke van de zwartste tijd van de nacht. Dit is het moment dat we op de tabaksverkoopdag wakker schrikken van papa. Uit deze stilte maak ik op dat de dag nog niet aanbreekt, en dat het evenmin midden in de nacht is, maar dat het de tijdloze ruimte is, wanneer alle dingen heel diep in slaap zijn, wanneer hun bewaker het slaperigst is en wanneer de kans het grootst is dat terroristen (die weet hebben van dit feit) tot de aanval overgaan.

'Kom op, wijfie.' Papa schudt me aan mijn schouder.

Ik schrik wakker op de snelle, naar adem happende, plotseling alerte manier van alle mensen die een oorlog hebben meegemaakt (iets waar geen kruid tegen gewassen is, zelfs nu heb ik er nog last van).

'Rustig maar, rustig maar,' zegt papa (die natuurlijk aan een extremere versie lijdt van deze waar-is-het-gevaar-reactie op wakker geschud worden).

Vanessa wordt gewekt door mijn stille paniek. 'Wat?' Haar dringende gesis reikt tot de springerige zwarte schaduw van papa in het kaarslicht.

'Tijd om op te staan.'

'O.' Ze laat zich weer in het kussen zakken.

'Hier heb je thee.' Papa laat Vanessa rechtop zitten en geeft haar een kop hete melkig-zoete thee.

'Kom op, Bobo, thee.' Maar ik ben al uit bed en aangekleed.

Ik heb met mijn pyjama over mijn meest-geschikt-voor-de-tabaksverkoopdag-kleren geslapen. Ik hoef alleen nog mijn thee te drinken. Ik heb al verscheidene boeken in een tas gestopt, samen met mijn tandenborstel, een stel extra kleren en een zaklantaarn die het niet meer doet (de batterijen hebben gelekt en hem om zeep gebracht). Ik zit in de naar plastic en vochtige hond stinkende auto, met stekende ogen van vermoeidheid, lang vóór de rest van het gezin. Ik schop verwachtingsvol met mijn voeten tegen de achterkant van papa's stoel.

Als we de hoofdweg inslaan, zal mama ons een banaan en een gekookt ei geven en mogen we slokjes thee nemen uit haar dampende kop (één slok maar, van de bodem, zodat we niet morsen) en dan zullen we slapen tot we in Rusape aankomen waar de hoge ochtendzon ons wakker zal schudden.

Vandaag zullen we op tijd bij de tabaksveilinghallen in Salisbury zijn voor het gratis ontbijt dat aan alle boeren, kopers en al het Tabex-personeel wordt verstrekt. Vandaag zal ik me ziek eten. Ik zal eten tot mijn buik zwelt van de vreugdevolle, ongewone misselijkheid van te veel. Het eten bestaat uit ei (gebakken ei, roerei, omelet), worst, gebakken tomaten, friet, bacon, en toast die druipt van de boter. Er zijn diverse soorten verpakte graanproducten: chocoladepopcorn, honingpopcorn, cornflakes, Pronutro, muesli. Er is Zambiaanse bruine pap, havermoutpap en maïspap. Er zijn enorme schalen met fruitsalade en zilveren bladen met kaas en crackers. Ik eet van alles wat en schep nog eens op en kan maar niet ophouden met eten, maar papa zegt: 'Kom op, wijfie, nou moet je ophouden. Je maakt jezelf nog ziek.'

En dan begeven we ons in de veilinghal naar onze twee of drie rijen met tabak (in het gelid tussen gelijksoortige rijen van andere boeren). De bitter ruikende, in jute verpakte blokken van blad-op-blad gelegde tabak hebben de reis van Robandi naar hier wonderbaarlijk goed doorstaan. Ze zijn gesorteerd, in bundels gebonden en verpakt; eerste pluk, grotere bladeren, toppen, uitgedroogde bladeren, gevlekte bladeren, versnipperde bladeren. We staan ziekgegeten naast onze oogst. Mama neemt mijn schouders in een felle, ringloze greep. Zij is de enige die niet heeft ontbeten. Ze heeft thee gedronken met snelle, nerveuze teugen terwijl ze herhaaldelijk een blik wierp op de klok boven de deur die toegang geeft tot de uitgestrekte veilinghallen, zo groot als vliegtuighangars.

De kopers lopen langs onze rij tabak.

Mama verstevigt haar greep. Ze fluistert: 'Daar heb je ze.'

Papa staat nonchalant met zijn gewicht op één been ge-leund, als een paard in rust. Hij wendt zijn blik af, alsof de kopers tot een veelvoorkomende, nietszeggende vogel-soort behoren op een voor het overige veel opwindender safari.

Mama sist: 'Probeer er hongerig uit te zien, jongens.'

Ik trek mijn buik zo veel mogelijk in en sper mijn ogen zo ver open als ik kan, zodat ze er hol en behoeftig uitzien. Vanessa laat haar hoofd op haar borst zakken en krimpt ineen van er-niet-willen-zijn.

Mama richt een felle, starre, angstaanjagende glimlach op de kopers. Haar blik zegt: 'Doe ons een goed bod en u zult voor eeuwig met mijn liefde worden beloond. Doe ons alstublieft een goed bod. Alstublieft.' Golven van angst zakken in mijn buik en kolken rond met de te vette over-vloed van mijn pas genuttigde ontbijt.

We kijken geen van allen naar de andere boeren en hun gezinnen die eveneens met voelbare nervositeit bij hun balen staan te wachten.

De balen worden opengescheurd, bladeren worden eruit getrokken en onder de neus gehouden; de dun-geaderde oogst wordt tussen dikke vingers gewreven (vingers die schitteren van de gouden ringen, wat een van de vele din-gen is waaraan je de kopers van de boeren kunt onder-scheiden. Ik ken geen enkele boer die een ring draagt). Er wordt een prijs op een kaartje gekrabbeld. Papa wacht tot de kopers buiten gehoorsafstand zijn en fluistert dan te-gen mama, op zachte, waarschuwende toon: 'Kalm blij-ven. Hou je in,' op de manier waarop hij tegen een zeurend dier zou praten.

Nu kijken mama, Vanessa en ik naar papa's handen ter-wijl hij langs de rij loopt. Als hij akkoord gaat met de prijs die we per baal hebben gekregen, aarzelt hij, waarbij de vingers even boven het kaartje blijven hangen, en loopt daarna door, het kaartje intact latend. Die tabak zal worden meegenomen naar sigarettenfabrieken: vermaarde, goed vervoerde Rhodesische burleytabak, helemaal van onze gelukkige boerderij.

Als papa het niet eens is met het bod van de koper, verscheurt hij het kaartje. Deze balen zullen opnieuw worden ingepakt, in vrachtwagens worden geladen, en teruggebracht worden naar ongelukkig Robandi. Papa zal wachten en ze later in het seizoen proberen te verkopen, wanneer de kopers misschien wat hongeriger zijn naar tabak. Die balen zullen in de sorteerschuur liggen, aan de buitenlucht blootgesteld, waar vlagen stoom de bladeren in een subtiel evenwicht tussen zacht en beschimmeld zullen houden. Ze zullen papa's woede wekken telkens wanneer hij ze ziet. Mama zal urenlang, tot haar vingers branden van de kleverige, vergelende aanslag van de bladeren, bezig zijn met het hersorteren en opnieuw in balen verpakken van de bladeren, in de bijgelovige veronderstelling dat een nieuwe presentatie misschien een betere prijs opbrengt.

Als papa kaartjes begint te verscheuren en zijn gezicht verkreukelt en ondoorgrondelijk wordt, beginnen we van lieverlee stil te vallen en te wensen dat we er niet waren. Maar als hij snel langs de rij tabak loopt en de kaartjes als smetteloze, prachtig gave geelgekleurde rechthoeken achterlaat, zijn we door het dolle heen. Vanessa en ik gaan uitzinnig, dwaas en luidruchtig tussen de balen door rennen en mama zegt niet: 'Ssst meisjes! Gedraag je!' En dan is papa de hele rij langs geweest en neemt hij zonder naar de andere boeren te kijken mama bij de hand en zegt: 'Kom, Tub.' Vanessa en ik volgen mama en papa op de voet. Zijn vingers hebben zich om de hare gevouwen. Tegen het einde van vandaag zal papa de dikke man met de vochtige lippen van Tabex hebben gesproken en zal mama haar ringen terug hebben en als we thuis zijn in Robandi zal ze ze poetsen met Silvo om de aanslag van schande en onbruik te verwijderen.

Papa glimlacht niet, laat tegenover de kopers niets blijken van een overwinning. Hij wacht tot we in de auto zitten en zegt dan tegen mama: 'Billijke prijs.'

Dat betekent dat we niet alleen onze jaarlijkse en onvermijdelijke controle bij de tandarts in het vooruitzicht hebben, maar ook een stel nieuwe kleren, een nieuw paar schoenen, een bezoek aan de tweedehandsboekhandel, en thee en scones met aardbeienjam en dikke room in de tearoom van Meikles Warenhuis. We zullen de nacht doorbrengen in de verrukkelijke luxe van de stadswoning van een vriend, met haar besproeide tuin, kortgeschoren gazon, betegelde, wit-glanzende keuken, normaal doorspoelende wc's en (het wonderbaarlijkste van alles) televisie. Wanneer onze tabak goed verkoopt, zijn we een dag lang rijk.

Maar of de tabak nu goed of slecht verkoopt, wanneer we naar Robandi teruggaan, gaan we terug naar rantsoenen en rantsoenpakketjes.

School

Als ik vier ben gaat Vanessa naar kostschool. Er komen pakjes voor me van de School voor Schriftelijk Onderwijs in Salisbury. Cloud maakt in de houtbewerkingswerkplaats een kleine stoel en tafel voor me, die hij blauw schildert. De tafel staat naast papa's bureau op de veranda. 's Ochtends, na het ontbijt, ga ik daar met mama en het pak papieren uit Salisbury zitten en schrijf ik mijn 'Verhaal van de Dag' en leer ik kleuren, rekenen, schilderen. Eén keer per week zet mama na de lunch de radio aan en luisteren we naar *School in de Ether* en gooi ik zakjes met bonen de zitkamer rond, noem ik (zeg mij na) de kleuren van de regenboog en de namen van de vormen op, loop ik als een reus en (nu héél zachtjes) als een elfje, terwijl mama op de sofa haar boek ligt te lezen.

Maar de middagen zijn lang, heet en gonzend van dikke vliegen en hagedissen die roerloos op de vensterbanken liggen, en mama rust en mijn kinderjuf – mijn kinderjuf van dat moment, ze lijken te komen en te gaan als de seizoenen – is gaan lunchen. Dus rekruteer ik kinderen (*pica-*

nins noem ik hen) uit het arbeidersdorp en dwing hen 'baas en jongens' met me te spelen. Ik ben natuurlijk de baas en zij zijn altijd de jongens.

'Haal *mahutchi*!'

'Ja, baas.'

'Sneller! Rennen. Baas in het zadel! Baas in het zadel! Kom op, *faga moto*!'

De kinderen rennen weg en halen een denkbeeldig paard voor me.

'Ga hem nu borstelen,' schreeuw ik. 'Nee, niet zó. Zó. Verdomme, wat zijn jullie een stelletje Slome Tinussen.' En ik duw de kinderen bij het onzichtbare paard weg om de bewegingen van het roskammen, het borstelen, het schoonmaken van de hoeven te demonstreren.

Mijn kinderjuf komt terug van haar lunch en kijkt me met opeengeperste lippen aan. Ze klapt in haar handen naar mijn 'jongens' en roept 'ksst' tegen ze, alsof het kippen zijn. Ze rennen de oprijlaan af, hun brutaal gelach smorend achter hun hand en me op hun beurt in het Shona beschimpend.

'Waarom heb je mijn jongens weggestuurd?'

'Het zijn jouw jongens niet. Het zijn kinderen als jij. Jongens en meisjes.'

Ik heb ooit tegen haar gezegd dat ik haar zal ontslaan als ze naar me schreeuwt. Maar nu zeg ik: 'Ik was alleen maar aan het spelen.'

'Je was aan het bazen.'

'Nou en?'

Ze zegt: 'Ben je volwassen?'

Ik frons mijn voorhoofd en duw mijn worm-zwangere buik naar voren.

Ze zegt: 'Wanneer je met je hand over je hoofd heen kunt reiken, op deze manier,' en ze heft een hand op, reikt over haar hoofd heen en legt hem op het tegenoverliggende oor, 'dan wil dat zeggen dat je volwassen bent. Dan kun je de baas spelen over andere kinderen en mij ontslaan.'

'Ik kan je best ontslaan. Ik kan je ontslaan wanneer ik maar wil.'

'*Aiee.*'

Ik breng mijn hand over mijn hoofd heen maar hij komt maar tot halverwege de andere kant van mijn hoofd.

'Zie je wel?' zegt ze.

Later op de middag, nadat de was is gedaan en als fleurige vlaggen is opgehangen aan de achterkant van het huis, staat mijn kinderjuf onder de kraan aan de achterkant van het huis en smeert groene zeep op haar benen. Ze wast de zeep er niet af, zodat haar benen glanzend en zacht blijven en de kleur van lichte chocola houden. Als ze geen zeep op haar benen heeft, kan ik met het scherpe uiteinde van een stokje tekeningetjes maken op haar droge huid, en dan komt de tekening grijs op haar huid te staan. Als ik val, of me bezeer, of als ik moe ben, mag ik van mijn kinderjuf mijn hand in haar blouse steken en op haar borst leggen en mag ik op mijn duim zuigen en voelen hoe zacht ze is. Haar borsten zijn vol en zacht en ruiken naar hoe regen ruikt als het op de hete aarde valt. Ik weet, zonder te weten waarom, dat mama me zou slaan als ze me dat zag doen.

Mijn kinderjuf zingt voor me in het Shona. '*Eh, oh-oh eh, nyarara mwana.*'

'Wat is dat voor liedje?'

'Een liedje voor mijn kinderen.'

'Wat betekent het?'

Ze mompelt: 'Ts, ts. Jij bent mijn kinderen niet.'

Dan word ik acht en ben ik te oud om nog een kinderjuf te hebben. Ik ben aan kostschool toe. Ik krijg mijn eigen koffer met mijn volledige naam, 'Alexandra Fuller', erbovenop gedrukt.

'Maar ik dacht dat ik Bobo heette.'

'Niet meer. Nu ben je Alexandra. Dat is je echte naam.'

Papa neemt een foto van ons terwijl we de boerderij verlaten voor mijn eerste dag op de grote school in januari 1977.

Vanessa is bijna net zo groot als mama. Ik houd de uzi vast, mijn buik naar voren duwend om het gewicht ervan te helpen opvangen. We staan vóór Fortuna, de landmijnbestendige landrover.

De Chancellor-basisschool is een 'A'-school voor uitsluitend blanke kinderen. Dit houdt in dat we ruim veertig hectare aan velden hebben: een rugbyveld, een cricketpitch, hockeyvelden, tennisbanen, een zwembad, een atletiekbaan, een rolschaatsbaan. Na de onafhankelijkheid wordt de rolschaatsbaan in een basketbalveld veranderd en de atletiekbaan in een voetbalveld. Basketbal en voetbal zijn dingen waar blanke kinderen niet aan doen, net als in het openbaar in je neus peuteren, 'metselen' met thee en brood, heupwiegend op Afrikaanse muziek dansen.

We hebben onze eigen, zeer uitgebreide bibliotheek en meer dan genoeg boeken voor iedereen. We hebben meer dan genoeg zeer goed opgeleide (uitsluitend blanke) leraren en leraressen voor iedereen, onder wie een remedial teacher voor de kinderen die achter zijn en die wij 'achterlijken' noemen. De 'achterlijken' hebben hun eigen klaslokaal aan het einde van het blok (allemaal samen, ongeacht hun leeftijd) en ze moeten bij een schoolbijeenkomst vóór alle anderen zitten, zelfs vóór de kinderen uit de laagste klassen. En niemand speelt met ze in de pauze of na schooltijd en ze hoeven niet aan atletiek mee te doen.

We hebben leraren en leraressen voor muziek, tekenen, handwerken en houtbewerking, een lerares van het Rode Kruis, en coaches voor tennis, cricket, rugby en atletiek. De laatste leert ons ook zwemmen. Onze toezichthoudsters zijn blank. Ze zijn oud en gek, maar ze zijn blank. De terreinknechten en schoonmakers zijn zwart en staan onder leiding van een dronken oude blanke man die whisky en pepermuntjes in de bezemkast bewaart.

De koks zijn zwart en staan onder leiding van een oude blanke dame die spectaculair hoog haar heeft en in de koele kamer buiten de keuken thee zit te drinken en boeken zit te lezen met plaatjes op de kaft van dames (wier boezem op het punt staan uit hun jurk te wippen) die in mannenarmen bezwijmen.

De dienstmeisjes die onze was doen, zijn zwart en staan onder leiding van de toezichthoudster van de oudste meisjes die doof is en zo moe dat ze het grootste deel van de dag half slapend in haar zitkamer doorbrengt, met de radio aan. Haar kamer ruikt naar oude dame en mottenballen.

Het kosthuis noemen we een jeugdherberg, een massief koloniaal gebouw van rode baksteen dat ooit een legerbarak is geweest. Er kunnen tweehonderd kinderen slapen. Veertig kinderen per slaapzaal, elk met een opbergkist waarin we de kleren voor de week bewaren; één schooluniform en één stel speelkleren waar we zeven dagen mee moeten doen, en per dag schone *brookies* en sokken.

Magnesiumoxide, dat ons elke vrijdag door onze toezichthoudster, die een haakneus heeft, wordt toegediend, zorgt ervoor dat we een regelmatige stoelgang houden, hoewel de vis die ons eveneens op vrijdag wordt toegediend, gewoonlijk afrekent met alle constipatie waar we mogelijk door geplaagd werden.

We wassen ons haar op zondagochtend en worden periodiek besprenkeld met een hoofdhuidbijtend middel dat luizen zou moeten doden.

De jongens worden gestraft met slaag – met een leren riem die in de lerarenkamer hangt. Na afloop vragen we of we het patroon van striemen op hun achterste mogen zien en of ze gehuild hebben, en hoewel er vegen zitten op hun gezicht en we hun pijnkreten hebben gehoord, schudden ze hun hoofd: nee.

De meisjes worden zelden geslagen. Wij moeten voor straf een halfuur geknield op een cementen vloer zitten. Of strafregels schrijven: 'Ik zal niet praten nadat het licht is uitgedaan. Ik zal niet praten nadat het licht is uitgedaan' vierhonderd keer. Of bijbelpassages uit het hoofd leren: 'Laten wij dan de werken der duisternis afleggen en aandoen de wapenen des lichts! Laten wij als bij lichte dag, eerbaar wandelen, niet in brasserijen en drinkgelagen, niet in wellust en losbandigheid, niet in twist en nijd!'

De tweehonderd kostleerlingen zijn voornamelijk kinderen van boerderijen rond Umtali en de tweehonderd dagleerlingen zijn stadskinderen en we minachten en kwellen hen door ze in het pijnboombos te lokken waar we ze aanvallen en hun lunchpakketjes stelen. Wij zijn betere atleten, slechtere studenten en taaiere vechtersbazen dan de dagkwallen. Het komt zelden voor dat we een dagleerling toelaten tot de selecte kring van vrienden, bondgenoten en samenzweerders waaruit de bendes van de kostleerlingen bestaan. Maar elke ochtend komen we in klassenrijen in de aula bijeen om te zingen.

Dank u voor deze nieuwe morgen,
Dank u voor deze nieuwe dag.

En een daartoe aangewezen leerling uit de hogere klassen leest voor uit de bijbel, nerveuze woorden mompelend. We bidden voor de legerjongens. We bidden het onsje vader. En dan keren we terug naar onze klaslokalen, gaan achter onze lessenaars staan en bidden nogmaals voor de legerjongens. Sommigen van de kinderen, wier vaders in de oorlog zijn gedood, huilen elke ochtend. Hun zachte gesnik maakt deel uit van het bidden.

Er zijn niet veel stadskinderen met dode vaders. De meeste dode vaders zijn boeren; gedood tijdens het patrouilleren, of bij een aanval uit een hinderlaag, of door een landmijn, of tijdens een aanval op een boerderij.

Op woensdag krijgen we vóór de lunch bijbelse geschiedenis van een lerares met harige benen en sandalen aan (zodat onze gewone lerares even de tijd heeft om sigaretten te roken en thee te drinken in de lerarenlounge). Op zaterdag komt er een vrouw (ook met harige benen en sandalen aan, zodat ik christelijke vrouwen ga associëren met die specifieke kenmerken) van het Rhodesische Bijbelgenootschap naar het kosthuis en moeten we in het huiswerklokaal zitten terwijl buiten de zon en de velden ons roepen. Ze vertelt ons bijbelverhalen en ze laat ons bidden en elkaars hand vasthouden en het soort liedjes zingen waarbij je moet klappen en op en neer springen. 's Zondags lopen we in kronkelende rijen naar onze verschillende kerken; Vanessa en ik zijn anglicaans; mijn beste vriendin is presbyteriaan (*trekhetjenietaan*). Er zijn ook Nederlands gereformeerden, katholieken (*katteklieken*), en een handjevol baptisten en methodisten.

Maar alle gezindten richten voortdurend hun gebeden, gezang en schriftlezing op De Oorlog en allemaal vragen we God op onze legerjongens te passen en ze te behoeden voor terroristen, en we nemen aan dat God weet dat we hiermee bedoelen (zonder er nu openlijk voor uit te komen) dat we De Oorlog willen winnen.

Onafhankelijkheid

Daarom is het zo'n verrassing wanneer we de oorlog verliezen.

Verloren. Als iets wat in de spleet van de sofa terechtkomt. Als iets wat uit je zak valt. En dat na al dat bidden en zingen en nog uren op onze knieën ook.

Ian Smith laat de Onafhankelijkheidsklok dertien keer slaan, één slag voor elk jaar sinds de Unilaterale Verklaring van Onafhankelijkheid van Groot-Brittannië. Hij en zijn vrouw Janet heffen nog één keer hun glazen in een toast op 'de oude getrouwen'.

Zelfs dan kunnen we nauwelijks geloven dat het voorbij is. Dat we ons na al die tijd gewonnen geven. Dat we uiteindelijk toch niet door *dikkendun* vechten.

'Want een ieder, die bidt, ontvangt, en wie zoekt, vindt.'
Wij verloren, zij vonden. *Armen*.

De onafhankelijkheid komt eraan, *klaarofniet*.

In maart 1978 sluit bisschop Abel Tendekayi Muzorewa van de Afrikaanse Nationale Raad een akkoord met de blanke regering en vormt een interim-regering die de zwakste mensen van de Afrikaanse politieke partijen en de meest vastberadenen van de oude blanke garde in zich verenigt, en in juni 1979 wint hij de verkiezingen die wel of niet vrij en eerlijk zijn verlopen (afhankelijk van wie je bent en van je huidskleur). Wij kopen T-shirts om onze oude 'Rhodesië is Super'-T-shirts te vervangen. Op deze nieuwe T-shirts staat de tekst: 'Zimbabwe-Rhodesië is Super' en we zeggen: 'Vooral Rhodesië.' Maar de oorlog gaat door en steeds meer mensen sterven, en de strijd is feller en heviger dan ooit.

Nu bestrijden de blanken iedereen die niet blank is en zijn de Afrikanen versplinterd in politieke groeperingen en stammenfacties en bestrijden ze behalve de blanken ook elkaar.

Dus doet Muzorewa, die (tenslotte) een christen is en een methodist, iets heel on-Afrikaans. Hij geeft al na zes maanden de macht op. Hij geeft Zimbabwe-Rhodesië en de hele vervloekte bende terug aan de Britten. In december 1979 wordt in Londen besloten dat Rhodesië opnieuw een Britse kolonie is, met dien verstande dat de Britten ons deze keer onafhankelijkheid willen geven onder een meerderheidsregering. Een Rhodesische regering in de meng-maar-raak, kies-je-eigen-*muntu*-stijl is van de baan.

Er is een staakt-het-vuren en we moeten papa's FN-geweer en mama's uzi en alle door het leger verstrekte camouflagekleding van papa naar het politiebureau brengen. We houden de rantsoenpakketten en eten de laatste pinda's met een roze laagje en muffe cowboykauwgom en drinken koffie van de laatste opgeloste kleverige koffiepasta. De politieagent die de geweren komt ophalen, schrijft onze naam in een boek en verontschuldigt zich: 'Sorry, hoor.' Hij zegt niet waarvoor hij zich verontschuldigt.

Er zijn *vrije-en-eerlijke* verkiezingen in februari 1980,

vlak voor mijn elfde verjaardag en we verliezen de verkiezingen nog ook. Waarmee ik bedoel dat onze *muntu*, bisschop Muzorewa, overtuigend wordt verslagen. Hij wint drie armzalige zetels. One man, one vote. We liggen eruit. Op 18 april 1980 neemt Robert Gabriel Mugabe de macht over als Zimbabwe's eerste premier. Ik heb nog nooit van hem gehoord. De naam 'Rhodesië' wordt uit 'Zimbabwe-Rhodesië' geschrapt. Nu heet ons land simpelweg 'Zimbabwe'.

Zimba dza mabwe. Huizen van steen.

Degenen die in stenen huizen wonen zouden geen stenen moeten gooien vanwege afketsingsgevaar.

De eersten die weggaan zijn de Afrikaner kinderen.

De dag dat Robert Gabriel Mugabe de verkiezingen wint, rijden de Afrikaner ouders naar school en vormen een lange sliert auto's, als een begrafenisstoet, om hun kinderen op te halen. De kinderen, vuistjes stevig vastgehouden door moeders met strenge boezems, worden naar hun slaapzalen gebracht, waar wij gewoonlijk pas om vijf uur, badtijd, in mogen. De toezichthoudsters moeten de dienstmeisjes opdragen stapels koffers uit de kofferkamer te halen. De Afrikaner moeders pakken. De Afrikaner vaders staan tegen hun auto's geleund te roken en zachtjes in het Afrikaans tegen elkaar te praten. Er spreekt een historisch besef uit hun houding; *we hebben dit eerder gedaan en zullen het weer doen.*

We hebben op school geleerd over de Grote Trek.

De 'Groot Trek' van 1835 toen meer dan 10.000 Boeren, de Voortrekkers, de Kaap Kolonie verlieten en naar het noorden kwamen. Ze verlieten het Paradijs van de Kaap omdat ze in een strijd verwikkeld waren met hun Xhosa-buren en omdat ze ontevreden waren over de Engelse koloniale autoriteiten die de slavenhandel hadden verboden en die in de gelijkheid tussen blan-

ken en niet-blanken geloofden. Vele mannen, vrouwen en kinderen stierven dan ook tijdens de Grote Trek, hun lijken bloederig gedrapeerd over en onder wagenwielen en naast paarden op de plaatjes in onze geschiedenisboeken. Ze stierven omdat ze geloofden dat het Britse beleid van Emancipatie hun sociale orde vernietigde, die was gebaseerd op de scheiding der rassen. Ze zagen de blanke overheersing als Gods eigen wil.

En nu dus de Kleine Trek.
Maar de volgende dag worden ook enkelen van de Engelse Rhodesiërs weggereden. Er blijven die avond maar een handvol van ons over bij de maaltijd; niet meer dan twintig kinderen in een eetkamer die is berekend op tien keer zoveel. Mijn zus is al overgeplaatst van de Chancellor-middenschool naar het Umtali-meisjeslyceum. Dus ik kan nu niet meer aan haar vragen: 'Waar zijn mama en papa?'

Morgen zullen hier de kinderen komen die naar 'B'-scholen zijn gegaan, voor kleurlingen en indianen. De kinderen van 'C'-scholen, voor zwarten, zullen hier ook komen. Morgen zullen ook de kinderen aankomen die nooit naar school zijn geweest, nooit een doortrek-wc hebben gebruikt, nooit met mes en vork hebben gegeten. Ze zullen stinken naar de houtrook van hun hutvuren.

Morgen zullen de kindsoldaten arriveren die geen Engels spreken, die niet met een vork kunnen eten of met een doortrek-wc overweg kunnen. Ze kunnen 's nachts bij het licht van de sterren de weg vinden door de Afrikaanse bush, deze *mujiba* en *chimwido*. Ze zijn werelds en oud, en hebben een starre, in de verte starende blik.

Met je mond dicht eten en met mes en vork, zoals het hoort, kan je leven niet redden.

Het kost maar een minuut om te leren hoe je een wc moet doortrekken.

Maar nog steeds komen mama en papa me hier niet weghalen.

In plaats daarvan wordt het eerste zwarte kind naar de school gebracht. We kijken vol verbazing toe hoe hij uit de auto geholpen wordt – een normale auto zoals de Europeanen hebben – door zijn moeder die mooier gekleed is dan mijn moeder ooit is. Ze glimlacht terwijl ze zelfverzekerd, met opgeheven hoofd, de ene hooggehakte voet elegant voor de andere laat klakken en haar zoon door de tunnel leidt die om de zandzakken heen naar de jongensslaapzaal voert.

We zullen die zandzakken niet meer nodig hebben.

Deze vrouw is niet een *muntu*-kinderjuf. Dit kind is niet een *picanin*. Hij is prachtig gekleed in een gloednieuw uniform. Het uniform is niet een versleten-en-bevlekt afdankertje zoals het uniform dat ik draag.

We wachten tot de moeder en vader van dit kleine zwarte kind wegrijden en daarbij grind doen opspatten van de achterwielen van hun blanke-mensenauto. En dan gaan we in een kring om het zwarte jongetje heen staan. De jongen vertelt ons dat hij Oliver Tangwena heet.

Tot dan toe heb ik van geen enkele Afrikaan de volledige naam gekend. Oliver Tangwena. Tot dan toe heb ik de Afrikanen alleen bij hun voornaam gekend: Cephas, Douglas, Loveness, Violet, Cloud, July, Flywell. Ik kom erachter dat Afrikanen ook volledige namen hebben. En Afrikanen hebben niet alleen volledige namen, hun namen kunnen zelfs rijker zijn dan de onze. Ik probeer moeilijke namen uit te spreken als: Joshua Mqabuko Nyongolo Nkomo; Robert Gabriel Mugabe; de Eerwaarde Canaan Sodindo Banana; bisschop Abel Tendekayi Muzorewa. Dit zijn de namen van onze leiders.

Ik zeg: 'Mooie naam.'

'Eigenlijk is mijn volledige naam Oliver Tendai Tangwena,' zegt Oliver, zijn middelste naam benadrukkend. Hij spreekt perfect Engels, met een mooi accent.

We zeggen: 'Was dat je vader die je daarnet afzette?'

Oliver kijkt ons meewarig aan. 'Dat was mijn chauffeur,' zegt hij tegen ons, 'en mijn dienstmeid.' Hij zwijgt even en zegt dan: 'Papa is deze week in Zuid-Afrika.'

We staan versteld van dit nieuws. 'Hoezo?'

'Zaken,' zegt Oliver zelfgenoegzaam.

'En komt hij daarna terug?'

'Ja,' zegt Oliver.

Die avond zit Oliver alleen bij de avondmaaltijd. Niemand van ons wil naast hem zitten. We wachten af of hij eet als een *muntu*. We wachten af of hij 'metselt'. Maar hij heeft uitstekende manieren. Hij neemt kleine, beleefde hapjes. Tussen twee happen legt hij zijn mes en vork langs de rand van zijn bord. Hij neemt bescheiden slokjes water. Aan het eind van zijn maaltijd dept hij zijn bovenlip met zijn servet en legt hij zijn mes bij zijn vork.

Ik richt me tot mijn buur en sis: 'Ik hoop niet dat ik dát servet krijg wanneer het terugkomt uit de was.'

'Dat hoop ik ook niet, zeg.'

Na één schooljaar zijn er drie blanke meisjes en twee blanke jongens over in het kosthuis. We bevinden ons te midden van tweehonderd Afrikaanse kinderen die tegen elkaar in Shona praten – een taal die wij niet begrijpen –, die spelletjes doen waar wij buiten staan, die niet naar ons hoeven te luisteren.

Dan vertrekt onze blanke toezichthoudster en wordt haar plaats ingenomen door een jonge zwarte vrouw. Ze is mooi, kordaat en aardig. Ze rookt geen sigaretten en drinkt geen goedkope Afrikaanse sherry in haar kamer als het licht uit is. Ze richt de zitkamer van de toezichthoudster opnieuw in met een wit kleed over de rug van de versleten oude sofa en verse bloemen op de koffietafel, en ze doet alle asbakken weg. Er komt een bordje op de deur van haar zitkamer: 'Niet roken, alstublieft. Hier groeien jonge longen.'

Sommige nieuwe kinderen in het kosthuis zijn veel ouder dan wij, minstens veertien jaar. Ze menstrueren al, ze hebben vriendjes. Ze lachen om mijn platte kippenborst.

We slapen zo dicht bij elkaar dat ik zelfs met het licht uit de lichaamsvorm van mijn buurvrouw kan onderscheiden onder de dunne, door de overheid verstrekte deken. Ik kijk naar de manier waarop ze slaapt, ineengerold op haar zij, te vrouwelijk voor het smalle kinderbed. Haar naam is Helen. Haar warme adem bereikt mijn gezicht.

Helen, Katie, Do It, Fiona, Margaret, Mary, Kumberai.

Sommige kinderen op mijn school zijn de kinderen van bekende guerrillastrijders. We hebben bijvoorbeeld de tweelingzusjes Zvobgo, wier vader, Eddison, tijdens de oorlog zeven jaar in de gevangenis heeft gezeten wegens 'politiek activisme'. Hij is nu een oorlogsheld en zeer beroemd – hij zit in de nieuwe regering.

Er zijn, zo blijkt, geen blanke oorlogshelden. Geen van de legerjongens die ik heb aangemoedigd en voor wie ik heb gebeden, zal onder de eeuwige vlam op de Heldenakker worden begraven. Hun botten zullen niet op verafgelegen slagvelden worden opgegraven en op ceremoniële wijze helemaal naar Harare worden teruggereden om daar te worden herbegraven.

We eten elleboog aan elleboog. We poetsen onze tanden naast elkaar, leunend over gedeelde wasbakken; ons spuug mengt zich in een tandpastaregenboog van blauw, groen en wit. We poepen naast elkaar in de kleine, dunwandige hokjes.

Dat jaar is er een waterschaarste en we moeten zuinig zijn met water.

Nu moeten we op elkaars plas plassen. We krijgen elke dag één kop water per persoon waarmee we 's ochtends onze tanden moeten poetsen en onze gezichten moeten wassen. We moeten badwater met elkaar delen. Ik ben onwillig. Dan zegt de nieuwe, zwarte toezichthoudster: 'Kom op, hou op met dat dwaze gedoe. Huid is huid. Erin jij.'

Terwijl onze nieuwe toezichthoudster toekijkt, stap ik in het lauwe badwater, waarin de huidcellen van Margaret en Mary Zvogbo drijven. Er gebeurt niets. Ik baad, droog mezelf af. Ik krijg geen vlekken of huiduitslag. Ik word niet zwart.

In het jaar dat ik twaalf word, rijden mama en papa me naar Harare waar ik toelatingsexamen doe voor een prestigieuze privé-school voor meisjes, en tot ieders grote verbazing slaag ik voor het examen en word ik toegelaten tot het Arundel-lyceum, bij vroegere en huidige ingezetenen ook wel bekend als De Roze Gevangenis.

Mama en Caesar

Hoe we Robandi verliezen

Binnen de geveinsde, koloniale-droomgrenzen van Rhodesië is meer geschiedenis gestouwd dan één land ter grootte van een uit de kluiten gewassen theepot in minder dan honderd jaar eigenlijk kan bevatten. Zonder te barsten.

Maar de hele geschiedenis van dit land draait om de grond waarop we staan, omdat we allemaal (zwart, blank, kleurling, Indiaas, oudgedienden, nieuwkomers) voor hetzelfde vechten – bebouwbare, door regen verfriste, vruchtbare, naar wormen ruikende aarde. Land waarop je tabak, vee, katoen, sojabonen, schapen, vrouwen en kinderen kunt laten groeien.

In Rhodesië gaat na de geboorte de navelstreng van elk kind regelrecht van de moeder naar de grond, waar hij wortel schiet en groeit. Van de grond losrukken leidt tot de verstikkings- of verhongeringsdood. Dat is wat de mensen van dit land geloven. Beroof ons van het land en je berooft ons van lucht, water, voedsel en seks.

De *Ontginningsvoorschriften* van de Britse Zuid-Afrika Maatschappij stonden blanke kolonisten toe boerderijen af te bakenen van maximaal 1200 hectare.

Door de *Lippert Concessie* werd koning Lobengula van de Matabeles met een list land afhandig gemaakt voor de kolonisten.

In 1894 verklaarde een Britse *Landcommissie* zichzelf onbekwaam om blanke kolonisten te verwijderen van inheems land.

In 1898 stelde de Britse regering 'voldoende' gebieden in die uitsluitend bestemd waren voor bewoning door het Afrikaanse volk.

In 1908 werd de *Privé-Locaties Verordening* uitgevaardigd.

In 1915 werden de grenzen van de *Inheemse Reservaten* vastgesteld.

In 1920 wees een Rhodesisch raadsbesluit 8,5 miljoen hectare (van een mogelijke 39 miljoen hectare) aan die alleen door Afrikanen mochten worden gebruikt.

De *Morris Carter Commissie* adviseerde verdeling van het land onder de rassen.

De *Landverdelingswet* van 1930 splitste het land op: 8,5 miljoen hectare voor *Inheemse Reservaten*; 19,5 miljoen hectare die uitsluitend door Europeanen bewoond en aangekocht mochten worden; 3 miljoen hectare die uitsluitend door Afrikanen bewoond en aangekocht mochten worden. 7 miljoen hectare werden niet toegewezen.

De *Landverdelingswet* werd in 1941, 1946 en verscheidene malen in de jaren vijftig en zestig geamendeerd en *Inheemse Reservaten* werden herdoopt tot *Stamtrustgebieden*.

De *Landeigendomswet* van 1969 waarop de Rhodesische

regering zijn politiek van rassenscheiding baseerde (in 1979 afgeschaft onder groeiende internationale en binnenlandse druk).

De *Stamtrustgebiedenwet* wordt in 1982 vervangen door de *Wet Gemeenschappelijke Gebieden*.

'Voor ons is nu de tijd gekomen dat zij die elkaar als vijanden bevochten, de realiteit van een nieuwe situatie accepteren door elkaar te accepteren als bondgenoten, op wie ondanks hun ideologische, raciale, etnische of religieuze verschillen nu een beroep wordt gedaan hun loyaliteit jegens Zimbabwe te uiten.' Dat is wat de nieuwe ZANU PF-regering na afloop van de oorlog verkondigt.

'Ik zal ze verdomme léren wat vrede en verzoening is,' zegt mama.

Vreten en verzoening, noemen we het.

Onze boerderij wordt aangewezen als een van de boerderijen die onder de nieuwe regering mag worden afgenomen (voor niets) of gekocht (tegen elk willekeurig symbolisch bedrag) ten behoeve van 'de herverdeling van land'.

De herverdeling van land verloopt als volgt:

Allereerst worden de mooie boerderijen, vlak bij de stad, aan de politieke bondgenoten van premier Robert Mugabe gegeven.

Vervolgens worden de mooie boerderijen ver van de stad aan die politici gegeven die Mugabe zoet moet houden, maar die niet het meest geliefd zijn.

Daarna worden de productieve, afgelegen boerderijen aan waardige oorlogsveteranen gegeven; aan de mannen en vrouwen die hebben aangetoond dappere vrijheidsstrijders te zijn.

Boerderijen als de onze vervolgens – gevaarlijk dicht bij bestaande mijnenvelden, zonder hoop op televisieontvangst en met sporadische regenval, onbetrouwbare aar-

de, een geschiedenis van pech – worden aan Mugabes vijanden gegeven, met wie hij zich zogenaamd wil verzoenen.

Onze boerderij is een gave van woestenij, aaltjes in de
bananen, ratten in het plafond.

Onze boerderij is een gave van de Dode Mazungu-Baby.

Onze boerderij is weg, of we het nu leuk vinden of niet.

Papa schokschoudert. Hij steekt een sigaret op. Hij zegt:
'Nou ja, we hebben er het beste uitgehaald, hè?'

Maar landloze landbezetters uit Mozambique hebben
zich al op onze boerderij gevestigd. Voordat onze boerderij officieel geveild is en de oude oogst is binnengehaald,
voordat de nieuwe eigenaren een voet gezet hebben op de
ribbelige en weggespoelde weg die naar het plompe barak-
achtige huis leidt dat mama jaren geleden perzikkleurig
heeft geschilderd in een poging ons op te vrolijken – voordat onze voetstappen op de glanzende cementen vloeren
van de veranda zijn afgekoeld, komen de landbezetters.

Niemand heeft de landbezetters uitgenodigd om onze
boerderij en andere boerderijen dicht bij de grens over te
komen nemen. De landbezetters zijn over het algemeen
ongeletterd en waarschijnlijk geen oorlogshelden geweest, maar ze hebben honger. Ze hebben maag-honger,
huis-honger, land-honger.

Ze hebben een kamp gevestigd in de heuvels boven het
huis, ze hebben maagdelijk woud gekapt en maïs geplant.
Hun vee drinkt regelrecht uit bronnen op de hellingen en
vertrapt daarbij beekoevers tot rood puin dat uiteindelijk
als bloed in ons kraanwater verschijnt.

Mama zegt: 'Ik zal ze verdomme léren wat herverdeling
van land is.'

Papa zegt: 'Daar is het nu te laat voor.'

Mama knarsetandt en praat met opeengeklemde kaken,
zodat de woorden scherp en witgerand zijn. Ze zegt: 'Het
is nog niet van hen. Het is nog steeds onze boerderij.' Ze
schenkt pure brandy in een glas en drinkt zonder voor te

wenden iets anders te doen. Pure brandy zonder water, cola, citroen. Terwijl ze met haar vinger naar papa wijst, zegt ze: 'We hebben voor dit land gevochten, Tim! We hebben ervoor gevochten.' Ze balt haar hand tot een vuist en schudt hem. 'En ik laat het niet gaan zonder ervoor te vechten.'

Papa zucht en ziet er moe uit. Hij drukt zijn sigaret uit en steekt een nieuwe aan.

'Ik zal die rotzakken léren,' zegt mama.

'Rustig aan, Tub.'

'Rustig aan? Rustig aan? Waarom zou ik rustig aan doen?'

Er is een baby, onze vijfde, aan het zwellen in haar buik.

Mama begon vlak na Kerstmis te braken. Ze kotste wanneer ze zeep, petroleum, dieseldampen, parfum, sudderend vlees rook. En zo kwamen we aan de weet dat ze weer zwanger was.

Ik had zo vurig voor een nieuwe baby gebeden, dat deze misschien wel louter door mijn wilskracht verwekt was.

Nu zegt mama: 'Ik word misselijk van die verdomde *munts*.'

Wat blijkbaar niets te maken heeft met ochtendmisselijkheid en alles met het verliezen van de oorlog.

Ze heeft het schooltje gesloten dat we voor de Afrikaanse kinderen draaiende hielden. 'Ze kunnen nu naar elke school die ze willen.' Maar er is geen vervoer voor de kinderen, dus hangen ze rond onder de grote, worstvormige boom bij het arbeidersdorp waar ze van hun moeders niet mogen spelen. Mama zal bij de achterdeur geen privé-kliniek meer runnen voor de arbeiders of iedereen die toevallig onze boerderij passeert en ziek of ondervoed is.

Nu zegt ze: 'Hebben jullie geen "kameraden" in het ziekenhuis? We zijn nu fijne socialisten met z'n allen, wist je dat niet? Als je naar het ziekenhuis gaat, zullen je "kameraden" je daar wel behandelen.'

'Maar mevrouw...'

'Hou op met dat "maar mevrouw". Ik ben geen "mevrouw" meer. Ik ben "kameraad".'

'U bent mijn moeder...'

'Ik ben je moeder niet, verdomme.'

'We zoeken gezondheid.'

'Daar had je eerder aan moeten denken.'

De zieken, de mensen met opgezwollen buiken, de bloedenden, de malarialijders, allemaal zitten ze aan het einde van de weg, voorbij de Pa Mazonwe-winkel, te wachten op een lift de stad, waar ze uren, misschien dagen zullen wachten tot de plotseling overstroomde, openbaar geworden gezondheidszorg zich over hen ontfermt.

Mama kan door haar buik moeilijk op haar paard komen. Ze laat Flywell Caesar vasthouden naast een grote rots, springt van de rots in haar stijgbeugel en stijgt behoedzaam op. Dan schikt ze haar buik over de zadelboog en geeft Caesar de sporen.

'Wacht op mij', ik geef een ruk aan Burma Boys hoofd. Hij staat tot aan zijn oren in geelbloemige weegbree. Mama draait zich niet eens om. Ze fluit naar de honden, één korte schelle toon. Ze is vanochtend van een gevaarlijke, stille woede vervuld.

We rijden voort, langs de stallen en langs de afslag naar de veewasplaats en langs het arbeidersdorp waar onze arbeiders in een stel rode bakstenen huisjes met lage daken of in zorgvuldig vormgegeven hutten wonen. We rijden langs de lapjes grond waar de arbeiders hun kool, koolzaad, bonen en tomaten mogen verbouwen, de pas gebaande paadjes op die naar het nieuwe dorpje voeren dat de landbezetters hebben opgericht.

Terwijl we de platgeklopte rode aarde volgen naar het dorp van de landbezetters, hangt er de zuurzoete geur van brandend hout in vochtige lucht. We horen het hoge, aanhoudende gejammer van een klein kind en terwijl we dichterbij komen, het razende gekef van honden. De landbezetters hebben een veld vrijgemaakt door maagdelijk woud te kappen om maïs te planten. Ze hebben drie lemen hutten gebouwd rond een houtvuur waarboven een pan *sadza*, pap van maïsmeel, staat te pruttelen. De Afrikaanse honden met hun krulstaarten rennen op onze roedel af en beginnen te grommen, hun nekharen rechtovereind op hun knokige ruggen.

'Roep jullie honden terug,' schreeuwt mama het rauwnieuwe dorp in (de bushpalen die zijn gekapt om de hutten te maken bloeden nog steeds en zijn nat, de strodaken ruiken groen – ze zullen niet voorkomen dat er water in de hutten lekt wanneer het regent).

De landbezetters staan in een rij voor hun hutten. De baby die aan het huilen was, houdt daar nu mee op en kijkt ons met stille verbazing aan. Hij hangt aan zijn moeders hals. De andere vrouwen hebben hun kleine kinderen op zachte, gewillige heupen gezwaaid. De mannen staan in een rij, de kin omhoog, de mond zacht en stuurs. Een van de kinderen is met uitpuilende ogen aan het hoesten. Zijn haar is tot een veelzeggend, proteïne-ontberend rood gepluisd (de kleur van kwashiorkorhaar). Hij is naakt, op een tot op de draad versleten short na, waardoorheen ik zijn verschrompelde piemel en de bovenkant van zijn broodmagere benen kan zien.

Mama cirkelt rond de hutten, Caesar doet de pas ontblote aarde opwaaien terwijl hij in telgang voortloopt. Ik laat Burma Boy onder een van de hutten halt houden en zit ineengedoken op mijn zadel te wachten.

'Dit is ons land!'

De landbezetters staren terug zonder dat hun gelaatsuitdrukking verandert.

Mama geeft Caesar de sporen en voert een charge uit op de onbeweeglijke groep mannen, vrouwen en kinderen.

De Afrikaanse honden janken en vluchten ineengedoken de donkere openingen van de hutten in. Een van de jonge kinderen, te groot om op een heup te zitten maar te klein om ver van zijn moeder te zijn, gilt en volgt de honden. De moeder met de baby op haar rug houdt een kalebasfles vast, die gebruikt wordt om water of bier te vervoeren. Plotseling rent ze met een verbeten vertoon van moed op mama af. Ze schreeuwt met een hoge, trillende, zangerige stem, en slaat Caesar met het vat op zijn neus. Caesar wijkt terug, maar mama laat hem rechtsomkeert maken en gaat diep in haar zadel zitten, benen gespannen. 'Kom op,' gromt ze, en als Caesar naar voren schiet, zijn neusgaten wijdopen en roodomrand van verrassing, schreeuwt mama tegen de vrouw: 'Je hebt mijn paard niet te slaan. Hoor je me? Je hebt mijn paard verdomme niet te slaan...'

Mama voert herhaaldelijk charges uit op de landbezetters, Caesar woest aansporend en zonder onderscheid op de vrouwen, de kinderen, de mannen afstormend. En dan draait ze haar paard het onlangs beplante maïsveld op en begint eroverheen te jakkeren, tussen de nog bloedende stompen van de pas gekapte msasabomen door. 'Vuile rotkaffers,' schreeuwt ze. 'Vuile, vuile rotkaffers.'

Sommige mannen maken zich los van het kluitje mensen rond de hutten en beginnen Caesar achterna te rennen, schreeuwend en met hun badzas en kapmessen zwaaiend. De kinderen huilen inmiddels allemaal. De vrouwen slaan hun armen en hun rokken om hun kinderen heen en schermen hun gezichtjes af.

'Stelletje schoften,' schreeuwt mama. 'Stelletje smerige schoften. Dit is onze boerderij!'

Een van de mannen begint kluiten aarde naar mama te gooien. Ze komen met een plof tegen Caesars flank aan. Hij springt schichtig weg, maar mama kromt zich en klemt haar benen zo stevig om Caesar dat de adem uit hem geperst wordt – *umph* – en keer op keer voert ze charges uit op de landbezetters. De vrouwen schreeuwen en rennen met de kinderen de hutten in, de fragiele bushpaaldeuren achter zich sluitend. De mannen houden stand en smijten alles wat voor handen ligt naar mama en haar paard. Ze schreeuwen in het Shona tegen ons.

Ik schreeuw: 'Kom nou, mama.' Bang. 'Ma-haaam.'

Maar ze laat Caesar telkens weer rechtsomkeert maken; het witte schuim van zweet hoopt zich balsgewijs op zijn nek op en spat tussen zijn achterbenen vandaan.

Ik ga in mijn stijgbeugels staan en schreeuw zo hard ik kan: 'Mama! Laten we gaan.'

Ik begin te huilen, en smeek: 'Ma-ham, alsjeblieft.'

Eindelijk lijkt het gevecht uit haar te vloeien. Ze wendt zich nog één keer tot de mannen en schudt haar rijzweep naar hen: 'Ga van mijn boerderij af,' zegt ze met een verslagen, gebroken stem, 'begrepen? Ga als de sodemieter van mijn boerderij af.'

Mama is bleek en met een laagje zweet op haar bovenlip van de rit teruggekomen. Ze praat niet. Wanneer we op de binnenplaats terugkomen, glijdt ze van haar paard af, ruggelings van het zadel schuivend, en dan grimast ze, terwijl ze haar buik vasthoudt. Ze laat Caesar wegkuieren, nog steeds gezadeld, leidsels in een lus over de grond slepend, om in de tuin te grazen. Ik schreeuw om Flywell, beangstigd door de aanblik van mama.

Mama neemt een glas water en gaat naar haar kamer. Wanneer ik daar binnenga, zijn de gordijnen gesloten en klinkt het alsof mama door haar stem heen ademt.

'Voel je je wel goed?'

'Uh-huh.'

'Zal ik thee voor je halen?'

'Dat zou fijn zijn.'

Dus draag ik de kok op thee te maken en mama een kopje te brengen, maar ze drinkt het niet op.

Wanneer papa thuiskomt van de velden gaat hij de slaapkamer in en blijft daar. Ik hoor ze zachtjes met elkaar praten. Het klinkt alsof mama huilt.

Vanessa zegt: 'Waarom maken we geen cake voor mama?'
Ik schud mijn hoofd. 'Daar heb ik geen zin in.' Ik vertrek naar mijn kamer en ga op mijn bed naar het plafond liggen staren. Het is een hete, slaperige middag en ik ben moe en prikkend van het zout door de opwinding van die ochtend. Mijn ogen vallen dicht. Puncho, een geredde hond die zich aan mij heeft gehecht, beweegt zich schuchter naar mijn hoofd, likt mijn gezicht en nestelt zich vergenoegd naast me op het kussen. Slaperig begin ik onder zijn oren naar teken te zoeken.

Plotseling springt Puncho van het bed, zijn nekharen overeind, en begint uiterst opgewonden te blaffen. Ik kan horen hoe de andere honden van de veranda stormen en buiten in een blafkanonnade uitbarsten. Een tel later hoor ik papa schreeuwen: 'Stelletje vervloekte bavianen!'

Ik spring van mijn bed en ren de veranda op. Mama komt haar slaapkamer uitrennen, nog steeds bleek en haar buik vasthoudend. 'Snel,' zegt ze, terwijl ze zich tegen de voordeur drukt – een eenvoudig houten ding met een haakvormige klink, maar zonder slot of grendel, 'leun tegen de deur.'

'Wat is er aan de hand?' vraag ik, mijn schouder tegen de deur zettend.

'Ssst,' sist mama. Ze kijkt opgewonden om zich heen om te zien welke honden er binnen zijn. 'Hé Puncho!' Puncho jankt, zijn neus tegen de onderkant van de deur gedrukt. 'Pssst,' zegt ze tegen Shea en Sam, 'blaffen! Woest klinken.'

Ik kan papa aan de andere kant van de deur horen schreeuwen maar ik kan niet horen wat hij zegt.

'Wie zijn het?'

'Soldaten,' zegt mama.

'Legerjongens?'

'Nee, geen legerjongens. Soldaten.'

Mama en ik verliezen de strijd bij de deur. We staan met zijn tweeën uit alle macht tegen de deur te leunen, maar er wordt vanaf de andere kant door drie volwassen mannen tegenaan geduwd. Plotseling blijkt onze weerstand te zwak te zijn en de deur bezwijkt, waarbij mama en ik languit op de grond terecht komen en de soldaten boven op ons kletteren.

Ik val zoals het me geleerd is. Rol je op en bedek je hoofd. Ik breng mijn armen omhoog en sluit mijn ogen. Ik haal diep en beverig adem.

Ik ga nu dood. Ik wacht. Voelt een kogel gloeiend heet aan als hij in je komt? Voel je hem in je vlees snijden? Zal ik dood zijn voordat ik pijn voel?

Mama zegt: 'Bobo, kom in godsnaam van de grond af.'

Ik doe mijn ogen open.

De Zimbabwaanse soldaten staan met hun rug tegen de deur. Ze staren op me neer.

Ik ga rechtop zitten en merk dat er niet op me geschoten is. De ogen van de soldaten zijn vuurrood, en ze ruiken sterk naar ganja en inheems bier. Nu ze onze fragiele houten deur open hebben geduwd en ons onder schot hebben, zien ze er een beetje schaapachtig uit.

Mama zegt: 'Opstaan!' En dan kijkt ze me met een eigenaardige blik aan. 'Bobo, waar is Vanessa?'

'Een cake aan het bakken.'

'Vanessa!' Plotseling is mama 'Vanessa!' aan het schreeuwen en zich duwend langs de drie soldaten bij de deur aan het werken. 'Ga uit de weg, stelletje stomme rot... Vanessa!'

Vanessa is nog steeds in de keuken, waar angst is omgeslagen in haar gebruikelijke schijnkalmte. Twee soldaten slaan haar vanaf een beleefde afstand gade, geweren non-

184

chalant op haar buik gericht, terwijl ze beslag in een cake-blik giet, de kom leegschraapt, de cake in de oven zet.

'Ben je ongedeerd?' schreeuwt mama, terwijl ze op Vanessa afvliegt.

'Ja, hoor.' Vanessa wijst naar het kookboek dat openge-slagen op het vettige tafelblad ligt. 'Daar staat dat de cake veertig minuten in een middelmatig hete oven moet.' Het houtfornuis spuwt rook uit. 'Zou je zeggen dat dit een middelmatig hete oven is?'

Mama barst bijna in snikken uit. 'O, God,' zegt ze. Plot-seling stokt haar adem, en ze houdt zich aan de rand van de tafel vast.

'Voel je je wel goed, mama?'

Mama knikt. De soldaten kijken onzeker van mama naar Vanessa en daarna weer naar mama. Ze zwaaien met hun geweren. 'Kom op, kom op. Naar buiten,' zegt een van hen. Ze drijven Vanessa en mama naar de veranda.

'Help me onthouden. Veertig minuten,' zegt Vanessa.

Papa is op de veranda met vijf of zes andere soldaten aan het onderhandelen. Ze zijn het nieuwe Zimbabwaanse le-ger, regelrecht afkomstig van de guerrillatroepen. Ze zijn nog steeds op oorlog ingesteld. Ze zijn nog steeds oorlogs-schietgraag.

'U noemde ons "bavianen".'

'Jullie sprongen door mijn slaapkamerraam naar binnen. Dat is niet iets wat beschaafde mensen doen, dat is iets wat bavianen doen.'

De soldaten staren papa strijdlustig aan. Er valt een lan-ge, onzekere stilte.

Ten slotte zegt papa: 'Moet je horen, je kunt me neer-schieten óf die vervloekte geweren neerzetten zodat we hier redelijk over kunnen praten.'

Ik wil zeggen: 'Dat was maar een grapje van papa, dat je hem mag neerschieten. En je moet niet te lichtgeraakt zijn wanneer je een baviaan genoemd wordt. Ik ben hun kind en ze noemen míj zelfs Bobo. Komt op hetzelfde neer.'

Een van de soldaten zegt: 'Ah, kameraad...'

Papa zegt: 'En dat is nog zoiets. Je mag me meneer Fuller noemen of Stomme Oude Zak of Oude Bok Fuller of wat je verdomme maar wilt maar kameraad... nooit! Je mag me nooit kameraad noemen.'

De soldaten kijken papa verbijsterd aan.

'Ik ben je kameraad niet.' Papa pakt het uiteinde van een van de geweren van de soldaten en draait de loop weg. Hij zegt: 'Heeft niemand je geleerd dat je die dingen niet op levende doelen moet richten?'

De middag gaat over in een zwoele avond. Het licht wordt stroopgeel gefilterd en terwijl de hitte van de dag wegsmelt, doet de boosheid in de mannen dat ook. De soldaten worden moe, sommigen zitten breeduit op de muur, over de loop van hun geweer heen hangend, en kijken met halfdichte ogen toe terwijl papa met de soldaat praat die kennelijk de leiding heeft. Vanessa en ik zitten met de honden op de trap, pikken teken uit hun vacht en laten de kleine grijsrode lijfjes op de platte vloerstenen knappen. Mama is erg bleek en haalt snel en oppervlakkig adem. Eindelijk staat de soldaat die de leiding heeft op, rekt zich uit en zegt: Oké, oké. We zullen dit incident nu verder laten rusten. Houdt uw vrouw voortaan onder controle,' zegt hij tegen papa. 'Dit is nu Zimbabwe. U kunt van nu af aan niet meer doen wat u wilt. Van nu af aan zijn wij het die de dienst uitmaken.'

Ze rijden weg. We kijken hen na tot hun vrachtwagen over de duiker aan het einde van de oprijlaan hobbelt.

Papa zegt: 'Gaat het, Tub?'

Mama knikt. Ze zegt: 'Laten we een borrel nemen.'

Vanessa zegt: 'O néé! Mijn cake.'

Die avond gaan we naar de sociëteit. Terwijl Vanessa en ik op de zwarte plastic stoelen in de rokerige bar aan een cola nippen en op chips kauwen, onderwijl met onze hielen tegen de stoelpoten schoppend, zijn mama en papa aan het drinken en het verhaal van het avontuur van die dag aan het vertellen. Tegen de tijd dat de diepe duisternis is ingevallen en de nachtdieren zijn gaan zingen, kwaken en krijsen, zijn mama en papa dronken en hebben Vanessa en ik ons op de achterbank van de auto genesteld, waar we uit de raampjes naar de heldere sterren staren, die zich langzaam schommelend over de met voortijlende wolken bedekte hemel bewegen. We eten ons derde zakje chips en nippen aan plompe flesjes cola.

'Dacht jij dat je dood zou gaan?' vraag ik aan Vanessa, zorgvuldig een chip aflikkend om het zout eraf te halen voordat ik hem helemaal in mijn mond stop.

'Wat?'

'Dacht jij dat we door die Affies doodgeschoten zouden worden?'

Vanessa geeuwt en verfrommelt haar chipszakje. 'Heb je je chips op?'

'Nee.'

'Geef ze aan mij.'

'Nee!'

'Wil je soms prikkeldraad?'

Ik prop de overgebleven chips in mijn mond. Mijn ogen prikken en de tranen rollen over mijn wangen van de inspanning. Vanessa kruipt snel over de achterbank en duwt mijn wangen tegen elkaar totdat het voedsel uit mijn mond geperst wordt.

Ik begin te huilen. 'Ik ga het zeggen,' huil ik. 'Ik ga het tegen mama en papa zeggen.'

Vanessa snuift minachtend. 'Ga je gang,' zegt ze.

Robandi wordt krachtens het nieuwe landverdelingsprogramma verplicht geveild. Het wordt verkocht, in de ruimste zin van het woord, aan een zwarte Zimbabwaan. Het geld dat bij deze transactie van eigenaar verwisselt, ziet de binnenkant van onze portemonnee niet eens. Alles van de boerderij wordt aan de Boerencoöperatie gegeven waarvan we aanvankelijk geld hadden geleend om de boerderij te kunnen kopen.

Robandi is nooit van ons geweest, en het is ook niet van de nieuwe Zimbabwaanse boer. Het is van de hypotheekmaatschappij. Zij lijken als enigen onaangedaan te zijn door het felle gevecht om land dat we zojuist hebben doorstaan.

Fullers Devuli Ranch

Devuli

Op een recente landkaart van Zimbabwe getiteld: 'Behaaglijke – Onbehaaglijke Zones', staat Devuli Ranch aangegeven in een gedeelte van Zimbabwe dat met dicht naast elkaar lopende rode lijnen is gearceerd. Dit betekent dat dit een onbehaaglijk hete, aan het ondraaglijke grenzende plek is. 'Gezondheid en productiviteit lijden eronder,' staat er.

De oudere landkaarten, die in de jaren twintig van de twintigste eeuw zijn opgesteld, zijn ondubbelzinniger. Op deze oude kaarten staat over het gebied waar Devuli Ranch ligt met vette zwarte letters gedrukt: 'NIET GESCHIKT VOOR BEWONING DOOR BLANKEN.'

Papa buigt zich over een landkaart en toont het me: 'Zie je?' Hij steekt een sigaret op en wijst met de twee vingers die de sigaret vasthouden naar de ranch. Blauwe rook zweeft boven het platte, gele, roodgestreepte stukje kaart.

Er zijn in de buurt van de ranch geen steden te bekennen, en er loopt maar één smal weggetje langs, dat op de kaart wordt omschreven als stripweg. Ik attendeer papa hierop.

Hij zegt: 'Fantastisch, hè?' Hij neemt een ferme trek aan zijn sigaret en wijst: 'Kijk eens naar die rivieren.' Er lopen drie rivieren over de ranch.

'Nou, dat ziet er waterig uit,' zeg ik hoopvoller.

Papa snuift. 'Het ziet er alleen maar zo uit. Het is kurk-droog.'

'Gaan we tabak verbouwen?'

'Vee houden,' zegt papa. 'Ik ga hun vee zoeken.' Hij laat het me zien. Zijn duim bedekt honderden kilometers en hij beweegt hem langzaam over de onderkant van de kaart. 'Dit hele gebied, zie je? Daar is het vee. Denken ze.'

De kudde is tijdens de oorlog verwilderd. De koeien zijn gaan rondzwerven als wilde kudden elanden of koedoes. Papa gaat een paar duizend stuks wild Brahman-vee zoeken, samendrijven, wassen, vaccineren, onthoornen, castreren, uitschiften en brandmerken.

'Zullen we de enige blanken zijn?'

'Vrijwel. Je hebt de ranchbeheerder en zijn vrouw nog.'

'Zijn er ook kinderen?'

'Geen blanke kinderen.'

'O.'

'Je kunt me helpen het vee bijeen te drijven.'

'Oké.' Ik ben niet enthousiast.

'Er zijn ook wilde paarden.'

'O. Kunnen we ze africhten?'

'Misschien.'

'Hoe lang gaan we daar wonen?'

Papa rookt en knijpt zijn blauwe ogen samen. Hij zegt: 'Ik heb tegen ze gezegd dat ik hun, als ik een jaar krijg, hun kudde terug zal geven.'

'En daarna?'

'Dat zien we dan wel weer.'

De Turgwe, Save en Devure treden een paar keer per jaar buiten hun oevers, elke overstroming binnen een paar weken na de laatste. Een grote muur van water die bruinachtig door het struikachtige, vlakke mopanebosgebied gutst en een donderend geraas voortbrengt, als duizend Kaapse buffels die over holle grond galopperen. Drijvende karkassen van grote dieren komen met de poten in de lucht tussen weggespoelde bomen vast te zitten. Kleinere, nog levende dieren klemmen zich met opengesperde ogen aan de takken van de voortsjezende bomen vast, ineengedoken, met natte, van angst vertrokken gezichten. Tegen de ochtend is de overstroming voorbij. De rivieren liggen er bijna roerloos, gezwollen, futloos bij. Vervolgens drogen ze op tot steeds kleinere poelen, stinkend en vergeven van de schorpioenen, tot er niets anders van over is dan glinsterend wit zand.

De Afrikanen en de dieren die hebben geleerd hier in de buurt van de ranch op de laagvlakte te leven, graven diepe putten in de droge rivierbeddingen tot ze bij het zwarte, muffe water komen dat daar ligt. Negen maanden per jaar voeden deze warme, nauwelijks toereikende bronnen alles wat leeft binnen een straal van vijfenzeventig kilometer.

En daar zullen wij zeer binnenkort ook toe behoren.

Devuli Ranch ligt tussen twee rivieren. Ruim driehonderdduizend, merendeels vlakke hectaren, bedekt met borstelig, bitter gras, mopanebosgebied, acaciadoornbomen, doornachtige struiken en nu en dan een rotsachtig tevoorschijnkomende aardlaag. Het vee is in geen tien jaar aangeraakt – vrijwel de hele oorlog niet. Op de ranch lopen verwilderde Brahman-koeien rond van de tweede, derde en vierde generatie.

Brahman-koeien zijn het wildst van al het gedomesticeerde vee, berucht om hun schrikachtigheid en onhandelbaarheid, zelfs wanneer ze geregeld met mensen in aanraking komen. Ze zien er merkwaardig wild uit met hun omvangrijke, gekromde schouders, slepende halskwabben en slappe oren. Deze koeien zijn zo lang op zichzelf geweest dat ze gehard en schichtig zijn geworden, als prooidieren.

Want er is ook een overvloed aan luipaarden in de kopjes. *Kopje*, Afrikaans voor 'hoofd'. Zo zien deze kleine heuvels er namelijk uit, als zwarte reusachtige hoofden die in het hete zand begraven zijn. De luipaarden liggen roerloos, als gevlekte dekens die tegen de grijze rotsen zijn verfrommeld. Hun flanken kloppen als fladderende bladschaduwen in de hitte. Overdag slaan ze de jonge Brahman-lentekalveren gade en 's nachts jagen ze. Luipaarden doden bij de keel, één efficiënte, krachtige beet in de halsader. En daarom kunnen ze in hun eentje jagen.

We nemen onze nieuwe kok, Thompson, en onze kinderjuf, Judith, die onlangs haar naam heeft veranderd in Loveness, mee van de boerderij. Ze stappen de auto uit en hun gezicht vertrekt van afkeer.

'Het is alleen,' zegt Judith/Loveness.

'Alleen wat?' vraagt mama.

'Helemaal alleen.'

Thompson zegt: 'Te veel zand, mevrouw.'

Cephas, onze spoorvolger, is ook uit Robandi met ons meegekomen en wanneer hij uit de auto stapt, is het alsof zijn voeten de aarde hebben geraakt waarop hij was voorbestemd te lopen. Zijn hele lichaam lijkt te trillen van opwinding in de bedwelmende hitte. De rest van ons gluurt naar het blinkende, vlakke, struikachtige landschap en voelt zich dorstig. Cephas speurt de horizon af, zijn neusgaten sperren zich open, en hij voelt het Leven.

'Ze drinken bloed,' zegt hij tegen mij.

'Wie?'

'Luipaarden.'

'Waarom?'

'Voor de lol. Luipaardbier.' Hij lacht.

Cephas is aangesteld als de spoorvolger van het gezin. Het grootste deel van de tijd, terwijl ik op school zit, spoort hij verwilderd vee op voor papa en wild voor de pan. Tijdens de vakanties mag ik overal komen op de ranch, zolang Cephas maar bij me is – hij speurt om ervoor te zorgen dat we niet per ongeluk stuiten op een luipaardenboom of de plek waar een slang graag slaapt. En in dit landschap, dat overal eender is, waar je ook kijkt (niets dan mopane, struikgewas en acacia's), zorgt Cephas ervoor dat we niet verdwalen.

Achter een hoog veiligheidshek bij de ingang naar de ranch staan verscheidene huizen voor blanken, hoewel ze op twee na allemaal verlaten zijn. In het ene huis wonen de ranchbeheerder en zijn vrouw. Ze stropen luipaarden en Vanessa en ik sluipen tot dicht bij hun huis en zien achter op hun binnenplaats de uitgerekte huiden op rekken van metaaldraad. We zeggen het tegen papa.

Papa zegt: 'O, verdomme.'

'O verdomme wat?'

'Je mag geen "verdomme" zeggen.'

'Dat deed jij ook.'

'Doe wat ik zeg, niet wat ik doe.'

We wonen in een klein, wit huis omgeven door kale, zanderige grond en twee acaciabomen voor de schaduw. In de tuin ligt een van slangen vergeven, bombestendige bunker die is overgebleven van de oorlog en bereikt kan worden via een zware metalen deur in de vloer van mijn kamer. In de werkplaats staat een generator die ons 's avonds van zes tot tien uur sputterende, wisselende elektriciteit verschaft. Om tien uur worden de lampen één keer kort getemperd, om ons te waarschuwen dat we in bed moeten stappen of kaarsen moeten aansteken, en een minuut later wordt het hele huis in duisternis gedompeld en in het soort schokkende stilte die volgt nadat een generator is uitgezet.

Tot mijn opluchting ontdek ik dat we voor water niet afhankelijk zijn van de rivieren. We betrekken dun, zoutachtig water uit een boorgat binnen het veiligheidshek. Er is net genoeg voor baden, de wc doortrekken en potten thee, maar nauwelijks genoeg om een paar met moeite overlevende groenten te verbouwen in de tuin. Tijdens de lange, hete, droge maanden ontdekken we wonderbaarlijke, afgelegen stuwmeertjes in de verre uithoeken van de ranch. Het zijn bijna vergeten reservoirs die veertig jaar geleden zijn gebouwd door de oorspronkelijke veehouders die zich op deze plek vestigden. Geheel gekleed zinken we weg in hun warme omhelzing en zitten we tot onze schenen in zachte zwarte slib, onze schouders bedekt door het bloedwarme water. Het is te heet om te praten. We drinken allen bier.

Het huis wordt omgeven door een met muskietengaas overdekte veranda met daarop eén vliegenkast om de pas geschoten impalakarkassen in te bewaren en bakken waarin we het paardenvoer opslaan. De vliegenkast is een oudje, een houten geraamte met aan alle kanten horrengaas zodat er een briesje doorheen kan waaien. Op de karkassen vormt zich een vet, doorzichtig vlies dat voorkomt dat het vlees eronder te snel bederft, maar dan nog moeten we het hele dier binnen een week opeten.

We eten bij elke maaltijd impala. Gebraden, gebakken, gestoofd, als gehakt.

Impala met rijst.

Impala met aardappelen.

Impala en *sadza*.

Bonen uit blik.

Erwten uit blik.

Erwten en bonen uit blik met impala.

Volkorenvlokken als ontbijt wanneer we geluk hebben, en anders havermoutpap.

We drinken dunne melk die naar dieren ruikt en afkomstig is van een kleine kudde magere vleeskoeien. Dit zijn koeien uit de verwilderde kudde die gevangen en getemd zijn. De melk die ze geven is onwillig.

We eten mama's cottage-cheese die in de hete keuken in een schapendoek boven een kom hangt te druipen.

En verse broodjes die Thompson elke ochtend bereidt en in de houtoven bakt en die we in een klein winkeltje in het arbeidersdorp ook aan de rancharbeiders verkopen. Vijf cent voor een broodje. Twintig cent voor een broodje en een cola.

Vlak voor het slapengaan mogen we nog een glas melk met Milo – een knisperend zoet poeder dat naar chocolade zou moeten smaken. Maar niets kan de smaak verhullen van onwillige melk.

*Mama en
papa*

Het ziekenhuis in Mutare

De dokter in Mutare is oud – oud voor wie dan ook. Hij is vooral oud voor een dokter en vooral oud voor een Afrikaan. Maar hij heeft niet de luxe van een pensioen om naar uit te kijken. Er zijn niet genoeg dokters in Afrika. Degenen die ervoor kiezen om hier dokter te worden, doen het niet voor het geld maar omdat ze goed willen doen. Ze doen het omdat ze de drang hebben om te genezen, zoals de meeste mensen moeten ademen, eten of liefhebben. Ze kunnen er niet mee ophouden. Zolang ze leven, zullen ze nooit dokter-af zijn. Al zijn ze oud, aan de drank of opgebrand, ze zullen altijd dokter zijn.

Zelfs als een dokter besluit te vertrekken en geen dokter meer te zijn, zullen de mensen toch uit de verre omtrek naar hem toe blijven komen met afgerukte ledematen, in barensnood verkerende zusters of kinderen die zich achterover laten vallen, verstijfd door hersenmalaria.

Een drol, zorgvuldig verpakt in een maïsblad, wordt achter op een fiets in de oktoberhitte meegenomen en met trotse, gekwelde zorg in een kliniek getoond. 'Kijk eens! Ik heb bloed wanneer ik afga.'

Dit is de plek waar opgeleide achtjarige boerenkinderen wordt bijgebracht hoe je een gebroken been stabiliseert, reanimatie uitvoert, een baby ter wereld brengt.

De moeder mag niet persen of druk uitoefenen totdat het kind gaat afdalen in het geboortekanaal en ze het gevoel krijgt dat ze moet persen.

Dokter Mitchell, de dokter in Mutare, is oud en gebogen en in- en inbleek, op het grauwe af. Geen enkele Europese Afrikaan kan in Afrika zo'n witte huid houden, tenzij hij voor dag en dauw opstaat, de hele dag in een kantoor werkt en na het donker thuis komt, zeven dagen per week.

Mama begint problemen te krijgen met de zwangerschap. Ze zegt dat haar problemen veroorzaakt worden door de spanning om de onafhankelijkheid. Het verliezen van de oorlog. Het verliezen van de boerderij. Ze heeft hartkloppingen en te veel vocht in haar baarmoeder. Ze heeft een gele kleur gekregen. Haar rode haar is zwart en daarna grijs geworden door alle medicijnen die ze slikt en alle spanning die op haar drukt. Ze bloedt en heeft krampen. En papa zegt: 'Laat deze gaan.'

'Wat?'

We horen ze ruziën.

'Hij heeft geen goed begin gehad.'

Mama snikt: 'Hie, hiee, hieeee.'

'Kom op, Tub. Misschien heeft deze niet zo mogen zijn, hè?' Hij klinkt teder.

'Hieee, hieeee.'

Papa komt in het donker overeind, ontsteekt een kaars en steekt een sigaret op. Ik hoor hem zuchtend door de gang lopen en de bitter-bijtende geur van tabaksrook kringelt mijn kamer in. Ik doe mijn ogen stijf dicht en bal mijn handen tot vuisten en wil de baby vasthouden in mama's buik.

'Laten we deze niet laten gaan,' zeg ik tegen mezelf.

Dokter Mitchell zegt dat mama, als ze de baby wil, dag en nacht op bed moet liggen en in de buurt van een ziekenhuis moet zijn voor het geval dat. Als ze de baby wil.

Mama wil de baby.

Vanessa en ik willen dat mama de baby krijgt.

Dus gaat ze het ziekenhuis in Mutare in met haar te-veel-vocht-in-de-baarmoeder en haar hartkloppingen die volgens haar aanvoelen als vlinders die naar haar keel ontsnappen. Ze neemt een stapel boeken mee. Haar vrienden uit het Birmadal brengen haar tijdschriften, chocolaatjes en soms bier. Ze ligt wekenlang in het ziekenhuis op bed.

Elke dag kijkt mama uit haar raam op de kraamafdeling naar buiten.

Hier staat de rij Afrikanen met hun zieke, stervende, aan malaria lijdende kinderen en hun afgerukte, gebroken, bloedende ledematen. Hier zijn ze met hun gezwollen baarmoeders naartoe gekomen. En ze hebben hun als kikkervisjes opgerolde lichamen meegebracht, klein op het verdorrende gazon, waar ze lekken van dysenterie en diarree. Sommigen van hen zijn Afrikanen die naar onze kliniek zouden zijn gekomen. Of naar de Mazonwe-kliniek. Of naar een van de honderden klinieken die vroeger in het hele gebied op afgelegen boerderijen door boerinnen werden gerund. Nu wachten ze op een lift naar de stad en daarna wachten ze in de trage, gele, van vliegen krioelende zon. Er zijn niet voldoende verpleegsters of bedden, en er zijn niet voldoende medicijnen voor hen allen. Mama zucht en draait zich op haar zij en haar gezicht valt verwrongen, oud en geel op de door de regering verstrekte lakens (die nog stammen uit de tijd van Rhodesië, maar nu beginnen te slijten en te scheuren). Ze begint weer te huilen.

Van en Bobo

Wc-papier en cola

Papa neemt Vanessa en mij mee als hij op zoek gaat naar afgedwaalde wilde koeien, en een hek gaat maken om de uitgestrekte, niet omheinde ranch. We rijden twee dagen om deze specifieke kudde te bereiken. Papa zit voorin, rokend en in gedachten. Vanessa en ik zitten achter in de landrover met de honden en de Afrikaanse arbeiders. We hotsen met onze magere konten op het reservewiel en proberen het harde geraas van de dieselmotor die zich een weg baant door land zonder wegen, met ons gezang te overstemmen: *'If you think Ah'm sexy and you want my body...'* De Afrikanen zitten stil op hun hurken, zachtjes meeschommelend met de landrover. Op deze manier reizen we twee dagen lang; we krijgen klapbanden op kameeldoorns, klimmen over omgevallen bomen en ploeteren door uitgedroogde beddingen van rivieren die plotseling kunnen vollopen en overstromen.

'Kom op,' schreeuwt papa, 'iedereen *uitstappenenduwen!*'

En we springen over de rand van de achterbak, allemaal tuimelend, elkaar verdringend voor grond onder gevoelloze spieren, voortmakend voordat de landrover het kleine beetje vaart dat hij heeft ook nog verliest. En we schreeuwen in Shona: *'Potsi, piri, tatu, ini!'* Een, twee, drie, vier!

En: 'Duwen!'

'Ah, ah, ah!'

De mannen beginnen te zingen. *'Potsi, piri, tatu, ini!'*

De landrover bijt zich vast. De honden zijn er ook uit, drommen samen, blaffen tegen de achterwielen. 'Yip-yip.'

De landrover vindt eetbare grond en schiet vooruit; we klemmen ons vast aan de laadklep, elkaar verdringend voor een plaats. Papa wil niet stoppen voor het geval hij weer vast komt te zitten. We klimmen aan boord terwijl de landrover voortsnelt.

Papa stopt op vlakke, stevige grond en we stappen allemaal uit om te plassen. De mannen verzamelen zich bij de voorkant van de landrover, Vanessa en ik hurken achter de achterwielen.

Ze zegt: 'Je moet voor mij op nikkeruitkijk gaan staan. Let op dat ze niet gluren.'

Dus ga ik op nikkeruitkijk staan. En als ze klaar is, zeg ik: 'Nou moet jij voor mij op nikkeruitkijk gaan staan,' en ze klimt nonchalant weer in de landrover. 'Hé, dat is niet eerlijk. Ik heb ook voor jou op nikkeruitkijk gestaan.'

'Nou en?'

'Dan moet je nu voor mij op nikkeruitkijk gaan staan.'

'Jij bent nog maar een kind, jij telt niet mee.'

Ik plas vlug, gehurkt, over mijn schouder kijkend. De zoete geur van plas wasemt naar me omhoog vanaf het brandende zand; zand dat heet genoeg is om de plas onmiddellijk te verdampen.

Papa heeft een kompas. Hij kijkt naar de zon, steekt een sigaret op. Hij gaat op zijn hurken zitten en zoekt tussen de bomen naar een rechte doorgang die zo breed is dat de landrover tussen de stammen van het dichte mopanebos door kan.

De mannen, die hun eigen sigaretten hebben opgespaard, één voor één van betaaldag tot betaaldag, steken oude peuken opnieuw aan en nemen twee of drie trekjes, de rook diep in hun longen houdend alvorens uit te blazen, en knijpen dan zorgvuldig het uiteinde van hun sigaretten af om ze te bewaren voor later.

Cephas heeft impalasporen gevonden terwijl wij stonden te wachten tot iedereen had geplast en de kinken uit zijn botten had gestrekt. Hij laat ze papa zien zonder wat te zeggen, terloops schokschouderend in de richting van de dichte bush.

'Verse?' vraagt papa.

Cephas leest de grond zoals wij een kaart of een wegwijzer lezen. 'Ze zijn hier nog geen uur geleden langsgekomen.'

'Kunnen we ze nog te pakken krijgen?'

'Ze verplaatsen zich langzaam.' Cephas wijst naar de pas afgetopte struiken. 'Etend.'

Dus papa zegt: 'Meisjes, gaan jullie mee of blijven jullie hier?'

De zon begint te zakken in zijn eigen vurige kleurenpoel achter de mopanebomen en er komen nachtgeuren vrij. Vanessa en ik weten dat we over een klein uur rillend van de kou tegen elkaar aan gekropen zullen zitten.

'We blijven hier, dank je, papa.'

'Hou de honden bij je, hè?'

'Ja.'

We houden de honden vast bij hun nekvel totdat papa uit het zicht is verdwenen.

Papa schoudert zijn drie-nul-drie. Hij steekt een sigaret op. Cephas begint vooruit te rennen, wegschietend, duikend, zigzaggend. Het is alsof hij de grond besnuffelt. Papa volgt hem, zijn snelle stappen verslinden terrein.

Vanessa en ik hurken neer naast de landrover bij de honden. We hebben allebei boeken meegenomen, maar we moeten nog weken met die boeken doen terwijl we in het kamp zijn. We zijn zelf verantwoordelijk geweest voor het pakken. Papa had gezegd: 'Meisjes, jullie zijn nu oud genoeg om zelf te pakken.'

We hebben theezakjes, melkpoeder, suiker en volkoren cornflakes voor het ontbijt ingepakt. Zimbabwese volkoren cornflakes smaken naar grof-vergruizelde boomschors. We hebben blikken witte bonen en vis in tomatensaus voor de lunch. We hebben twee blouses, twee shorts, twee *brookies* en ieder een trui meegenomen. We realiseren ons inmiddels dat we vergeten hebben wc-papier in te pakken.

Papa heeft sigaretten, brandy, kogels en zijn geweer ingepakt.

Vanessa trekt het pak kaarten tevoorschijn. 'Ik wil pesten.'

'Oké.'

Zij verdeelt de kaarten. We spelen in het afnemende avondlicht dat in snelle stadia van rijpend geelrood in schemerig grijs verandert, gefilterd door de bomen. De zon zakt onder de horizon en het is plotseling pikdonker. De maan is nog niet opgekomen. We leggen de kaarten weg. De temperatuur daalt in een paar minuten van wurgende hitte naar kippenvelkoud. De mannen klimmen achter uit de landrover en maken ten westen ervan een vuur, waarbij ze de auto als windbreking gebruiken. Ze zakken op hun hurken en strekken hun handen uit naar het vuur, met hun ellebogen op hun knieën steunend. Ze steken hun sigarettenpeuken weer aan en beginnen te praten, waarbij hun stemmen opsteken en gaan liggen als een van verre komende wind.

Vanessa en ik hurken naast de mannen neer, armen uitgestrekt naar de warmte van het vuur. De mannen schuiven op om plaats voor ons te maken, bieden ons een trekje aan van hun zorgvuldig gerookte sigaretten en lachen als we ons hoofd schudden.

We wachten op papa.

Wanneer de mannen honger krijgen, koken ze water in een pan en doen er een vuistvol maïsmeel in voor *sadza*. In een andere pan gooien ze bonen, olie, zout en plakjes gedroogd vlees voor de smaak. Eén man staat op en vult een kleine kom met water uit de vaten achter in de landrover. De waterkom wordt rondgegeven en we wassen allemaal onze handen. Dan gaan we eten: we rollen ballen van hete *sadza* in onze handpalmen en scheppen een beetje van de jus op de meelbal. De mannen eten gemeenschappelijk uit schalen die in het midden van de kring staan, en ze eten allemaal langzaam, hun buren in het oog houdend, ervoor zorgend niet te veel te nemen. Elke man stopt met eten als hij vol zit, wast zijn handen en gezicht met het water uit de kleine kom. De mannen steken hun sigaretten weer op.

Tegen de tijd dat papa en Cephas terugkomen is de maan opgekomen in het oosten en hangt laag boven de bomen, een zilveren licht verspreidend over de gezichten rond het vuur. Cephas komt als eerste. Hij loopt moeiteloos met een impalaram van veertig kilo over zijn schouder, de kleine zwartgesokte poten in zijn vuisten geklemd. Papa komt achter hem aan met het geweer. De impala is ter plekke schoongemaakt; de maag en darmen zijn in de bush achtergelaten voor de hyena's en jakhalzen en voor de gieren die 's ochtends rondcirkelen als er nog iets over is gebleven.

Papa heeft de impala met één schot in het hart gedood. Ik steek mijn wijsvinger in het gat waarin de kogel is verdwenen. Het is nog warm en nat van snel-geroofd leven. Er hangt een metaalachtige geur van bloed en er stijgen diergeuren op uit het karkas – de geuren die deze ram met zich meedroeg toen hij nog leefde: stof, bronstigheid, stront, zon, regen. Levende teken zuigen nog van het dode dier, zitten op een kluitje waar de huid het zachtst is: bij de oren, genitaliën en op zijn buik. Zijn ogen puilen enorm uit onder wimpers die even lang zijn als mijn vinger.

Cephas hangt de impala aan een boom en snijdt zijn hals open, zodat het bloed op de grond gutst waar de honden met hun tongen uit hun bek staan te wachten.

We trekken slaapzakken tevoorschijn en maken ons op om rond het vuur te gaan slapen. Papa verwarmt wat witte bonen in tomatensaus voor het avondmaal en spoelt die weg met brandy en warm, ziltig smakend water. We horen de hyena's die aan hun avondzwerftocht beginnen: 'Waaaa-oeoep! Waaaa-oeoep!' De honden, met bloed bespat en met opgewollen buiken, grommen en drukken zich tegen onze slaapzakken.

'Waaaa-oeoep!'

De volgende ochtend zijn we op vóór zonsopgang. Het is te koud om te slapen. De mannen stoken het vuur op en koken water voor thee. Papa rookt. We krullen stijf-koude handen om onze blikken bekers en lurken van de melkige zoete thee tot de zon plotseling boven de horizon verschijnt en roze licht door de bomen naar ons kamp doet stromen. Het is bijna meteen warm. Over een uur zal het zo heet zijn dat het zweet in prikkende stroompjes in onze ogen zal lopen en stof aan vers zweet zal kleven. Voorlopig is het nog koel genoeg. Voedsel en thee, voorzien van een houtrookaroma, zijn een zoet genoegen. De treurduiven heffen hun droeve roep aan: 'Wuwu-woe. Wuwu-woe.' De Kaapse tortelduif roept: 'Kukkoerr-ru! Werk harder. Werk harder.'

De mannen wassen af na het ontbijt en Vanessa stopt de ontbijtspullen en de thee weer in papa's oude munitiekist. We klauteren achter in de landrover en gaan in een kringetje om de impala zitten. De mannen beginnen te zingen, waarbij ze liedjes en wijsjes van elkaar oppikken. Het zijn liedjes over werk, liefde en oorlog. Het zijn de liedjes van mannen die te lang achtereen zonder vrouw leven.

Wanneer we bij het permanente kamp aan de oevers van de Turgwe aankomen, vilt papa de impala en hangt hem aan de bushpaal waaraan het zeildoek is bevestigd waaronder we voedsel, schalen en de vaten waswater bewaren. Papa wijst naar de vaten: 'Dit water mag je nooit drinken,' zegt hij tegen Vanessa en mij. Het is afkomstig van de slinkende, slijmerig-schuimende waterpoelen, warm en groen van stilstaand leven, de enige overblijfselen van de laatste overstroming van de Turgwe.

Overdag rijden papa en de mannen naar de draadafrastering en blijven ze palen in de grond slaan en prikkeldraad spannen waarachter ze op een dag de wilde Brahmans zullen drijven. Op sommige dagen rijdt papa de hele dag en probeert hij met behulp van kaarten de oude, in verval rakende wasplaatsen en kralen te vinden. Hij laat een stel mannen bij deze oude veekampen achter om de gaten in de betonnen muren te repareren en de oude stromen te versterken. Hij laat ze achter met voedsel, sigaretten, lucifers. 'Ik ben over twee dagen terug,' zegt hij tegen ze, 'kunnen jullie deze plek dan gerepareerd hebben?'

'Ja baas.'

'Dan *faga moto!*'

Papa wil de wilde koeien wassen voordat in oktober-november de regens komen.

Vanessa en ik blijven in het kamp en lezen of klimmen op de zwerfkei die over de Turgwe uitkijkt en zingen in de microfoon-apenbroodboom-peulen: '*If you think Ah'm sexy and you want my body, come on baby let it show.*'

'Dat zijn de woorden niet.'

'Oké dan.' Ik steek dunne heupen uit en wieg heen en weer: '*Er staat een bruin meisje in de regen, tra-la-la-la-la! Er staat een bruin meisje in de regen, tra-la-la-la-la. Bruin meisje in de regen. Tra-la-la-la-la. Ze is als suiker in je kont. Tra-la-la!*'

'Dat zeg ik tegen papa.'

'Wat?'

'Je zei "kont".'

Ik klim hoger op de zwerfkei tot ik in een hachelijk evenwicht op de dunne schouder van de top sta. 'Kont!' schreeuw ik in de verbijsterde middaghitte. 'Kont! Kont!'

Vanessa zegt: 'Je bent zo onvolwássen.' Ze gaat terug naar het kamp en ik blijf achter met mijn lelijke woord dat in de stoffige, stille bush weergalmt. Kont.

Dat is op de dag dat papa eropuit is gegaan met oude kaarten om een kraal te vinden en hij laat terugkeert in het kamp. We zijn twee weken in het kamp en het drinkwater begint op te raken. We moeten zuinig zijn met het drinkwater; het alleen gebruiken voor tandenpoetsen en drinken. Wanneer de plastic containers met drinkwater leeg zijn, zullen we ons moeten wenden tot de tanks met rivierwater dat uit de Turgwe is gehaald. We maken al thee van gekookt rivierwater – tien minuten gekookt en gezeefd om het van de modderklonten, nijlpaardenstront en het ergste van het slib te ontdoen.

Vanessa ligt te lezen onder de boom. Ze heeft Shea neergelegd als een kussen en ligt op Sheas buik.

Ik zeg: 'Ik ga een taart bakken.'

Vanessa geeft geen antwoord.

'Wil je een taart met me bakken?'

'Nee.'

Ik bak een taart van modder, bladeren, boomschors en water. Ik versier hem met steentjes en stokjes, bestrooi hem met glanzend wit zand. Ik leg hem op een rots om hem te bakken in het laatste zonlicht. Dan verveel ik me. Ik ga op mijn buik liggen in het vlakke zand en steek grassprieten in mierenleeuwenvallen. Ik vang mieren en laat ze vallen in de piepkleine, tunnelvormige vallen en kijk toe hoe de mierenleeuwen zich zwaaiend met minuscule klauwtjes naar boven reppen om de scharrelende mieren te vangen. Ik ga op mijn rug liggen turen naar de hemel, kijk naar het blauw door de bladeren van de ivoorpalm heen.

Ik rol weer op mijn knieën: 'Zullen we thee drinken?' vraag ik Vanessa.

Vanessa is in slaap gevallen boven haar boek. Shea slaapt ook. Ik zie hun buiken op en neer gaan in een zachte, warme sluimering.

Het vuur is uitgegaan. Ik laat een theezakje trekken in het lauwe water uit het vat dat onder een vers impalakarkas staat. Dit is rivierwater voor thee en wassen. Ik gooi wat melkpoeder in mijn kop, dat in klonterige hardnekkigheid boven op het water blijft drijven, en neem een paar teugjes voordat de smaak ervan in mijn keel zwelt en ik mijn gezicht vertrek. 'Jakkes.'

Tegen de tijd dat papa in het kamp komt, houdt Vanessa me boven een gevallen boomstam, achterste over de ene kant ervan hangend, hoofd over de andere. Ik ben naakt, al mijn kleren zitten in een zak in de tent, vervuild met schuimende gele stront. Vanessa heeft me vast bij mijn schouders, er stroomt stront uit mijn kont, kots druppelt in een plas tussen Vanessa's voeten.

'Ze heeft het verkeerde water gedronken,' zegt Vanessa als papa komt. 'Ze heeft thee gemaakt zonder eerst het water te koken.'

Dan zit er niets meer in me. Ik kokhals droog, mijn ingewanden trekken zich in krampen samen, maar het enige wat uit me komt, is dunne, gele vloeistof. Vanessa veegt mijn mond en kont af met een handvol bladeren en gras. Ze baadt me door water uit een emmer over mijn brandende huid te laten stromen en wikkelt me dan in een handdoek. Ze draagt me naar de tent die stinkt naar mijn bevuilde kleren. Papa gooit ze in een kuilvuur achter in het kamp waar we vuil verbranden; oude blikken van witte bonen in tomatensaus, sigarettenpakjes, lege cornflakesdozen en gebruikte theezakjes. Vanessa laat me rechtop zitten en probeert wat hete thee bij me naar binnen te krijgen. Ik heb zo'n dorst dat mijn keel lijkt vast te plakken en mijn tong gezwollen en gebarsten aanvoelt. Zodra de vloeistof in mijn maag komt, moet ik weer kotsen.

Mijn kont en mond zijn rauw en ze beginnen allebei te bloeden.

Papa zegt: 'We hadden wat flesjes cola moeten inpakken.'

'En wc-papier,' zegt Vanessa. Ze likt aan haar vinger en veegt met haar vochtige vingertop over de randen van mijn mond. Ik hang achterover tegen haar arm. Ze zegt: 'Hou vol, wijfie.' Ze strijkt bezweet nat haar van mijn voorhoofd en wiegt me. 'Hou vol,' zegt ze tegen me.

We hebben een radio in de landrover. Papa rijdt naar de top van een kleine heuvel die op de rivier uitkijkt, en belt het hoofdkwartier met de radiotelefoon. De radio ruist en kraakt.

'Devuli hoofdkwartier, Devuli hoofdkwartier, Devuli mobilofoon hier. Hoort u mij? Over.'

De radio piept, giert: 'Wie-arr-oeoe.'

Papa belt opnieuw, maar er komt geen antwoord.

Papa komt terug in het kamp. 'We zullen het om zeven uur opnieuw moeten proberen, wanneer ze op ons wachten.' We hebben ons elke avond om zeven uur gemeld om te horen of mama de baby al heeft gekregen.

Hij zegt: 'Ik zal wat rehydratiezout mengen.' Hij roert twee afgestreken theelepels suiker en een halve theelepel zout in een liter gekookt water. Vanessa houdt mijn hoofd omhoog en papa voert me theelepels van de vloeistof. Ik begin te kokhalzen, gal druppelt bitter en prikkend over mijn kin.

Om zeven uur rijdt papa in de landrover opnieuw naar het heuveltje en zendt opnieuw een radiobericht uit. 'Bobo is ziek; overgeven en diarree. Ze is te ziek om zich te verplaatsen. Als wij haar proberen te verplaatsen... ze overleeft de terugreis niet. Kunt u me raad geven, over?'

De vrouw van de ranchmanager komt aan de radio. 'Laat haar een paar slokjes zout, suiker en water drinken. Je weet de hoeveelheden? Over?'

'Ja, dat hebben we geprobeerd. Helpt niet. Over.'

De vrouw van de manager zwijgt. Ten slotte zegt ze: 'Ik weet niet wat ik moet zeggen, Tim.'

Papa zakt in elkaar over de radio.

De volgende dag blijft papa bij mij in het kamp in plaats van weg te gaan om wilde koeien bijeen te drijven. Ik voel me licht in het hoofd, verlies het gevoel in mijn lichaam. Wanneer papa in de huid van mijn arm knijpt, blijft die overeind staan in een piepklein tentje van huid. Mijn voeten beginnen te zwellen. Hij zegt tegen Vanessa dat ze moet blijven proberen me het rehydratiezout te voeren. Ik blijf overgeven. De volgende dag ben ik aan het eind van de middag te moe om mijn ogen open te houden. Vanessa rommelt in de oude munitiekist en vindt een gerimpelde sinaasappel, het laatste bewaarde verse voedsel in onze voorraad. Ze snijdt hem open en komt terug in de tent. 'Hier,' ze duwt een kwart sinaasappel tussen mijn tanden, 'zuig hier eens op.'

Papa zegt: 'Volgens mij kan ze beter geen fruit eten.'

Vanessa kijkt hem aan.

Papa haalt mistroostig zijn schouders op. Hij steekt een sigaret op. 'Je hebt gelijk,' zegt hij. 'Waarom ook niet, hè. Probeer het maar.'

Het sinaasappelsap druppelt mijn keel in en valt in mijn lege, met lucht opgeblazen buik. Het blijft binnen.

Die avond voert papa me een kom zachte, waterige

sadza. Hij zegt: 'Eet dit maar op. Als dit je niet opstopt, dan weet ik het niet meer.'

De melige pap plakt aan mijn tanden en glijdt in mijn buik.

'Nog één hapje.'

Ik slik en neem nog een hapje en dan zeg ik dat ik genoeg heb en ga op mijn veldbed liggen en doe mijn ogen dicht.

Ik kan de mannen zachtjes horen zingen rond het kampvuur, om beurten een wijsje inzettend, het ritme even krachtig als het bloed in een lichaam. Het licht van het vuur flakkert op de blauworanje tent in bleke, dansende vormen en er hangt een zoete geur van de Afrikaanse bush, houtrook, stof, zweet. Mijn botten zijn zo scherp en dun tegen de slaapzak dat ze pijn doen en ik mijn heupbotten met mijn handen moet bedekken.

Ik neem me heilig voor Afrika nooit te verlaten.

Vlees

Ranchwerk

We zijn weer bijna door het water heen – de tweede tank met brak, in de keel klevend water uit de rivier is bijna op. Onze thee heeft de smaak gekregen van de bodem van de watertank: metalig en schroeierig. Het is zo heet dat de bush iel, teer en nauwelijks levensvatbaar aandoet. Alles is roerloos. We rijden langs impala's, die amper terugdeinzen, schouders opgetrokken onder de dunne, flakkerende schaduwen van doornstruiken. Het enige wat beweegt, zijn hun kleine, alarm-seinende staarten. Zelfs de wilde koeien zijn gedwee van de hitte. Papa drijft ze bijeen in de kraal. Ze mekkeren zachtjes. Het klinkt droog en spichtig, een geluid dat verdampt in het stof. Er brandt een hout-vuur waarin vier brandijzers worden verhit. En er staat een ketel op waarin papa water kookt voor thee.

Papa draagt de mannen op het vee de smalle kralen in te duwen. Ze stormen op de koeien af. De koeien komen in beweging, stof waait op in een verblindende, blonde mist. Ze beginnen te loeien als misthoorns. Papa zegt: 'Wel verdomme. Stomme idioten.' En dan: 'Stop!' Dit zijn eenvoudige mannen van de laagvlakte die nog nooit vee hebben gedreven. Het zijn bushmannen. Ze kunnen vuur maken door twee stokjes tegen elkaar te wrijven en ze kunnen impala's doden met een speer. Ze kunnen konijnen strikken en van stilstaande rivierbronnen leven. Ze weten zich in het donker van de ene kant van de ranch naar de andere te verplaatsen door de sterren te lezen, maar ze kunnen geen vee drijven.

Ze drijven vee zoals ze impala's in een net van apenbroodboomtouw drijven. Zwaaiend met de armen eropaf stormend: 'Woeoe-oeoep!'

'Stop!'

De mannen stoppen. Stof daalt neer. De koeien zijn nerveus, schrikachtig geworden.

Papa zegt: '*Pole, pole*, hè?'

'Baas?'

'Langzaam, langzaam, zoals je een aap vangt.'

De mannen kijken verward.

'Kom op, Vanessa. Bobo. We zullen hun eens laten zien hoe je koeien moet drijven.'

We benaderen de koeien langzaam. 'Dip-dip-dip-dip-dip,' zingen we. De koeien beginnen voorwaarts te bewegen. De kuddeleider – een oude, gehavende stier met een gemene knik in zijn hoorns – is ongerust. Hij kijkt over zijn schouder en maakt een zwiepend, half-dreigend gebaar naar papa dat ook een halfslachtige poging kan zijn om een vlieg weg te jagen. Papa heeft hem in een hoek gedreven: 'Dip-dip-dip-dip.' Papa slaat de ogen neer, steekt een schouder uit, naar beneden gericht: 'Dip-dip-dip-dip.' De oude stier gaat de kraal in.

Papa staat het gebruik van stokken niet toe, en schreeuwen evenmin. Hij wil niet dat de koeien gaan draven. 'Als je ze op de zenuwen werkt, werpen ze hun kalfjes voortijdig. Ze verliezen gewicht, worden ziek en sterven.' Papa komt van opzij, toont de koeien zijn schouders. Hij fluit zachtjes. De koeien kijken niet langer paniekerig en ze beginnen zich kalm in de richting van de kraal te begeven. Ze hebben nu domme koeiengezichten, ze gaan nu waar je maar wilt. 'Als je je koeien goed behandelt, dan behandelen ze jou ook goed,' zegt papa.

Luipaardvel

Charlie Chilvers

Papa klopt op de deur: 'De thee is klaar!' Het is nog donker, nog geen vier uur. Papa heeft een kaars aangestoken in de badkamer en er staat een paraffinelamp blauw te sissen op de eettafel waar Thompson de thee heeft klaargezet. Hij heeft al een mand in de auto gezet met ons ontbijt: gekookte eieren, puntzakjes van krantenpapier met snuifjes zout, sneeën beboterd brood, bananen en een thermosfles met zwarte koffie. De melk zit in een afzonderlijk plastic flesje.

Vóór vijven wurmen we ons de auto in en gaan op weg naar Mutare. Papa komt het liefst rond negen uur 's ochtends in de stad aan, wanneer de winkels net hun deuren openen. Papa winkelt als een man die daar een bloedhekel aan heeft: hij duikt de gangpaden in, loopt ze met grote passen af, betaalt met haastig uitgeschreven cheques en maakt zich wankelend uit de voeten, overladen met voldoende blikken bonen, kaarsen, zeep, olie, gist, meel, machineolie en toiletpapier om twee maanden voort te kunnen. De jonge winkelbedienden, die in hun schorten de kruideniersswinkels uitrennen, gretig als ze zijn om met de zakken en dozen te helpen en een fooi te verdienen, worden weggesnauwd. Vanessa en ik mogen niet met papa mee de winkels in; we moeten op de auto passen.

We lunchen in de auto, wachtend op papa terwijl hij in Duly Motors of de Boerencoöperatie rondjakkert en bulderend zijn bestellingen opgeeft, hallo en tot ziens schreeuwt en boven zijn achterhoofd gedag zwaait als hij vertrekt, en dan rijden we naar huis zodat we om zeven of acht uur thuis zijn, op tijd voor een warm glas bier en een dampend avondmaal.

Vandaag begint de treurduif nog maar net te roepen als papa de landrover start. 'Wuwu-woe. Wuwu-woe.' Zijn klaagzang wordt overstemd door het gerammel van de landrover over de omsloten, doornachtige weg. We rijden het hoofdkwartier uit (de slaapwandelende bewaker opent het hek voor ons en salueert met wazige blik naar een wolk opslokkend stof) en slaan linksaf, de zwakke flikkering van een zonsopgang in, kruipend over de brug die de Devure overspant. Vanessa en ik zitten slaperig en hotsend naast papa. De landrover maakt zo'n herrie dat praten onmogelijk is. Mijn geest is leeg en alleen gericht op de weg voor ons; de voorbijflitsende apebroodbomen; de uitwerpselen op de weg waarvan ik zwijgend vaststel dat ze zijn achtergelaten door impala's, koedoes, hyena's (helderwit, als botten op de weg). Om tien uur schreeuwt papa boven de herrie van de motor uit: 'Heeft iemand honger?' We knikken tegelijkertijd.

Papa stopt onder een apebroodboom en zet de motor af. We worden plotseling overstroomd door de geluiden van de bush. Hete, knisperende droge-bushgeluiden; krekels, duiven, sprinkhanen. Vanessa pakt de picknickmand uit terwijl ik rondren om ongeschonden apebroodpeulen te vinden zodat we de harige schillen ervan kunnen openbreken om het zure witte poeder van de zaden af te zuigen. De bavianen zijn me voor geweest.

We zoeken ieder een plekje op een rots in een lapje schaduw. De apebroodboom biedt met zijn bladerloze takken weinig beschutting. We eten zwijgend, dopen onze gepelde gekookte eieren in de puntzakjes met zout en bijten hompen van het beboterde brood af. Papa schenkt de koffie in en overhandigt ons elk een blikken beker. De koffie is zoet en sterk. We eten en drinken zonder te praten en ruimen dan het afval van onze picknick zwijgend op voordat de bijen, wespen en mieren van de apebroodboom eropaf komen. Papa steekt een sigaret op en Vanessa en ik ademen diep in om de eerste, frisse vleug van pas aangestoken tabak op te vangen. Hij gaat weer op zijn rots zitten. Vanessa en ik gaan naast hem zitten. Vanessa schetst gedachteloos patronen in het zand. Ik leg mijn kin op mijn knieën en kijk toe hoe mieren tegen mijn blote tenen aan botsen en over de bovenkant van mijn voeten wegrennen. Ik strijk met een stokje in hun pad om te zien hoe ze schokkerig hun drukke rij verlaten, de rij die naar de paar karige kruimels leidt die tijdens onze picknick zijn gevallen. Ik slaak een tevreden zucht.

De wereld ziet er beter uit wanneer je buik vol is, zonniger en hoopvoller.

Nadat papa alle boodschappen heeft gedaan en we zweterig aan de autobank plakken op de plekken waar vlees vinyl raakt, zegt hij: 'Laten we eens gaan kijken hoe het met mama gaat, hm?' En dat is waar Vanessa en ik op hebben gehoopt.

Mama ligt in bed. Ze ziet er bleek, bijna grijs uit, en te oud om een baby te krijgen. In het bed naast haar ligt een vrouw die de vorige dag een dochtertje heeft gekregen, en het meisje is van top tot teen bedekt met dik zwart haar, als een baviaan.

Naderhand zegt Vanessa in de auto: '*Mijngod*, al dat haar!'

'Dat heet lumbago. Het is normaal,' zeg ik.

'Niet waar.'

'Wel. Dat heb ik in een medisch boek gelezen.'

Papa zegt: 'Lumbago is wat oude mannen krijgen.'

'Zie je wel?'

'Nou ja, iets wat erop lijkt, dan. Het valt in ieder geval uit.'

'Hoe weet jij dat nou?'

'Dat heb ik gelezen.'

'Misschien gaat de moeder het scheren.'

'Geloof me nou, het valt uit.'

Vanessa zegt: 'Ik hoop wel dat onze baby geen harige baviaan is.'

Mama drukt ons tegen zich aan, een vrouw die naar haar kinderen dorst, en ademt diep in, ons bijna indrinkend. En dan trekt ze haar neus op en zegt: 'Poeh! Wanneer hebben jullie tweeën voor het laatst je haar gewassen?'

Vanessa en ik kijken elkaar aan. Papa haat ziekenhuizen en hij voelt zich ongemakkelijk bij de vrouw met de nieuwe baby in het bed naast mama. Hij is als de dood dat ze borstvoeding gaat geven.

Hij zegt: 'Krijg je hier fatsoenlijk te bikken, Tub?'

Mama zegt: 'Wanneer hebben de meisjes voor het laatst hun haar gewassen?'

'Dat weet ik niet. Ze zijn toch oud genoeg om hun eigen haar te wassen?'

'Je moet er wel toezicht op houden.'

'In bad?'

'Ja, Tim. In bad. Of Judith langer laten blijven.' Mama zucht en drukt zich weer in de kussens.

Vanessa zegt: 'Niets aan de hand, mam, echt waar. We zullen ons haar wassen. Papa hoeft niet toe te kijken.'

Vanessa heeft nu borsten. Ze staat voor de enige spiegel in ons huis, die in de badkamer hangt, en springt op en neer om er wippende glimpen van op te vangen. Ze is een keer op de wasmand gaan staan om een blik op haar borsten te werpen zonder op en neer te hoeven springen, maar het deksel zakte in voordat ze ze goed en wel te zien kreeg.

'Ze zijn mooi,' verzeker ik haar. 'Heel groot.'

Ze zegt misprijzend: 'Wat weet jij daar nou van.' Ze voegt eraan toe: 'Jij hebt gaten in je onderbroek.'

Dat is zo.

'En je zit niet met je benen tegen elkaar, dus iedereen kan zien dat je gaten in je onderbroek hebt. En ze zijn groezelig.'

'Wie zijn groezelig?'

'Je onderbroeken. Ze zijn helemaal grijs en gaterig.'

'Nou...' Het huilen staat me nader dan het lachen. 'Het zijn afdankertjes van jou,' zeg ik, 'daar komt het door. Jij krijgt nieuwe onderbroeken en ik moet het doen met jouw oude onderbroeken terwijl jij er drie jaar lang in hebt gepiest.'

'Ik pies niet in mijn onderbroeken.'

'Ja ja.'

Vanessa sluit kwijnend haar ogen en slaakt een diepe zucht.

En dan ziet mama onze vingernagels en zegt: 'Mijn hemel, Tim, geen wonder dat Bobo diarree heeft gekregen.'

Ik zeg: 'Mama, mag ik de baby voelen?' Ik steek mijn hand uit en wil hem op haar buik leggen.

'Nee,' zegt mama geïrriteerd. Ze zucht opnieuw, alsof ze op het punt staat in schreeuwen of huilen uit te barsten. 'Heb je nog paardgereden?'

'Elke dag dat we niet kampeerden.'

'Goed zo. Wel je ruiterpet dragen.'

'Zal ik doen.'

En dan tegen Vanessa: 'Ben je met tekenen bezig?'

Vanessa knikt.

Mama sluit haar ogen. We kussen haar op de wang.

'Krijg de baby maar gauw,' zeg ik.

Vanessa zegt: 'Ik zal de babykamer klaarmaken.'

Papa zegt: 'Kop op, Tub.'

We verlaten Mutare en nu zijn we op de stripweg naar huis. Ieder van ons is ongelukkig, eenzaam zonder mama. We willen ons haar niet in ons eentje wassen en we willen niet dat er niemand is die zegt dat we onze vingernagels moeten knippen. We willen dat mama thuiskomt. Ons verlangen overspoelt het inwendige van de landrover en stroomt samen met de dieseldampen achter ons naar buiten.

Het is voorbij de plek waar papa op de weg moet letten – er is kilometerslang al geen ander verkeer geweest – dat we de blanke vrouw zien liften.

'Een linkerd!' zegt Vanessa.

'Het is een dame.'

'We kunnen haar daar niet laten staan,' zegt papa, zijn sigaret uitdrukkend in de overvolle asbak boven de versnellingspook. Hij stopt. De vrouw, die over een ambitieus gezwollen rugzak gebogen stond, kijkt naar ons op, strijkt een schone, blonde pony uit haar ogen en glimlacht. 'Hoi,' zegt ze. Haar stem is vlak van Australië (stof, boemerangs, kangoeroes, gedetineerden, eucalyptus, schapen). 'Ik ben Charlie Chilvers.'

Papa zegt: 'Inschikken, meisjes.'

Vanessa en ik persen ons tegen elkaar aan.

'Waar moet je naartoe?'

Charlie Chilvers zegt: 'Waar u naartoe gaat, meneer,' en ze glimlacht opnieuw en haar glimlach is een en al glimlach. Niet meer en niet minder. Een glimlach waar niets achter steekt. En haar gezicht is vrij van zorgen, angst, boosheid en verlies. Haar gezicht is hoopvol, open en hunkerend naar ervaring.

Papa zegt: 'Mijn god, waar wij heengaan wil jij vast niet heen.'

Charlie lacht en stapt in. 'Hoi kinderen,' zegt ze.

Papa zegt: 'Heb je er bezwaar tegen als ik rook?' Ik heb hem die vraag nog nooit aan iemand horen stellen en het heeft tot gevolg dat ik Charlie des te meer aangaap. Ze is fris en pikant-zoet, als het wit onder de groene schil van een Granny-Smith-appel.

Charlie zegt: 'Welnee,' en ik ben al verliefd op haar.

Die avond helpt Charlie Vanessa en mij bij het haarwassen. Ze heeft sterke, gladde, bruine, gespierde armen. De volgende ochtend bij het ontbijt is het net alsof Charlie al jaren bij ons is.

Ze zegt: 'Wie wil er vandaag gaan paardrijden?'

'Ik, ik.'

Zelfs Vanessa zegt: 'Misschien.'

Papa zegt: 'Tot straks, meisjes. Bevalt het je hier een beetje, Charlie?'

'Dit is geweldig,' zegt Charlie. 'Het is een luxe om een tijdje nergens heen te hoeven.'

We gaan elke avond naar het huis van de beheerder voor het telefoontje uit het ziekenhuis van Mutare, en Vanessa en ik moeten op de eetkamerstoelen van de beheerdersvrouw zitten terwijl papa de slechte verbinding met de zuster overschreeuwt. En er is altijd hetzelfde nieuws. Mama maakt het goed, geen baby.

Dan zegt papa op een avond: 'Wat? Zeg dat nog eens?' En we gaan rechtop zitten.

'Wat? Papa! Wat?'

'Wacht even,' schreeuwt papa. Hij legt zijn hand over de hoorn en maant ons tot stilte: 'Ik kan het nauwelijks verstaan. De verbinding...'

Dus houden we onze adem in.

'Een jongen.'

'Joepieeee!'

Papa legt zijn hand weer over de hoorn en zegt: 'Hé, hou je even gedeisd! Ik kan er geen woord van verstaan.'

Vanessa zegt: 'Laten we hem Richard noemen.'

'Steven,' zeg ik.

'Wat dacht je van Richard Steven?'

'Richard Steven Fuller,' zeg ik instemmend.

Maar papa ziet er bezorgd, bijna boos uit. 'Ssst.' Hij fronst naar de beheerdersvrouw.

Ze neemt ons mee de kamer uit. Zij ziet er ook bezorgd en boos uit. Zo zien mensen er over het algemeen niet uit wanneer er net een baby geboren is. Ze zegt: 'Willen jullie wat Milo, meisjes?'

'Nee, dank u.'

Maar ze laat ons in de lange, donkere gang wachten (waarin foto's hangen van haar, haar zoon en haar man, staande naast verscheidene glanzende, dikke koeien en wollige schapen).

'Blijven jullie hier maar wachten.'

Haar honden – een Duitse herder en een chihuahua – lopen achter haar aan de keuken in. Vanessa en ik kijken elkaar niet aan. We kijken naar de foto's van de ranchbeheerders en al hun bekroonde dieren. De deur naar de eetkamer is dicht. Ik kan papa's stem niet horen. Ik probeer met mijn oor tegen de deur te luisteren.

Vanessa zegt: 'Niet doen.'

'Ik wil het horen.'

'Kijk eens naar die foto's.' Ze wijst naar een foto waarop de vrouw naast een ram staat.

'Ze zorgen tegenwoordig niet erg goed voor hun schapen,' zeg ik. De ranchschapen leven in een kraal naast ons huis en ze sterven aan de lopende band door verhongering of ondervoeding. Ik mag ze niet redden van papa. Hij zegt: 'Het is jouw probleem niet.'

'Moet je die ballen eens zien,' zegt Vanessa, terwijl ze

naar de schommelende hangmat van de testikels van de ram wijst.

Ik proest het uit.

'Ssst.'

De vrouw brengt ons twee koppen koude melk waarin een knisperende laag onopgeloste chocoladekorrels drijft. Ze laat ons de zitkamer in en wijst naar de bank: 'Ga daar maar zitten.' Ze heeft een enorme boezem die een geheel eigen leven lijkt te leiden. Het zijn net twee grote, puntige globes die door de kamer op ons af komen zeilen, geharnast in een strakke katoenen boerenjurk uit de jaren vijftig. Ze gaat tegenover ons in een leunstoel zitten en slaat ons gade, haar sterke ranchbeheerdersvrouwenhanden op haar knieën. De ranchbeheerder nipt aan een brandy-cola. Hij zegt ook niets. Ik haat deze mensen allebei. Ik denk: luipaardmoordenaars.

Wanneer papa uit de eetkamer komt, ziet hij er moe uit, alsof hij de hele nacht op is geweest, en zijn gezicht is rood. Als ik had gedacht dat mijn vader ooit huilde, zou ik hebben gezegd dat hij had gehuild.

De beheerder zegt: 'Brandy?' Maar de borrel wordt aangeboden als medicijn, niet om iets te vieren.

Ik word misselijk van de Milo.

Papa zegt: 'Oké, dank je.'

De beheerder loopt naar de dranktrolley en schenkt een brandy in voor papa.

'Als je hulp nodig hebt met de meisjes...' zegt de vrouw, 'Ik bedoel, terwijl jij...'

Papa schudt zijn hoofd. 'Er logeert een liftster bij ons. Een Australisch meisje...'

'O, ik vroeg me al af wie dat was...'

'Zij kan op de meisjes letten.'

'O, dat is leuk. Is dat niet leuk?' vraagt de vrouw, terwijl ze haar boezem wendt en hem op Vanessa en mij laat stralen. We knikken ongelukkig.

'Nou ja, het is beter dan niets,' zegt de beheerdersvrouw, met een scheutje irritatie in haar stem. 'We moeten ons allemaal behelpen en moedig zijn, nietwaar?'

Ik kijk haar lelijk aan en denk: 'Waar moet jíj nou moedig voor zijn?'

Papa

Richard

We lopen zonder zaklantaarn in het donker achter papa aan naar huis, de zilveren glans van de zanderige weg in het maanlicht volgend. Ik volg de rode punt van papa's sigaret. Ik wil zijn hand vasthouden, maar hij is te verkrampt en stil en boos.

Als we de volgende ochtend wakker worden is papa vertrokken. Charlie Chilvers zegt dat hij naar het ziekenhuis van Mutare is gegaan om mama te bezoeken.

'En de baby thuis te brengen?'

'Ja hoor,' zegt Charlie.

'Heb jij een broer?' vraag ik haar.

'Ja.'

'Zusters?'

'Een.'

'Net als wij. Hé, je bent net als wij?'

Charlie zegt: 'Eet je pap op.'

'Maar ik heb geen honger.'

'Je hebt altijd honger.'

'Is alles goed met de baby?' zegt Vanessa.

'Hm,' zegt Charlie vaag.

'Er is iets mis, hè?'

'Waarom eet je je bord niet leeg?' zegt Charlie.

Vanessa zucht en duwt haar bord van zich af. 'Het is te warm om te eten,' zegt ze.

Vanessa en ik zijn twee dagen bezig een babykamer te maken van de voorraadkamer aan het eind van de gang. We zetten de wieg klaar met de matras en wanneer we de dekens uitschudden ruiken ze naar Olivia. Babygeuren. We nemen de blikjes groenten en boenwas, de flesjes olie en shampoo, en de rollen reservewc-papier van de planken en zoeken alle speelgoedbeesten die we hebben bij elkaar om ervoor in de plaats te zetten. Twee beren en een gebreide groene slang, een blauwe poedel en een gebreide bruine teckel die Olivia heeft gewonnen op de kermis van Umtali omdat ze zo mooi was in een mooie-babywedstrijd. Het kamertje ziet er nog steeds kaal en wit uit. We plakken uitgeknipte kalenderplaatjes met plakband op de muur. De kalenders zijn ons toegestuurd door oma uit Engeland en tonen taferelen van de Schotse westkust of verschillende soorten paarden die elegant in groene velden staan.

Op de ochtend van de vierde dag zegt Charlie: 'Jullie papa en mama zijn even met vakantie.'

'Met de baby?'

'Zonder ons?'

'Ja.'

'Waarheen?'

Charlie schraapt haar keel. Ze zegt: 'Gewoon naar Inyanga.'

'Gaan ze vissen?'

'Zonder ons?'

'Met de baby?'

Vanessa neemt me zo stevig bij de hand dat ik protesteer: 'Auwie man, laat los.'

Ze zegt op een gevaarvolle toon, sissend alsof we in moeilijkheden zullen raken: 'Laten we de babykamer leegmaken.'

'Wat?'

'Laten we alles eruit halen.'

'Waarom?'

'Hou je waffel, Bobo. Kun je je stomme waffel niet houden?'

Ik hou mijn stomme waffel en probeer te verhinderen dat de tranen zich vanonder mijn oogleden naar buiten wringen.

De volgende twee ochtenden zijn we bezig de babykamer leeg te maken.

'Maar waar zal hij slapen?'

'Hij komt niet thuis.'

'Waar gaat hij dan naartoe?'

'Hoe kun je toch zo'n óén zijn?' zegt Vanessa.

'Ik ben geen oen.' Ik begin te huilen.

'Haal de blikken weer uit de keuken.'

Vanessa zet de blikken groente, de olie, het wc-papier weer terug. Ze stopt de speelgoedbeesten weg in een koffer die ze onder het bed schuift. Ze klapt de wieg op. Ze scheurt de plaatjes van de muur en verfrommelt ze tot een prop die ze in de vuilnisbak gooit.

Wanneer mama en papa thuiskomen zegt Charlie: 'Ik ga even een ommetje maken.'

Mama en papa zien bleek als ze uit de auto stappen. Ik ren naar mama toe.

Papa zegt: 'Voorzichtig.'

Mama loopt ineengedoken, alsof ze plotseling heel oud

is geworden. Ze houdt haar handen op om me tegen te houden alsof ik een van de honden ben die tegen haar op wil springen. 'Rustig aan,' zegt ze. Ze buigt zich naar me over zodat ik haar op haar wang kan zoenen.

'Waar is de baby?'

Vanessa zegt: 'Jezus.'

'We gaan naar binnen,' zegt mama. Ze neemt me bij de hand naar haar slaapkamer en laat me op de rand van het bed zitten. Pas dan merk ik dat haar ogen glanzend en halfstok zijn, maar niet op een dronken manier. Dit is een diepgaander halfstok; diep genoeg om haar manier van lopen en praten te vertragen, maar niet zo diep dat ze gaat brabbelen en zingen. Ze geeft me een bruine canvas pukkel. 'Kijk eens wat we voor je hebben gekocht.'

Ik kijk in de pukkel en begin te huilen: 'Maar waar is Richard?'

'Wie?'

'De baby.'

'Hij is hier niet.'

'Is hij ziek?'

'Hij... is weggegaan.'

'Waarheen?'

Mama zegt: 'Zo gaat dat wanneer je een kind krijgt in een vrij Afrikaans land. Een overheidsziekenhuis...'

Ik zeg: 'Wat is er aan de hand?'

Vanessa staat bij de deur. Ze zegt: 'Hij is dood, Bobo.'

De snik die uit me komt is martelend, zoals overgeven. Ik voel dat mijn gezicht en handen en de huid op mijn armen koud worden.

Mama wendt haar blik af alsof ik haar weerzin inboezem.

'Hoe is het gebeurd?' schreeuw ik.

Vanessa zegt: 'Ssst.'

Ik richt me tot mama: 'Hoe denk je dat ik me voel?' vraag ik haar.

Ze kijkt me stomverbaasd aan: 'Tja, hoe denk je dat ík

me voel?' vraagt ze. Ze laat zich op haar bed zakken, en uit de plotselinge manier waarop ze dat doet kan ik opmaken dat ze geen kracht meer heeft in haar benen.

Vanessa zegt: 'Kom, Bobo. Laten we mama met rust laten.'

Mama is gaan liggen. Ze zegt: 'Ik ben heel moe.'

Ik huil nog steeds luidruchtig, maar mama heeft haar ogen gesloten en ze is óf in slaap gevallen, óf ze doet alsof.

Vanessa trekt me weg.

'Maar waarom hebben we dan geen begrafenis gehouden? Als hij dood was, zouden we een begrafenis hebben gehouden.'

'Papa heeft hem net begraven.'

Ik schud mijn hoofd. We hebben een begrafenis gehouden voor Olivia. We houden begrafenissen voor alle honden en paarden die sterven. We zouden beslist een begrafenis houden voor een baby. 'Misschien hebben ze hem afgestaan.'

'Nee, dat hebben ze niet gedaan.'

'Waar is zijn graf dan?'

'Het is ongemarkeerd. Hij is begraven bij alle rotzooi van het ziekenhuis.'

'Je liegt.'

'Denk maar wat je wilt.'

De volgende dag omhelst Charlie Vanessa en mij en zegt: 'Tijd om ervandoor te gaan.'

Papa brengt haar naar Masvingo en laat haar midden in de stad achter. Wanneer hij thuiskomt, laat hij de paarden naar het huis brengen en neemt hij me mee uit rijden tot het donker is, en het enige wat hij zegt, is: 'Wie het eerst bij de landingsstrook is' en 'Wie het eerst bij de rivier is' zodat we niet lang genoeg stapvoets gaan om te praten en de paarden glimmend van het zweet terugkomen en ik vol schrammen zit van schampende kameeldoorntakken.

's Ochtends, wanneer mama alleen pillen heeft geslikt, is haar toestand redelijk; ze is heel slaperig, kalm, langzaam en bedachtzaam, zoals iemand die er niet zeker van is waar haar lichaam eindigt en de wereld begint. 's Avonds neemt ze een paar borrels en nog wat pillen en dan nog wat borrels en dan begint het er allemaal wat minder goed uit te zien. Tegen zessen is ze zo dronken dat papa het bad voor haar laat vollopen en zegt: 'Kom op, Tub, waarom ga je niet even in bad?' En ze is gehoorzaam, verdoofd, en neemt een brandy mee in bad en ik kan haar zachtjes in zichzelf horen huilen. Dan komt ze drijfnat de woonkamer in, alleen in een handdoek gewikkeld, zodat papa de keuken ingaat en tegen Thompson zegt dat hij nu wel kan afnokken. Mama zet de oude Roger-Whitakerplaat op en gaat voor het raam staan waar ze haar weerspiegeling kan zien en ze danst voor zichzelf en zingt zachtjes: '*I'm gonna leave old London town, I'm gonna leave old Londen town...*' En de handdock staat van achteren open en onthult haar naakte kont. Ik wijs en giechel en Vanessa bijt me streng toe: 'Het is niet grappig.'

Ik proest het uit. 'Wel waar,' hou ik vol.

'Niet waar. Mama heeft een Zenuwinzinking.'

'O.'

Vanessa dekt de tafel voor de avondmaaltijd omdat Thompson niet uit de keuken kan komen als mama half-naakt in de woonkamer staat. We eten impalasteak, aardappels en doperwten uit blik met een kop melk en Milo. Papa zegt: 'Kom eten, Tub.'

Maar mama staat zingend te wiegen. Ze heeft de plaat weer van voren af aan opgezet. Het is de achtergrondmuziek van haar Zenuwinzinking. Papa dient het eten op. Hij zegt: 'Rechtop zitten. Mond dicht als je kauwt.'

De rest van de vakantie gaat het elke avond zo.

Wanneer mama en papa ons aan het begin van het schooljaar terugrijden naar kostschool, vragen sommigen van de
andere moeders aan mama waar de baby is. En ze turen
naar Vanessa en mij, alsof wij de baby misschien achter
onze rug verstopt hebben. Mama zegt: 'We hebben hem
verloren.'

'*Ogod*, het spijt me.'

'Ja.' Mama's ogen zijn glanzend-wezenloos. Ze houdt
mijn hand zo stevig vast dat haar ringen in mijn vlees bijten. Ik klamp me ook aan haar vast. Wanneer ze me vaar-
wel kust, hult ze me kortstondig in de veilige, oude geur
van Vicks Vaporub, thee en parfum, en pas als ik haar in de
ogen kijk herinner ik me dat ze midden in een Zenuwinzinking zit. Ze zegt: 'Flink zijn, hè?'

'Jij ook.'

Ze glimlacht naar me.

Papa zegt: 'Kom, Tub.' Hij zegt tegen mij: 'Kop op.'

'Ja. Jij ook kop op.'

Lange weg

Zenuwinzinking

Het gaat bergafwaarts. Dat mama elke avond onder de verdovende middelen zit en droevig is en liedjes zingt van de Roger-Whitakerplaat, is nog tot daar aan toe. Het is een ingehouden, suffe gekte die weinig meer doet dan het droge, onuitgesproken verdriet dat we allemaal voelen, bevochtigen. Maar dan gaat de buitenwereld meedoen en krijgt zijn eigen Zenuwinzinking, zodat het voor mij moeilijk wordt om uit te maken waar mama's gekte eindigt en de gekte van de wereld begint. Het is alsof je in een draaimolen zit die te hard draait. Als ik mijn blik naar binnen richt, naar mijn voeten of naar mijn handen die de roodgeschilderde stang vasthouden, kan ik duidelijk, zij het ternauwernood, zien waar ik ben, ondanks een misselijk gevoel in mijn maag en een angst om op te kijken. Maar wanneer ik het lef heb om op te kijken, is de wereld een verschrikkelijk, wankel waas en kan ik niet uitmaken of ik het ben of de wereld die losgeslagen is.

Thompson wordt in het arbeidersdorp in elkaar geslagen. Op een dag komt hij naar zijn werk met een paarszwart oog en is de huid op de wenkbrauw opengebarsten. Hij zegt dat het komt doordat hij afkomstig is van een bepaalde stam uit het oosten en dat deze mensen afkomstig zijn van een andere stam uit het zuiden en dat ze hem vrezen en haten.

'Hoezo vrezen en haten?' vraag ik.

Thompson haalt zijn schouders op. 'Ik ben niet een van hen.'

'Maar als ze je vrezen, waarom hebben ze je dan geslagen?'

'Omdat ze me meer haten dan vrezen.' En: 'Van angst komt woede.'

Papa zegt: 'Hij zal wel achter hun vrouwen aan gezeten hebben.'

Maar ik schud mijn hoofd.

Vlak nadat we naar de ranch waren verhuisd, voordat Richard stierf, in de korte, gelukzalige periode toen mama zich nog goed genoeg voelde om thuis te blijven, leek het, gezien haar gezondheid, haar opzwellende buik en het einde van de oorlog, alsof ons misschien eindelijk wat rust en ongestoord geluk gegund zou worden. Er was in mijn leven toen een adempauze van ongecompliceerde kindertijd, een periode van verrukkelijke hybris. In die tijd verkende ik de ranch alsof ik in staat was de geheimen ervan te doorgronden, alsof de hitte, geïsoleerdheid en vijandigheid ervan omhelsbare vrienden waren. Te paard, te voet en per fiets doorkruiste ik de ranch tot in alle uithoeken, over de hete, scherpe, doornige grond, me niet bewust van zijn geheimen en zonder angst voor haar taboes, alsof deze aloude, inheemse beperkingen niet op mij van toepassing waren.

De meeste ochtenden stak ik op Burma Boy de rivier over, op zoek naar koedoes en impala's, terwijl de honden aan weerszijden van mij hijgend door de bush renden. 's Middags liep of fietste ik richting het arbeidersdorp voorbij de oude landingsstrook (een overblijfsel van de meer welvarende tijden van de ranch) en doorzocht het gebied op wildvondsten. Op een keer ontdekte ik de schedels van twee impalarammen, hun hoorns onlosmakelijk in een acht verstrengeld; de twee dieren waren in het heetst van de strijd verstrikt geraakt, aan elkaar vastgeketend tijdens het bronstgevecht. Hoe harder ze hadden getrokken om aan elkaar te ontkomen, hoe hardnekkiger hun verstrengeling was geworden, totdat ze uitgeput op hun knieën waren gevallen in een omhelzing van haat die hen beiden had gedood. Toen ik de schedels opraapte om ze aan mijn groeiende verzameling toe te voegen van wat Vanessa 'Bobo's stinkstapel' noemde, raakten de aan elkaar gehaakte hoorns los en werd het verhaal van de doodsstrijd van de impala's tenietgedaan.

Op een van mijn tochten had ik een wildspoor gevonden dat me naar de verrassende kopjes leidde, die met donkere, glanzende driestheid uit de vlakke blonde savanne puilden, aanlokkelijk in hun vreemdheid, kleine eilandjes van geheim leven. Ik cirkelde om de tevoorschijnkomende aardlaag heen, op zoek naar een duidelijke weg naar boven, de donkere rotsplooien in, maar de routes waren me te intimiderend. Bovendien was ik bang voor de luipaarden, waarvan ik wist dat ze zich stilletjes hijgend in de grotten van de kopjes konden ophouden, of de slangen die als dikke trossen touw lagen te zonnebaden op de warmte-absorberende rotsen.

Toen stelde Vanessa op een dag voor om te gaan picknicken en de kopjes te verkennen.

'En de luipaarden dan?'

'Dat zal wel loslopen.'

'En de slangen dan?'

Vanessa zei: 'Wees niet zo'n bangeschijter.'

'Ik ben geen bangeschijter,' jammerde ik, 'maar...'

'Maar je bent een bangeschijter.'

'Je kunt beter iemand meenemen,' zei mama, 'voor het geval dat.'

'Zie je wel?' zei ik. 'Zelfs mama denkt dat het misschien niet veilig is.'

'Dat heb ik niet gezegd,' zei mama. 'En denk eraan je hoeden mee te nemen, het is heet daar op de rotsen.'

Het was Cephas' vrije dag, dus we werden op pad gestuurd met Thompson, nog blinkend in zijn witte keukenuniform, als escorte. Thompson droeg een boodschappennet met sinaasappels, gekookte eieren, een oude, gekurkte wijnfles met water, en een stel geurige warme broodjes die die ochtend vers uit de oven waren gekomen. Toen we de kopjes bereikten, kozen we het dichtst bij de weg gelegen kopje om te beklimmen. Thompson liet Vanessa en mij vooropgaan en hielp ons over de steile rotsgedeelten totdat we hijgend en prikkend van het zweet bovenkwamen, de wereld aan onze voeten, en over het grijshete waas en de mopanebomen heen tot aan de rivier konden kijken. Thompson ging op zijn hurken een sinaasappel zitten schillen, waarbij de plooien van zijn hand kalkachtig wit werden van het sap. Hij gaf stukken van het fruit aan Vanessa en mij, en we aten zwijgend. Tevreden over onze prestatie.

Het was later, nadat we onze sinaasappels hadden gegeten en wat op de top van het kopje hadden rondgeklommen, onderwijl 'Needles and pins-a' zingend, dat Vanessa en ik de oude graven vonden; koele, donkere plekken van ritueel en begrafenis waar halfgebroken aardewerk, gebarsten, zwart geworden juwelen, stompe pijlpunten en verkruimelende kalebasflessen boven op rotspiramides lagen gestapeld. We scharrelden opgewonden door onze vondst.

'Wat denk je dat het is?'

'Ik weet het niet, misschien hebben hier mensen geleefd.'

'Misschien zijn ze hier gestorven.'

Plotseling stond Thompson voor onze neus. 'Wat is dat?' Hij keek fronsend in de duisternis van onze smalle grot.

'Kijk!' Ik liet hem twee stukken aardewerk zien, die samengevoegd een deel van een zigzagpatroon vormden. 'Het is een oude pot.'

'Laat dat spul liggen!' zei Thompson. Hij zei het bijna schreeuwend, hief één hand verbiedend op.

Ik keek hem verbijsterd aan. Ik was nog nooit eerder vermanend toegesproken – gecommandeerd – door een Afrikaan. Mijn kindermeisjes hadden nooit zo scherp tegen me gesproken. Maar Thompson strompelde terug, de grot uit, alsof hij een slangenhol had gezien.

'Ik wil het mee naar huis nemen om aan mama te laten zien.'

'Je mag de spullen van de doden niet aanraken!'

Ik hield mijn hoofd scheef en had mijn mond opgetrokken, om te laten zien dat ik sceptisch was, maar toch kwam ik de grot uit, zo traag-nonchalant als ik kon, met het stuk aardewerk in mijn hand, en ik zei: 'Hoe weet je dat dat spullen van dode mensen zijn?'

'Iedereen kan zien dat dit graven zijn,' zei Thompson. 'Niet aankomen! Je mag daar niet aankomen.'

Ik lachte: 'Daar kom je een beetje laat mee, Thompson.'

'Alsjeblieft, *piccadin* mevrouw.' Thompson zag eruit alsof hij op het punt stond zich achterwaarts van de kale kop van het kopje te storten.

'Nou ja, als de mensen dood zijn, zullen ze het niet erg vinden.'

'Nee, ze vinden het wel erg. Ze zullen de verschrikkelijkste dingen over je denken.'

'Thompson, wees niet zo bijgelovig.' In een poging me van het besmette aardewerk te ontdoen met behoud van mijn superioriteit, gooide ik het aardewerk achteloos terug de grot in en veegde ik mijn handen af aan mijn short. 'Zo. Tevreden?' En vervolgens langs mijn neus weg: 'Ik wilde het toch niet hebben.'

Thompson keek alsof ik hem had geslagen, alsof ik het aardewerk in zijn gezicht had gegooid. Hij zei: 'O, dat had je niet mogen doen, *piccadin* mevrouw. Je had het niet zo mogen góóien.'

Achter me kwam Vanessa gebukt uit de grot. Haar gezicht was veranderd, zoals er een schaduw valt wanneer er een dunne wolk over de zon scheert. Ze zei: 'Kom, Bobo, laten we naar huis gaan.'

'Maar we hebben onze picknick nog niet eens opgegeten.'

Thompson was al bezig van de voorkant van de kei, die de top van het kopje vormde, naar beneden te schuifelen, waarbij zijn schouders knokig uit de achterkant van zijn dunne katoenen uniform staken. Hij had het boodschappennet met onaangeroerd voedsel over zijn schouder hangen.

'Kom op jongens, ik heb honger. Laten we eerst gaan eten.'

Thompson draaide zich niet eens om, laat staan dat hij zijn pas inhield.

'Waar ben je bang voor?' Ik moest vlug op het zitvlak van mijn short naar beneden schuifelen om Thompson en Vanessa bij te houden.

'Je hebt de spullen van de doden aangeraakt,' zei Thompson. En toen zag ik dat hij niet alleen bang, maar ook boos was.

Als ik Thompson zo zie met zijn opengebarsten oog, herinner ik me het zachte, ziltige en korrelige gevoel van het grafaardewerk aan mijn handen. En dan denk ik aan het feit dat Richard dood is en mama gek is geworden. En ik denk dat we al deze ellendige pech niet hadden gehad als ik de spullen van de doden niet had aangeraakt.

En dan wordt Oscar, onze Rhodesische draadhaar, op de weg voor ons huis aangetroffen, van boven tot onder opengesneden met een machete. Mama staat bij de voordeur te schreeuwen met zijn lichaam in haar armen. Hij is zo zwak van het bloedverlies dat hij niet eens tegenspartelt. 'Die schoften! Die vervloekte schoften.' Ik doe de deur open en mama wankelt naar binnen, met de hond tegen haar borst gedrukt nauwelijks in staat overeind te blijven.

'Ademt hij nog?'

Mama legt hem neer en bedekt hem met dekens. 'We moeten vloeistof in hem zien te krijgen.' Ze voert hem volle melk, waar de room, dun en bleek van het droge seizoen, bovenop drijft. Oscar kokhalst en de melk druppelt weer uit zijn bek. 'Hij kan niet eens slikken,' zegt mama, haar handen glibberig van de melk. Ze vindt een ader in zijn achterpoot, steekt er een naald in en laat een zak intraveneuze vloeistof in zijn lichaam sijpelen. Zo blijft ze zitten, over de hond gebogen, terwijl ze de plastic zak vol zoutoplossing boven haar hoofd omhooghoudt, totdat Oscar begint te spartelen. Dan trekt ze de naald uit zijn poot en gaat weer op haar hurken zitten, het zweet van haar voorhoofd vegend.

'Wie heeft dit gedaan?' vraag ik.

Mama fluistert hees: 'Dat hebben zij gedaan,' en ze slaat haar ogen op naar het huis van de ranchbeheerders.

'O. Hebben de ranchbeheerders dit gedaan?'

Mama knikt.

Ik laat dit even bezinken. 'Waarom?'

Mama rolt met haar ogen en zegt op zachte toon, alsof ze me een geheim vertelt: 'Ze willen mij ook doden.'

'Ze willen jou doden?'

'Ja.'

'Waarom? Waarom zouden ze dat willen doen?'

'Omdat ik weet wat voor mensen het zijn.'

'Je weet wat voor mensen het zijn.'

'Het zijn boeven en ze stropen luipaarden.'

'We weten allemaal dat ze luipaarden stropen.'

'Pas maar op,' zegt mama. 'Pas maar op.'

Een week later loopt mijn pony, Burma Boy, paardenziekte op en hij is daar nog niet van hersteld of hij krijgt tetanus.

Mama zegt: 'We moeten vloeistof in hem zien te krijgen.'

Ze vult een emmer met water en doet er een zak bruine suiker in. Burma Boy sabbelt zwakjes aan het water om bij het zoete slib op de bodem van de emmer te komen en stort dan ter aarde. Mama legt dekens over hem heen en gaat vier nachten achtereen bij hem in de tuin liggen. De honden nestelen zich naast haar. Zelfs Oscar, die tijdens zijn herstelperiode binnen op de sofa mag slapen, geeft zijn gerieflijke plek op en kruipt naar de deken waaronder het paard bij elk hard geluid met stijve krampen ligt te trillen.

Thompson neemt zijn ontslag en gaat terug naar de oostelijke hooglanden. Hij zegt: 'Deze plek is giftig.'

Papa zegt: 'Het wordt tijd dat wij ook vertrekken.'

Die avond is het zo heet dat we buiten in het donker zitten met de ramen naar de woonkamer open zodat we onze platen kunnen horen. We zijn erin geslaagd de plaat van Roger Whitaker in een hoes van Chopin te verstoppen. Papa draait de *Ouverture 1812* van Tsjaikovski.

'Hard genoeg om de olifanten af te schrikken.'

'Er zijn geen olifanten.'

'Omdat we ze hebben afgeschrikt met de *1812*.'

'Ha.'

We eten een avondmaaltijd van impalasteak met het bord op schoot. Wanneer we omhoogkijken is de hemel diep, eenzaam zwart. We kunnen horen dat de jakhalzen in de buurt van het veiligheidshek rond gaan hangen: 'Yip-yip.' Ze zijn gekomen voor de zwakke, ondervoede, zieke schapen en voor de lammetjes op wankele poten. Er zingt een nachtzwaluw.

Mama eet alweer niet. Sinds de baby is gekomen en gegaan, heb ik haar geen fatsoenlijke hap eten meer zien doorslikken.

Opeens zegt papa: 'Ik ga drie dagen vissen.'

'Mag ik mee?'

'Als de vangst goed is, blijven we hier en leggen we ons daarop toe. Als de vangst slecht is, vertrekken we.'

'Waarom?'

'We kunnen niet leven waar de visvangst beroerd is.'

'Waar vertrekken we naartoe?'

'Naar een plek waar meer vis zit.'

'Mag ik mee?'

'Nee.'

'Waarom niet?'

'Omdat we dan een probleem hebben als jij het een goede vangst vindt en ik niet. We moeten hier geen verwarring over krijgen.'

'O.'

'Ik vertrek morgen voor dag en dauw.'

De volgende ochtend heel vroeg vertrekt papa met zijn hengel voor gewone vis; daaraan zitten spinners, dik snoer en loodjes. Hij heeft brandy, blikken witte bonen in tomatensaus, zout, gekookte eieren, thee, melkpoeder en brood in zijn oude munitiekist gepakt.

'Ga je niet op forel vissen?'

'Nee.'

Papa gaat vissen op baars, brasem en tijgervis. Vissen op gewone vis is nooit zijn sterkste punt geweest.

Ik zeg tegen mama: 'We kunnen net zo goed gaan pakken. Papa vangt nooit iets als hij geen kunstvlieg gebruikt.'

Mama ligt op bed naar het plafond te staren alsof het haar niets kan schelen.

'Zal ik je thee brengen?'

'Dat zou fijn zijn.'

Mama brengt het grootste deel van de dag in bed door. Wanneer ze opstaat, na de thee, is ze versuft, onvast op de benen. Ze weet de zitkamer te bereiken en zakt daar met een zucht in een leunstoel. Haar gezicht is langer en ouder, bij haar mondhoeken en onder haar ogen zijn droeve lijnen die er vroeger niet waren.

Toen we hier net woonden, maakte ze het huis vrolijk en gezellig. Ze maakte felgekleurde, nieuwe gordijnen en kussens, hing schilderijen op en zette versieringen op de schoorsteenmantel. Judith/Loveness boende de vloeren tot ze glansden als marmer en Thompson timmerde afhangend gaas strak tegen de ramen en witte de muren binnen en buiten. Mama maakte een lijst van de karweitjes die elke dag gedaan moesten worden en hing die aan de keukendeur: stoffen, vegen, borstelen, boenen, poetsen. Nu ziet mama eruit alsof het haar niet meer kan schelen. De lijst met karweitjes is vergeeld en bespat met vliegenpoep en is bij de randen gaan omkrullen, en het huis is er zonder Thompson slonzig gaan uitzien. Er is een bevolkingsexplosie van kakkerlakken in de keuken en de katten vinden overal ratten (we zien ze knauwend gebogen zitten over hun knaagdierkarkassen en struikelen over halfopgegeten overblijfselen).

Ik sla mama nauwlettend gade. Ze neemt amper de

moeite met haar ogen te knipperen. Ze is als een vis in het droge seizoen, op de opgedroogde bodem van een splijtende rivierbedding, wachtend tot de regen haar tot leven zal wekken.

Vanessa zegt: 'Laat haar met rust, ze is depressief.'

Vanessa lijkt zelf een beetje depressief.

Ik zeg: 'Heeft er iemand honger?'

Mama schenkt zichzelf nog een brandy in.

'Behalve ik?'

Sinds Thompson is vertrokken is Judith/Loveness de enige hulp in huis, maar ze kan niet zo goed schoonmaken en ze kan eigenlijk niet koken. Ik zeg haar dat ze een blik witte bonen in tomatensaus moet openmaken en wat brood moet roosteren op het houtvuur om toast te maken voor het avondeten.

'Met een paar gekookte eieren,' voeg ik eraan toe.

Wanneer het tijd is voor het avondeten dek ik de tafel en schreeuw: 'Bikken!' maar mama wil niet eten, en Vanessa schuift een paar bonen op haar bord heen en weer voordat ze teruggaat naar haar kamer. Ik blijf achter om de toast, een heel blik witte bonen in tomatensaus en drie gekookte eieren in mijn eentje op te eten.

Mama gaat de badkamer in, wentelt zich enige tijd rond in vochtige stoom en komt dan versuft en wankelend naar buiten, een handdoek om zich heen geslagen. Ik heb mezelf vermaakt door de honden het overgebleven avondeten boon voor boon te voeren.

Mama staat voor het raam in de woonkamer, zonder muziek, wiegend op niets. Ik zet de borden op de vloer zodat de honden ze schoon kunnen likken en vis de plaat van Roger Whitaker uit de Chopin-hoes. Het lijkt me beter dat mama op muziek wiegt dan in de diepe, met diergedraaf, krekelgetsjilp en motgefladder gevulde stilte (zelfs al is de muziek van Roger Whitaker).

'*Ahm gonna leave ole London town, Ahm gonna leave ole London town...*'

Ik sta voor haar, in een poging haar af te leiden. Haar ogen glijden glazig langs me heen.

'Mama!'

Ze zegt op zachte fluistertoon: 'Weet je, ze hebben Oscar proberen te doden.'

Ik zeg: 'Dat weet ik. Dat heb je me al verteld.'

Mama kijkt over haar schouder en buigt zich voorover, bijna haar evenwicht verliezend. 'Ze denken dat ik labiel ben.'

'O ja?'

Mama glimlacht, maar het is niet een levendige, blije glimlach, het is iets glijdends en vochtigs wat ze met haar lippen doet, iets wat voornamelijk de indruk wekt dat ze de controle over haar mond heeft verloren. 'Ze denken dat ik gek ben.'

'Echt waar?'

'Maar dat ben ik niet, dat ben ik helemaal niet.'

'Nee.'

'Het was een wáárschuwing.'

'Wat was een waarschuwing?'

'Eerst Thompson, dan Oscar, dan Burma Boy...'

'Maar Burma Boy had de paardenziekte en tetanus. De beheerders hadden daar niets mee te maken.'

Mama's ogen trillen. Haar handdoek glijdt weg. 'Ik ben de volgende, weet je.'

'Waarvoor?'

'Maar daar ben ik niet bang voor.'

'Nee.'

De handdoek valt nu helemaal naar beneden. Ik pak hem op en mama trekt hem krampachtig over haar borsten. 'Ik weet wat ze in de zin hebben.'

'O, mooi.'

'Nee, het is niet mooi.'

'Nee.'

'Een luipaard per week. Ik zie ze. Ze denken dat ik gek ben, maar ik zie ze. Het is namelijk illegaal.'

'Dat weet ik.'

'Luipaarden zijn Koninklijk Wild.'

'Weet ik.'

'Ze zouden de bak in kunnen draaien.'

'Weet ik.'

Vanessa komt haar kamer uit, zet de platenspeler af en pakt mama bij de elleboog. 'Waarom ga je niet naar bed, mama? Ik breng je wat warme melk.'

'Bah.'

'Koude melk.'

'Bah.'

'Thee dan?'

Mama laat zich naar de slaapkamer leiden. Vanessa kleedt haar aan en stopt haar in bed. 'Hier blijven, oké, mama?' Terwijl ze de kamer verlaat bijt ze me toe: 'Laat mama niet uit bed komen.'

'Goed.' Ik ga op de rand van het bed zitten en kijk naar mama die naar het plafond staart. 'Ze hebben me uitgenodigd op een feestje,' zegt ze dromerig.

'Wie?'

'De beheerders. Ze hadden gasten uit de stad.'

'Wanneer?'

'Jij was op school.'

'Was het leuk?'

'Ze hebben geprobeerd me te vergiftigen.'

'O.'

'En toen ik in de badkamer was om te proberen het gif over te geven, probeerde een van hun gasten me aan te... aan te vallen.'

Mama gaat plotseling rechtop zitten en ik ben bang voor haar, zoals ik bang zou zijn voor een spook. Ik deins terug, de neiging om weg te rennen onderdrukkend. Ze gedraagt zich bovennatuurlijk. Ze is bleek en afgetobd en er zit zweet op haar voorhoofd en een dunne snor van zweet kleeft aan haar bovenlip. Haar ogen zijn glanzend als knikkers, koud, hard en glinsterend. Ze zegt: 'Kijk maar uit.'

'Doe ik.'

Vanessa komt binnen met de thee. 'Ga maar in bad, Bobo.' Opgelucht maak ik dat ik wegkom.

Naderhand komt Vanessa mijn kamer in en zegt: 'Je moet niet te veel op mama letten. Ze heeft gewoon een Zenuw-inzinking.'

Ik heb een pijl, afgepakt van een stroper, aan mijn overigens lege muren hangen.

Vanessa kijkt er fronsend naar. 'Het wordt tijd dat je wat plaatjes in je kamer ophangt.'

'Waarom?'

'Je wordt er zwartgallig van de hele tijd tegen dat ding aan te kijken.'

'Ik vind het leuk.'

'Ja, maar het is niet normaal.'

'Hoor eens, er is niets meer normaal. Alles is verkeerd.'

'Het komt wel goed.'

'Waarom proberen de beheerders mama te doden?'

'Dat is niet zo.'

'Dat heeft ze me verteld.'

'Dat is niet zo, begrepen?'

'Ze hebben Oscar proberen te doden.'

'Misschien waren dat de Afrikanen.'

'En ze hebben Thompson in elkaar geslagen.'

'Dat waren sowieso de Afrikanen.'

'Mama zegt dat ze hebben geprobeerd haar te vergiftigen.'

'Laat haar maar praten. Zoals ik al zei, ze heeft gewoon een Zenuwinzinking.'

'Waarom zijn er dan zoveel pechdingen tegelijk?'

'Pechdingen gebeuren gewoon. Zo gaat het nu eenmaal. Ze gebeuren voortdurend. Het heeft niets te betekenen,

Bobo. Het betekent niet dat de pechdingen iets met elkaar te maken hebben. Als je gaat denken dat ze met opzet allemaal tegelijk komen of dat het met de beheerders te maken heeft of met jou of met wat dan ook, word je knetter.'

'Mama is al knetter.'

'Daarom denkt ze ook dat alle pechdingen met de beheerders te maken hebben.'

Ik veeg mijn neus af aan mijn arm.

'Daar moet je echt eens mee ophouden,' zegt Vanessa.

Papa komt terug van het vissen. Hij heeft in drie dagen één keer beet gehad en hij heeft niets gevangen.

'We verhuizen naar een plek waar we een vis kunnen vangen door alleen maar in de goede richting te gapen,' zegt hij tegen ons.

Ik kijk naar mama en vraag me af hoe we haar hier ooit vandaan krijgen.

'Wat vind jij ervan, Tub?'

Mama schenkt papa haar glazige glimlach en zegt: 'Klinkt goed.' Haar stem is troebel.

'Mama haat vissen,' breng ik naar voren.

'Ja,' zegt mama, lachend op een beverige, ongelukkige manier, 'ik haat vissen.'

'Zie je wel?'

'Tja, maar we kunnen hier niet blijven,' zegt papa.

'Kom terug voor mijn lichaam in het droge seizoen,' zegt mama.

'Wat?'

'Niks.'

Ik zeg tegen papa: 'Ik geloof niet dat mama goed genoeg is om waar dan ook heen te gaan.'

'De verandering zal haar goeddoen. Ze zal opleven zodra we op een nieuwe plek zijn.'

'Hoe weet je dat?'

'Omdat we het eerder hebben gedaan. Het is niet goed

om te lang op dezelfde plaats te blijven rondhangen. Te veel... te veel... Het maakt je zwartgallig.'

'Vanessa zegt dat ik zwartgallig ben.'

'Zie je wel?'

Ik aai de honden met mijn voet. 'En Oscar en Shea dan? En de katten?'

'We nemen iedereen mee.'

'En de paarden?'

'We zullen zien.'

Papa

We gaan verder

Mama leeft met de schimmen van haar dode kinderen. Ze begint er zelf als een schim uit te zien. Ze beweegt zich langzaam voort, het verdriet zo zwaar om haar heen dat het als rook in haar haar en kleren blijft hangen en haar ogen doet branden. Haar groene ogen worden zo flets dat ze geel lijken. De kleur van leeuwinnenogen door gras in het droge seizoen.

Haar zinnen en gedachten worden onderbroken door de kreten van haar dode baby's.

Een van hen stervend.

Een van hen verdrinkend.

Een van hen stikkend in de moedermelk, te zwak om te kunnen slikken.

Alleen Olivia heeft een fatsoenlijke begrafenis gehad. Richard en Adrian liggen in anonieme graven. Ze zweven en hangen in de lucht, zonder neergedrukt te worden. Voor hen is er geen zwaarte van waardigheid die de doden door een fatsoenlijke begrafenis wordt geschonken. Geen vocht op de grond van tranen die tijdens de rouwceremonie zijn geplengd. Geen mythe van afronding.

Alle mensen weten dat de doden op de een of andere manier fatsoenlijk te ruste moeten worden gelegd; verbrand, uitgestrooid, in gebeden herdacht, opgebaard, bezongen moeten worden. Er moet aarde op de kisten van de doden worden gestrooid door de levende handen van degenen die hen hebben gekend of bemind. Of de as van de doden moet uitgestrooid worden in de wind.

We hebben gezondigd tegen uw heilige wetten. We hebben niet gedaan wat we behoorden te doen; En we hebben gedaan wat we niet behoorden te doen; En er is geen heil in ons.

Er is geen Afrikaan nodig om je te vertellen dat je vraagt om moeilijkheden als je een kind in een anoniem graf achterlaat. Het kind zal terugkomen om je te achtervolgen en zich om je heen wikkelen totdat je eigen ademhaling stopt door het vochtige gewicht van zijn piepkleine, schimmige vasthoudendheid.

Mama's wereld wordt in toenemende mate de wereld die ze 's avonds ziet in de weerspiegeling van het raam, wanneer de lampen zoemen, hoog en laag, in harmonie met het geronk van de generator, en Roger Whitaker op de platenspeler wordt gedraaid. Mama's handdoek begint van haar met melk gevulde borsten af te glijden. Ik hoor haar huilen in de badkamer wanneer ze ze leegknijpt. Melk voor niemand, door de gootsteen. Haar handdoek hangt open bij haar billen waar haar dijen met bloed besmeurd zijn van het staartje van de bevalling. Ze lijkt op alle mogelijke manieren om het verlies van deze nieuwe baby te rouwen: met haar geest (die verward is) en haar lichaam (dat onrustbarend en lek is).

Terwijl mama klam in de van insecten vergeven, schroeiendhete nacht staat te deinen en zachtjes met Roger meeneuriet: '*Ahm gonna leave ole London town,*' zit papa in de hoek onder het lichtpeertje, wegduikend voor de motten en rozenkevertjes die op het licht afkomen. Hij zit stil rokend te lezen, wenkbrauwen opgetrokken, totaal verdiept. Hij smeert een brandy met cola over de hele avond uit, eraan nippend alsof het een verfijnde traktatie betreft, hoewel die allang warm en verschaald is. De honden liggen plat op de vloer, hun oren tegen hun koppen gedrukt, wenkbrauwen angstig opgetrokken.

Die avond ga ik Vanessa's kamer in, nadat de generator is uitgezet.

'Van.'

'Ja?'

'Ben je wakker?'

Ze geeft geen antwoord.

'Wat denk jij?'

Ze geeft nog steeds geen antwoord.

'Waarom wil je niets tegen me zeggen?'

'Je stelt stomme vragen.'

Ik probeer op de tast het voeteneinde van haar bed te vinden en laat me naast de oplopende, benige bult van haar voeten zakken.

'Wat denk jij van mama?'

'Hoezo?'

'Nou ja...'

Stilte.

'Denk je niet?'

Vanessa zucht en draait zich om. Ze is nu veertien. Ik kan voelen dat ze plotseling zwaarder, vrouwelijker is geworden. Het bed buigt door onder haar nieuwe gewicht. Ze ruikt ook anders – niet stoffig en metalig en scherp als puppypis, maar zacht en geheimzinnig en naar thee en haar nieuwe deodorant die in een wit flesje met een blauw etiket zit en die ik vurig begeer. Hij heet 'Shield'. Ze zegt: 'Als papa en mama ontdekken dat je uit bed bent, ben je nog niet jarig.'

'Ze ontdekken het toch niet.'

Vanessa weet dat ik gelijk heb. Ze zegt: 'Ik probeer te slapen. Je irriteert me.'

Plotseling, onverwacht, begin ik te huilen; te brullen van verdriet. Vanessa gaat rechtop zitten en slaat onhandig haar armen om me heen. 'Stil nou maar.'

'Wat is er aan de hand, man?'

Vanessa wiegt me: 'Sssst.'

'Waarom is iedereen zo gestoord?'

'Niet iedereen.'

'Het lijkt wel zo.'

Vanessa zegt: 'Als je belooft te gaan slapen, zal ik iets bedenken, oké?'

Ik snuf en veeg mijn neus af aan de bovenkant van mijn arm.

'*Sis*, man. Dat heb ik je nog zó gezegd.'

'Ik heb geen pleepapier.'

'Nou, haal dan wat. Snuit je neus. En ga daarna naar bed.'

Wanneer ik de volgende ochtend wakker word, later dan gebruikelijk, de acht-uur-zon al hoog en heet in de met stof bestoven, vale lucht, is Vanessa al aangekleed. Ze heeft voorbereidingen getroffen om het gezin te genezen; ze heeft onze hengels en hoeden verzameld en een kartonnen doos volgepakt met haspels, vislijn, gekookte eieren, bier, brandy, een fles goedkope rode wijn, een brood, *biltong*, dunschillige en bittere wilde bananen en sinaasappels.

'Ik heb het idee gekregen om naar het stuwmeer te gaan,' kondigt ze aan bij het ontbijt. 'Laten we op meerval gaan vissen.'

Papa kijkt verbaasd op van zijn havermoutpap.

'Ik vind echt dat we moeten gaan vissen.'

'Mama heeft een hekel aan vissen,' zeg ik. 'Ze is nog niet eens op.' Mama is op haar kamer thee aan het drinken.

Vanessa werpt me een woedende blik toe en kijkt papa vervolgens strak aan: 'We moeten gaan picknicken.'

Papa zegt: 'Ik heb werk...'

'En we nemen onze hengels mee zodat je je niet gaat vervelen.'

Papa ziet eruit alsof hij op het punt staat opnieuw tegen te sputteren. Hij doet zijn mond open om iets te zeggen maar Vanessa staat op, strijkt haar haar uit haar ogen en zegt: 'Ik heb de lunch ingepakt. Ik ga mama halen.' Ze houdt haar hoofd scheef: 'Waarom vragen we dat ventje dat op bezoek is niet mee?'

Een jonge rechtenstudent uit Zuid-Afrika logeert op de ranch. Zijn opa is een van de oorspronkelijke kolonisten van Devuli Ranch geweest. Sinds hij een paar dagen geleden is gearriveerd, hebben Vanessa en ik hem hongerig door de verrekijker gadegeslagen. Hij heeft een enorme bos krullend blond haar, als een pruik. Hij logeert bij de ranchbeheerders met wie we sinds mama's Zenuwinzinking onofficieel op voet van oorlog staan (voor het geval haar krankzinnige beschuldigingen gegrond zouden blijken te zijn). Vanessa en ik hebben de bezoeker bij de werkplaats ontmoet (we hadden hem achtervolgd) en ik heb hem aan een kruisverhoor onderworpen; wie was hij, wat deed hij hier, hoe lang bleef hij, totdat Vanessa me bij de pols wegsleepte en me fluisterend toebeet: 'Ik schaam me dood om jou.'

'Waarom?'

'Waaróm?'

'Wat heb ik nu weer gedaan?'

'O, god. Waar zal ik beginnen?'

Onze gevangengenomen gast (over wie ik me zegevierend heb verkneukeld sinds zijn arrestatie op het erf van de ranchbeheerder: 'Ga met ons mee vissen. Alsjeblieft,' en vervolgens, om hem niet af te schrikken met mijn gretigheid: 'als je wilt') luistert naar de verwarrende, potentieel onheilzame naam Richard. Maar hij is jong en opgewekt en lijkt geen weet te hebben van onze recente en vroegere trauma's en mama heeft op hem gereageerd, op zijn frisheid, met de eerste echte, niet-bibberige glimlach sinds ze met lege armen uit het ziekenhuis is gekomen.

Vanessa en ik maken achter in de landrover plaats voor Richard, die zich met langbenig gemak op het kleine metalen bankje boven het wiel zwaait. Ik staar hem indringend aan en glimlach vurig. Vanessa geeft me een harde por in mijn ribben. Ze zit nonchalant aan haar kant van de landrover naar buiten te kijken, afstandelijk, beheerst. Ze draagt haar haar niet meer in vlechten. Het valt nu als een blond gordijn voor haar gezicht, zodat ze het rond haar nek bijeen heeft geschraapt en het tegen de slaande wind vasthoudt. Ze sluit haar ogen en heft haar gezicht naar de zon. Ik hervat mijn hoopvolle, maniakale gegrijns, strak op Richard gericht.

Het is zinloos om een gesprek aan te knopen met onze gevangene, hoewel ik geneigd ben hem (eerlijkheidshalve) te waarschuwen dat mama gek is. De landrover schudt en slingert en duikt naar beneden, de motor brullend van de inspanning van het rijden op ongebaand terrein. We hebben de ribverbrijzelende, betrekkelijke snelheid van de hoofdzandweg (waar de korte wielbasis met precies de juiste tussenpozen op de ribbels in de weg smakt om ons buiten adem te laten raken) allang achter ons gelaten en we zijn weg van de nauwelijks aanwezige sporen die eigenlijk niet meer dan een indicatie zijn – een veelzeggende slijtage – dat iemand anders in het verleden ook deze kant op is gegaan. (In deze fijne, brosse aarde, die nauwelijks bijeen gehouden wordt door het zachte, verbrande gewicht van gras, kunnen sporen van één enkel voertuig dat er maar één keer overheen is gereden, jaren zichtbaar blijven.) Nu duiken we naar beneden tussen buffeldoorn en ons omringende mierenhopen en wij, die achterin zitten, zijn gedwongen ons snel naar voren te buigen (onze handen onder ons weggestopt, om te voorkomen dat ze langs doornen schuren) en weg te duiken.

We passeren zonder commentaar of verbazing kleine kuddes impala's, klaar voor de regen. De ooien zijn gezwollen van op handen zijnde jongen, maar de jongen zullen pas met de eerste regen komen. Papa stopt om een paar wrattenzwijnen vóór ons dikkig te laten wegrennen, rond van kont en met opgeheven kop. Een koedoestier staart ons indringend aan – de volmaakte witte V op zijn neus een jagersdoelwit. Hij snuffelt in de lucht, en dan, met een magnifieke sprong, zijn hoorns als middeleeuwse wapens op zijn rug gelegd, is hij verdwenen, grijzig de kruisarcering van de bush in duikend.

Tegen de tijd dat we bij het stuwmeer arriveren, is het laat in de ochtend en heeft de zon zich in het ondiepe, verbleekte midden van de hemel genesteld. Het stuwmeer is slinkend, modderig, warm; het water is teruggeweken en heeft een vochtige strook van barstende modder en de sterke geuren van kikkersperma en rottende algen achtergelaten. Er scharrelen zilverreigers langs de oever van het stuwmeer. Ze vliegen omhoog wanneer de honden op ze afbanjeren, en strijken net buiten bereik weer neer. Nijvere wevervogels vliegen kwetterend rond en schieten vanuit hun waterdichte, voor slangen moeilijk toegankelijke nesten heen en weer met stukjes gras die uit hun snavels slieren.

Het is de verkeerde tijd van het jaar om bij het stuwmeer te zijn. De zon heeft de schaduw van alle bomen geschroeid; de takken strekken zich dun en hongerig uit in de droge, rokerige lucht. De grond is glinsterend heet. Vanessa haalt een paar kussens en een ligstoel tevoorschijn en zet deze voor mama klaar onder de kantachtige beschutting van een buffeldoorn. Mama neemt een kop thee uit de thermosfles en begint, met de verstrooidheid die ze sinds de dood van Richard heeft gehouden, te lezen.

Ze glimlacht naar Richard – 'Leuk is dit, hè?' – en ik heb zin om woest te gaan zingen en schreeuwen van vreugde omdat het zo'n normale opmerking is, al is het een leugen. Ik wil dat het iedereen opvalt dat dit zo'n normale opmerking is. Ik wil Richard vragen: 'Vind je ook niet dat ze zo normaal klinkt?'

Papa en ik zoeken een boomstam op aan de oever van het stuwmeer en beginnen op barbeel te vissen, de besnorde vissen die zich in tijden van droogte in de modder begraven en pas na de eerste regens tevoorschijn komen. Het zijn net vampiervissen, zoals ze met een griezelige hardnekkigheid elk jaar weer tot leven komen – zelfs na jaren die een spoor van skeletten hebben achtergelaten. Deze vissen zijn erg moeilijk te doden. Ook al slaan we ze hardhandig met de kop naar voren tegen de rotsen, ze blijven zwiepen en piepen. Ze maken totaal geen breekbare of visachtige indruk. Papa en ik springen er om beurten bovenop, maar ze glibberen onder onze voeten vandaan. Dan duwen we ze moeizaam tegen de grond (ze zijn zwart en gespierd, en glippen gemakkelijk uit onze greep) en een van ons houdt ze daar vast terwijl de ander stenen op hun kop smijt. We bewaren hun gehavende lijven in een net dat onder water hangt, zodat ze niet verrotten in de hitte.

'We nemen ze mee naar huis voor de *muntus*,' zegt papa.

'Waar smaken ze naar?'

'Modder. Ze smaken zoals dit ruikt,' zegt papa terwijl hij met zijn teen in het ingewandsvuil wroet.

'Getver.'

'Ja, maar een *muntu* eet alles.'

Vanessa is naar de andere kant van het stuwmeer gelopen, waar ze mama kan zien en waar ze door Richard gezien kan worden, die op een hachelijke manier heeft postgevat op een boomstam die uitsteekt boven het stuwmeer. Hij zit schrijlings en met gebogen hoofd op de boomstam, zijn witte nek blootgesteld aan vijandige zon, en rijgt een wurm aan zijn haak. Zijn rug is naar papa en mij gekeerd, zijn nek is al aan het verbranden. De honden snuffelen rond, voortdurend bezorgd en trouw mama in het oog houdend, die er onbeweegbaar, onbeweeglijk, niet-lezend uitziet. Ondanks haar roerloosheid is zij degene die het meest rusteloos lijkt, alsof haar energie als hittegolven uit haar kronkelt en over het water op ons af danst, heet en volhardend. Of misschien is het mijn bezorgde energie die op mama af danst, alsof ik een van de honden ben die haar stemming, haar mate van tevredenheid, haar volgende stap probeert te doorgronden.

Plotseling staat mama op uit haar stoel en loopt over het vochtige lapje stinkende, plakkerige modder naar het water, waarbij ze onder het lopen modder van haar tenen schudt, meisjesachtig in dat gebaar. Vanessa heft haar hoofd – alsof ze in de lucht snuffelt – en legt haar hengel neer. Ze heeft mama de hele tijd al vanuit een ooghoek in de gaten gehouden, maar nu mama zich heeft bewogen, is Vanessa aan de grond genageld van besluiteloosheid. Papa en ik hebben onze hengels tegen rotsen gezet en zitten al een poosje op onze hurken te wachten tot de vissen weer bijten. Papa verandert van houding als mama opstaat, en komt zelf bijna ook overeind. De honden komen met grote sprongen terugrennen van de plek die ze aan het verkennen waren, en verdringen elkaar bij mama's voeten, plotseling speels geworden. Alleen Richard is zich niet bewust van het on-drama dat zich bij de waterkant ontvouwt.

Als een vrouw die hoopt te verdrinken, loopt mama geheel gekleed het stuwmeer in. Ze loopt zachtjes, ze glinstert achter de hittesluier.

'Wat is ze in godsnaam aan het doen?' Papa staat op.

'Mama!' Vanessa begint naar haar toe te rennen.

Mama blijft door het water waden. Haar blouse is naar boven gedreven en ligt uitgespreid op het water, kortstondig blauw en droog, tot het modderige gewicht van het stuwmeer hem naar beneden zuigt. Mama kan zwemmen, zij het niet al te best, maar we weten allemaal dat ze de wilskracht heeft, het loden gewicht van haar hartenleed, om niet te zwemmen als ze ervoor zou kiezen zich door het duistere water te laten opslokken.

Vanessa ploetert onhandig, slowmotion-paniekerig door de modder. 'Mama!' Haar stem wordt vertraagd door de ondoordringbare hitte.

Het water komt inmiddels tot mama's borst. Ze steekt haar arm omhoog, en pas dan valt het me op dat ze een biertje vasthoudt. 'Proost!' schreeuwt ze. Dan: 'Het is niet erg diep.'

'Is het lekker?' schreeuw ik.

'Lekkerder dan erbuiten.'

Vanessa steekt een teen in het water en waadt dan plotseling vastberaden naar mama toe.

'Waarom neem je geen biertje mee het water in, Tim?'

Tegen de tijd dat Richard van zijn boomstam afduikt en naar ons toe zwemt, staan we allemaal tot onze kin in het water van bier te nippen.

'Neem iets te drinken, Richard.'

'De biertjes zijn een beetje warm, vrees ik.'

Mama zegt: 'Er is niets erger dan warm bier,' ze zwijgt even, 'behalve helemaal geen bier.'

En we lachen en lachen. Ik ben verrukkelijk, onbezorgd dronken. Ik gooi mijn lege flesje op de wal en verklaar dat ik van plan ben naar de boomstam te zwemmen. Ik ontdek algauw dat het stuwmeer zo ondiep is dat ik de hele afstand wadend door het tot mijn borst reikende water kan afleggen. De honden zwemmen in cirkels om me heen.

We lunchen in het stuwmeer. Dan maakt papa de wijn open, en we geven de fles door. 'We hebben een tafel nodig,' zegt hij.

'En een dak,' zeg ik.

'Een hut op palen,' zegt Vanessa.

'Een butler,' zegt mama.

Richard glimlacht. 'Dit is erg geciviliseerd,' zegt hij.

'Het leek me het enige zinnige wat je kon doen,' zegt mama.

Als we die avond thuiskomen, onze huid glimmend van de zon, onze ogen prikkend van de weerkaatsing van de zon op het water, komt Richard bij ons eten en wordt mama dronken, maar ze danst niet in haar eentje droevig en rouwend voor het raam. Ze danst met Richard. We rollen het tapijt op, duwen de bank opzij en zetten de 'Ipi Tombi'-plaat op. We dansen allemaal woest de zitkamer op en neer, heupen zijwaarts, heen en weer wiegend, schuifelende voeten, schuddende borsten en borstbenen, zoals we denken dat Zoeloekrijgers dansen. *'Ay ya! Ay ya! Ay-ya, oh in-tompi-um. Ipi in-tombi-um. In-tombi-um!'*

Mama straalt, danst de twist, is weer mooi. Haar gezicht is roze van de zon en de wijn.

Papa zegt lachend: 'Laten we een fééstje bouwen!' op zijn karakteristieke, zangerige manier.

Vanessa probeert blijvende vernedering te vermijden, maar ze danst toch, zich behoedzaam rond mama en Richard bewegend: *'Uh, uh, uh!'*

Ik dans gehurkt met de hond, haar poten in mijn handen. Ze waggelt een paar pasjes in het rond voordat haar poten weer op de grond glijden. 'Kijk Shea eens dansen! Kijk!'

We dansen tot de generator uitgaat. En dan gaan we buiten in ligstoelen onder de zilveren maan Irish coffee zitten drinken. Papa vertelt verhalen over de keer dat hij op een zebra ging jagen en verdwaalde; de keer dat hij door een neushoorn achterna werd gezeten en vier meter naar beneden moest springen, een droge rivierbedding in; de keer dat hij een man belaagd zag worden door wind die over buffelboon had gewaaid.

Buiten het hek kan ik de jakhalzen horen lachen; hun

rappe, hoge stemmen verspreiden zich snel door de ondoordringbare nacht.

Tegen de tijd dat Richard vertrekt is het bijna midder-
nacht en we duiken allemaal ons bed in.

*Papa en president
Banda*

Malawi

Ten noorden van Zimbabwe (maar er niet aan grenzend) ligt een smal reepje land dat voor ruim eenvijfde bestaat uit een meer dat kan bogen op de grootste populatie tropische zoetwatervissen ter wereld. De hooglanden aldaar zijn doorspekt met rivieren en meren waarin vóór de Tweede Wereldoorlog Schotse forellen zijn uitgezet en waarin het nog steeds wemelt van hun nakomelingen. De lucht in Malawi is bijna overal waar je komt zilt en doortrokken van de geur van gerookte vis.

Om in Malawi te komen kunnen we de korte, gevaarlijke weg nemen of de lange, minder gevaarlijke weg. We kunnen ervoor kiezen deze weg te gaan: eerst in westelijke richting bij Chirundu Zimbabwe uit, dan noordwaarts door Zambia via de hachelijke Great East Road naar Chipata en ten slotte Malawi in – een reis van vier of vijf dagen op steeds slechter wordende wegen, maar zonder oorlog en met weinig bandieten op de wegen. We kunnen er ook voor kiezen oostwaarts te rijden door de Tete-corridor in Mozambique zodat we binnen een tijdsbestek van uren – misschien een volle dag – in Malawi zijn.

Onder normale omstandigheden zou de reis door Tete de verstandigste keus zijn. Maar dit is Afrika, dus bijna niets is normaal. Als we door Mozambique gaan, zullen we te kampen krijgen met landmijnen, Renamo-rebellen, bandieten en wegen die zo vergaan zijn dat ze slechter zijn dan de sporen ernaast, gevormd door vrachtwagens en trucks van het leger.

Mijn ouders zijn voor de verandering verstandig. Papa vliegt naar Malawi vanuit Zimbabwe, waarbij zijn vliegtuig (dat de kortste weg neemt) korte tijd ademloos boven de Tete-corridor hangt terwijl de passagiers angstig Carlsberg-lager drinken en uit de raampjes turen. Mozambique glijdt in en dan weer uit zicht; de jaren van wrede oorlog, verbrande dorpen, verkrachte vrouwen, kindsoldaten, afwezigheid van scholen en ziekenhuizen, en ondervoeding als gevolg van de strijd, lijken niet meer dan een tijdelijke inzinking door een op zichzelf staande turbulentie. Het vliegtuig landt in Blantyre – een vreemd Schots aandoende, naar Afrika ruikende stad – en papa wordt op het vliegveld opgewacht door een ongewoon lange, ongewoon donkere Afrikaan, die, zo blijkt, geen Malawiër is, maar uit Zimbabwe komt. Malawiërs hebben over het algemeen een roodachtige gelaatskleur en petieterige, regelmatige trekken. Papa's chauffeur valt op: lang, slank en zwart, als een palmboom in een mopanewoud.

Mama neemt de lange omweg naar Malawi via Zambia, in de landrover, met de honden, de katten en al onze wereldse goederen. Oscar valt ergens bij de rivier de Kafue uit de landrover, en hoewel mama twee dagen lang naar hem roepend langs de rivier loopt, zien we hem niet meer terug. Ten slotte geeft ze wat geld aan een schoolmeester in een nabijgelegen dorp en zegt: 'Als u mijn hond vindt, wilt u dan voor mij op hem passen?'

'Hij heeft waarschijnlijk bier gekocht voor het geld,' zegt papa naderhand.

'Dat weet je niet.'

'Dat hóór je inmiddels te weten.'

Malawi was vroeger het Nyasaland-protectoraat. Als wij in 1982 in het land aankomen wordt het geregeerd door een lilliputterdictator, dr. Hastings Kamuzu Banda. Hij is verschrompeld en heel oud, hoewel niemand mag weten hoe oud hij precies is. Zijn geboortedatum is een officieel staatsgeheim, maar de heersende opinie is dat hij mogelijk op zijn vroegst in 1898 en op zijn laatst in 1906 geboren is. Sommige onvoorzichtige mensen zeggen schertsend, schielijk fluisterend achter hun hand, dat Kamuzu Banda feitelijk dood is. Dat zijn lichaam op een batterij werkt door middel van afstandsbediening. Zij wijzen erop dat hij tenslotte weinig meer doet op het gebied van officiële staatszaken dan met een zebrastaart-vliegenmepper wuiven vanaf de trap die naar zijn privé-vliegtuig of persoonlijke helikopter leidt.

Maar de meeste mensen zorgen ervoor hun mond dicht te houden. Mama zegt: 'Je moet nooit iets minachtends zeggen over de regering of de president.'

'En als we alleen zijn dan?'

Mama zucht, alsof de dichte bevolking van Malawi lucht uit haar longen perst: 'We zijn hier nooit alleen.'

Mensen die het niet eens zijn met Zijne Excellentie, de president-voor-het-leven en 'Baas der Bazen', worden vaak het slachtoffer van auto-ongelukken (hun lichamen mysterieus doorzeefd met kogels); of worden dood in hun bed aangetroffen ten gevolge van een hartaanval (hun lichamen mysterieus doorzeefd met kogels); of worden het slachtoffer van het eten van niet-helemaal-verse zeevis (hun lichamen mysterieus doorzeefd met kogels).

Opstanden onder leiding van Chipembere en Yatuta Chisiza worden in 1964 en 1966 neergeslagen. Chipembere sterft in ballingschap in de Verenigde Staten.

Dick Matenje (Banda's vermoedelijke opvolger) sterft in 1983 onder mysterieuze omstandigheden.

Orton en Vera Chirwa krijgen levenslang voor het protesteren tegen een paar beleidsmaatregelen van Banda. Orton wordt vrijgelaten, maar wordt later in Zambia ontvoerd.

Dr. Attati Mpakati, leider van het Socialistische Verbond van Malawi, wordt in 1983 in Zimbabwe vermoord.

Dr. Hastings Kamuzu Banda is niet alleen president-voor-het-leven. Hij is ook minister van Buitenlandse Zaken, minister van Werk en Voedselvoorziening, minister van Justitie en minister van Landbouw. De luchthaven, de meeste grote wegen en openbare gebouwen, scholen en ziekenhuizen zijn vernoemd naar de president. Langs bijna alle hoofdwegen staan tientallen billboards met een foto van de president-voor-het-leven. Veel vrouwen dragen felgekleurde *chitenges* van stof om hun middel – als rokken – met een foto van Banda erop, een jongere Banda, wiens gezicht op ronde konten en opzwellende buiken glimt. Baby's hangen in *chitenge*-draagdoeken die zijn versierd met het gezicht van de president, hun kleine gezichtjes uitpiepend boven de vreedzame, milde blik van de afbeelding van hun Grote Leider.

Wanneer we naar Malawi verhuizen, behoren de mensen in dit smalle strookje land tot degenen met het laagste inkomen per hoofd van de bevolking ter wereld. Hun aantal stijgt naarmate er meer vluchtelingen uit Mozambique over de grenzen binnenstromen om de schijnbaar eindeloze burgeroorlog van dat land te ontvluchten.

Via wegen die de pick-up van de ene naar de andere kant slingeren als betrof het een kleine boot, verhuizen wij naar een tabaksboerderij aan de oever van het Chilwameer, niet ver van het Malawimeer en de rivier de Shire, en ook niet ver van Mozambique. De boerderij, Mgodi (wat 'Het Gat' betekent), is een van de vele die het eigendom zijn van Zijne Excellentie de president-voor-het-leven. Het zou een glanzend voorbeeld moeten zijn van wat er kan gebeuren wanneer het de president behaagt zijn volk te helpen. Wanneer wij arriveren is het landgoed één grote puinhoop; overwoekerd door onkruid, corruptie, dieven, dreigende Grote Mannen, bevende Kleine Mannen, instortende werkplaatsen en uit elkaar vallende wegen. De hele boerderij siddert onder een verkruimelende infrastructuur. Het is een kleinere, besloten versie van de Malawische regering als geheel.

Er zijn duizend pachtboeren die ieder een halve hectare land huren waarop ze burleytabak moeten verbouwen die ze terug zullen verkopen aan het landgoed. Ze zijn ook verplicht op een afzonderlijke halve hectare land lapjes grond te gebruiken voor het verbouwen van maïs en groenten om zichzelf en hun gezinnen te voeden.

Naar de maatstaven van dit piepkleine, streng gecontroleerde, dichtbevolkte land is onze boerderij afgelegen. Het is ten minste een uur rijden naar Zomba, de dichtstbijzijnde stad. Zomba is gebouwd aan de rand van een spectaculair plateau waarop de president-voor-het-leven voor zichzelf een klein paleis heeft gebouwd (één van de vele verspreid over het land) en dat een plotse klimaatsverandering biedt. Het plateau, waarvan we de top bereiken door een weg op te kronkelen die je alleen in opwaartse richting mag berijden (om te vermijden dat bestuurders zonder rijbewijs illegaal naar beneden denderen), is beplant met verse, zoetruikende pijn- en dennenbomen. De grond daar is zacht en mossig, de lucht ijl en koel, en verfrissend door een bijna permanente veeg mist. De stuwmeren en stromen zitten boordevol forel, de wegen boven op het plateau zijn harde, rode, glibberige kleiwegen die tijdens de regenperiodes zo glad worden dat onze zware truck er slingerend vanaf glijdt, de greppel in. Als we vanaf het plateau de weg naar beneden afgaan, wordt de lucht steeds dikker totdat we, tegen de tijd dat we de stad bereiken, het tonicum van de top van het plateau, de koele, troostrijke, mossige stilte die daar heerst, bijna vergeten zijn.

Zomba heeft weinig aanbevelenswaardigs, en het enige waarin het zich onderscheidt van vele andere soortgelijke Afrikaanse steden, is het gesticht in de hoofdstraat. Voor de vluchtige toeschouwer wordt Zomba voornamelijk bevolkt door geesteszieke Malawiërs, uit het gesticht ontsnapte patiënten die door de bescheiden stad rennen in klein uitgevallen roze-, blauw- en witgestreepte pyjama's.

Vanessa is inmiddels zestien en gaat naar een co-educatieve school in Blantyre waar het accent ligt op een vrolijke leeratmosfeer en waar de studenten aangemoedigd worden zich artistiek uit te drukken. Ik ben dertien en zit op de Arundel Middelbare School te Harare in Zimbabwe, waar van de studenten wordt verwacht dat ze zich in het geheel niet uitdrukken. Het is een uiterst competitieve privé-meisjesschool waar het accent ligt op een streng academisch programma en waar er van ons wordt verwacht dat we voor moeilijke examens slagen die uit Cambridge in Engeland worden toegestuurd.

Op onze school kunnen we niet bellen of gebeld worden behalve om tien uur op zaterdagochtend. Dan worden onze gesprekken afgeluisterd door een toezichthoudster en mogen we maar vijf minuten praten. Onze brieven die de school uitgaan, worden regelmatig gecensureerd. Onze brieven die de school binnenkomen zijn altijd onderworpen aan censuur. We mogen alleen bezoekers ontvangen die goedgekeurd zijn door de autoriteiten en die op een hoofdlijst voorkomen, en dan nog alleen tussen drie en vijf op zondagmiddagen. We moeten tweemaal per dag een kerkdienst bijwonen. Het dankgebed voor de maaltijd wordt in het Latijn opgezegd.

We mogen onze uniformen niet langer dan tweeënhalve centimeter onder de knie en niet korter dan tweeënhalve centimeter boven de knie dragen, gemeten bij een geknielde houding; we zijn verplicht de hele dag een uniform van enigerlei soort te dragen (er is een schooluniform, een zondags uniform en een activiteitenuniform), behalve gedurende enkele uren tussen badtijd en het moment dat de lichten uitgaan, wanneer we (sowieso) opgesloten zitten in een klaslokaal om ons huiswerk te doen. We moeten ons haar opsteken wanneer het onze kraag raakt. We moeten hooggetailleerde, langpijpige, dikke, bruine nylon onderbroeken dragen. We mogen niet praten nadat de lichten uitgegaan zijn of voordat om zes uur de bel rinkelt om ons te wekken. We moeten mensen die ouder zijn dan wij, leraren en bezoekers laten voorgaan.

We krijgen paklijsten uitgereikt. We moeten alles meebrengen (maar mogen niet meer meebrengen dan) wat er op de lijst staat. Drie schooluniformen, drie stellen burgerkleding, vijf onderbroeken, een zondagse jurk, twee paar Clark-veterschoenen, voor veel geld gekocht bij de dame op leeftijd (die mij vooroorlogs voorkomt, waarmee ik bedoel voor-*Chimurenga*) met schilferende, rozegepoederde wangen en een felblonde suikerspin in de schoenwinkel op de derde verdieping van Meikles in Harare. Nadat we de schoenen hebben gekocht, trakteert mama me op thee met scones, maar ik ben nauwelijks in staat te slikken bij het misselijkmakende vooruitzicht van school. En mama heeft ook een droge mond gekregen bij de gedachte aan al het geld dat we niet hebben, maar dat ze daarnet heeft uitgegeven.

In onze slaapzalen mogen we maar drie posters aan de muur hebben en vijf dingen op onze toilettafels. We mogen ons haar alleen zaterdagsochtends wassen. We mogen niet tv-kijken of naar de radio luisteren, op enkele uren in de weekends na. Als we betrapt worden op roken of drinken, of als we de orde verstoren, worden we van school verwijderd.

Op een avond, voordat de lichten uitgingen, verspreidde zich een gerucht door de kosthuizen (de gazons overspringend van huis naar huis) dat twee tienerjongens over het veiligheidshek waren geklommen en vrij rondliepen op het terrein van de Arundel Middelbare School. Alle kosthuizen werden onmiddellijk afgesloten, met ons erin, er werd appèl gehouden en we kregen de opdracht de lichten uit te doen en ons in het donker uit te kleden (zodat de bewuste jongens ons niet zouden zien terwijl we onze pyjama's aantrokken). Hysterie sloeg over van slaapkamertje naar slaapkamertje, van slaapzaal naar slaapzaal. Verscheidene meisjes gooiden hun ondergoed en bh's uit het raam. Eén meisje barstte in tranen uit en het gerucht ging dat een ander meisje daadwerkelijk flauwviel van opwinding.

Aan het eind van het schooljaar vlieg ik van Zimbabwe naar Kamuzu International Airport.

Ik word verwelkomd door een spervuur van borden.

Ik mag geen foto's nemen van officiële gebouwen. Doe ik dat wel, dan is mijn arrestatie het gevolg.

Als ik een man ben, mag mijn haar niet over mijn kraag vallen. Mijn haar zal worden afgeknipt als het te lang is.

Als ik een vrouw ben, mag ik geen short, broek of rok dragen die de knieën bloot laat. Doe ik dat wel, dan is mijn arrestatie het gevolg.

Ik mag geen pornografie in het land invoeren. Doe ik dat wel, dan is mijn arrestatie het gevolg.

(De pornografiewetten zijn zo strikt dat zelfs de uit Zuid-Afrika geïmporteerde dozen met gezouten crackers worden gecensureerd. De welgevormde benen van de in bikini geklede vrouw op de doos met crackers zijn tot de knie zwart gemaakt met de markeerstift van een pornografieambtenaar.)

Ik mag geen drugs in het land invoeren. Doe ik dat wel, dan is mijn dood het gevolg.

Wanneer ik uit het vliegtuig stap, word ik verwelkomd door een klein leger van immigratiebeambten. Ik tuur over hun schouders om te zien of ik in het laatste gebouw kan kijken, maar er lijkt geen eind te komen aan de aankomstprocedures. Er zijn eindeloze rijen van beambten en achter hen hangen foto's op posterformaat van de kleine dictator wiens huid, zie ik, glanzend is als mahonie. Zijn foto is geretoucheerd tot een eeuwige, strak glimlachende jeugd. Gewapende bewakers staan bij een indrukwekkende houten ingang, het zicht voorbij de posters benemend.

Mijn schoolkoffer word op een tafel gezet. Ik word bevolen hem open te maken.

Drie douanebeambten storten zich op mijn bescheiden stapel bezittingen.

'Hebt u pornografisch materiaal?' vraagt een beambte. Hij zwaait met zijn geweer achteloos naar mijn hartstreek.

'Nee.'

Mijn schoolboeken worden opgediept, geopend, onderzocht. Bladzijden met biologie, wiskunde, scheikunde, Latijn en Frans worden zorgvuldig doorgenomen tot de beambte met een uitdrukking van weerzin op me afkomt en vraagt: 'Hebt u drugs?'

'Nee.'

De beambten vinden mijn doos tampons, openen de doos, wikkelen een paar tampons los en turen in de hulzen alsof het caleidoscopen zijn.

Ik kijk om me heen en hoop dat niemand naar me kijkt. Ik voel mijn gezicht gloeien. Maar bij iedereen worden de eigendommen op precies dezelfde manier bevoeld. Ik kan de oudgedienden van de nieuwelingen onderscheiden.

Terwijl de nieuwelingen blozen, zweten en zo nu en dan tegen hun behandeling protesteren, zijn de oudgedienden ontspannen. Ze kletsen tegen elkaar, roken sigaretten, negeren de beambten, zwaaien naar elkaar: 'Waar ben jij geweest?', 'Hoe was jouw reis?', 'Kom je straks een biertje met ons drinken?'

'Hebt u buitenlands geld?' Mijn *brookies* en sportbeha, op een gênante manier niet kinderlijk maar ook niet helemaal volwassen, worden tevoorschijn gehaald en uitgeschud, alsof er geld uit hun plooien zou kunnen vallen.

'Nee.'

De beambten fronsen argwanend hun wenkbrauwen: 'Hoe wilt u dan rondkomen in ons land?'

'Mijn vader en moeder,' zeg ik, terwijl mijn stem hees wordt van de bijna-tranen.

Ik storm ademloos de dampende, vochtige lucht van de luchthaven binnen, waar mama, papa en Vanessa zich zijn gaan vervelen, wachtend tot ik op zou duiken. Mama zit te lezen, Vanessa is naar buiten gedwaald en doet een handstand op een lapje gras bij een bed met felgekleurde cannalelies, papa zit te roken en naar het plafond te staren.

Onze brieven worden gecensureerd, knullig opengescheurd en gelezen door de vet-vingerige immigratiebeambten bij het postkantoor, zodat ze tegen de tijd dat we ze krijgen vol vlekken, vingerafdrukken en kreukels zitten en ze naar gebakken vis, cola met broodjes, en chips (het kantoorvoedsel van Afrika) ruiken. We mogen alleen opbellen als de telefonist in Liwonde dienst heeft zodat onze telefoongesprekken afgeluisterd kunnen worden. Als de telefonist de rest van de dag vrij neemt, thuiszit met malaria of een begrafenis bijwoont, kunnen we niet opbellen.

Ik kan me niet herinneren dat iemand in dat huis een telefoontje pleegde of ontving. De telefonist van Liwonde en zijn gezin moeten wel een akelig slechte gezondheid hebben gehad.

Slagerij

Voeling met het land

Mgodi Estate is gebouwd op zacht glooiende zandgrond die wegsijpelt naar de horizon waar een geelwordende nevel boven het Chilwameer (niet zozeer een meer als wel een moeras waar muskieten broeden) het einde van de boerderij aangeeft en het begin van het gebied van de vissers met hun boomstamkano's en hun lage, rokende vuren, waarboven ze van ingewanden ontdane vissenlijven hebben gespannen (dun uitgerekt, als grote, onregelmatig gevormde eetborden). Zodra onze tuin ophoudt (die mama onmiddellijk met een grashek omsluit), beginnen de vissenlijven, die zich naar alle kanten uitstrekken, zo ver het oog reikt. Waar we ook rijden in Malawi, overal zijn talloze mensen bezig met het creëren van voedsel, of ze nu met schoffels in de rode aarde schrapen, zaaien, of de meren uitkammen op zoek naar vis. Het lijkt onvoorstelbaar dat er voldoende lucht is voor al die opgeheven monden. Wanneer het regent, bloedt het land rood en wordt het uitgehold, wankelend en glijdend onder het gewicht van al die wrikkende, ontginnende vingers.

269

Ons huis is groot, luchtig, goed ontworpen en koel, met een valse Spaanse allure die alleen bij vluchtige bestudering overeind blijft. Het huis wordt omgeven door bogen en een met muskietengaas afgeschermde veranda; verder bevat het een grote zitkamer, een eetkamer, een gang waar drie slaapkamers en (een ongehoorde luxe!) twee badkamers op uitkomen. De keuken, die gedomineerd wordt door een massief houtfornuis en een diepe gootsteen, is ondergebracht in een kleine cementen hut achter het huis, waar de hitte en rook kunnen worden ingesloten. Onze kok is een vriendelijke, eenzelvige, vaderlijke moslim genaamd Doud, wiens zorgvuldige ritme van bidden, koken en schoonmaken als balsem uit zijn kleine inferno achter de eetkamer spoelt en ons huis golfsgewijs met kalmte vult. De vloeren zijn bedekt met glanzend, op sommige plekken loslatend linoleum. De op de boerderij gemaakte deuren en kasten zijn door de vochtigheid uitgezet en moeten met geweld in het slot worden geduwd. Termieten en hagedissen hebben zich op de muren gevestigd.

De grote tuin staat vol met mangobomen en is een vrijplaats voor vogels, slangen en de enorme zwartgele, één tot twee meter lange varanen en hun minder kleurrijke verwanten, de leguanen. Achter het huis liggen een zwembad en een visvijver, maar deze watermassa's zijn een hardnekkige, schuimende, ziedende algentroep waarin varanen drijven, hun grote lijven in het water verborgen onder hun kleine gezichten, en waarin onthutsende hoeveelheden schorpioenen en kikkers huizen. In de duistere visvijver zweeft nog wel hier en daar een goudvis, van vorige beheerders, maar de varanen en de visvogels zorgen er samen voor dat ze maandelijks in aantal afnemen.

's Ochtends – wanneer de zon net de einder begint te betasten – loopt papa met grote stappen de gang door en beukt eerst op mijn deur: 'Opstaan!' en dan op die van Vanessa, op weg naar de veranda waar Doud thee en verse biscuits op een dienblad heeft klaargezet. Vanessa en ik hebben elk twee bedden op onze kamer. Vanessa heeft de matras van haar logeerbed gehaald en hem tegen haar deur gezet om papa's vroege wekroep te dempen en ervoor te zorgen dat hij, wanneer ze niet voor de thee verschijnt, haar kamer niet kan binnenstormen om op een sergeant-majoortoon te bulderen: 'Kom op, opstaan. Wat mankeert je? Prachtige dag!'

Mama en ik werken allebei op de boerderij. Mama loopt tijdens het oogstseizoen naar de sorteerschuur (een massief, hangarachtig gebouw, waar alle tabak van de boerderij is ondergebracht), of wordt tijdens het plantseizoen naar de kas gereden waar de tabakszaailingen zich moeizaam handhaven in de hitte.

Er is mama een motor verstrekt, maar nadat haar eerste les in een bloembed is geëindigd (met een vernederende explosie van veren van een verrast parelhoen), doet ze de motor aan mij over en verlaat ze zich op mij om haar naar de tabakszaailingen te rijden, of begeeft ze zich er lopend naartoe, waarbij de honden in haar kielzog uitwaaieren en een verwoestend, kipdodend spoor achterlaten. Er komen voortdurend Malawiërs langs met bebloed pluimvee om 'vergoeding voor kippendood' te vragen. We beginnen te vermoeden dat zelfs mama's onhandelbare honden onmogelijk de energie kunnen hebben (in de drukkende, moerasachtige hitte die bijna permanent boven de boerderij hing) om zo'n groot aantal kippen en eenden te doden in zo'n uitgestrekt, gevarieerd gebied (en allemaal blijkbaar binnen een uur of twee). Maar we komen altijd over de brug.

Er is voortdurend een onuitgesproken spanning voelbaar, die uitdrukking geeft aan de superioriteit van de Malawiërs boven alle andere rassen in het land. Zelfs Europeanen die al generaties lang in Malawi wonen en een Malawisch paspoort hebben, worden voortdurend gewaarschuwd. Een klacht van een ontevreden arbeider kan tot gevolg hebben dat een buitenlander (of deze nu staatsburger is of niet) voorgoed het land wordt uitgezet.

Aan de rand van de boerderij, waar de weg grenst aan het begin van de vissersdorpen, en overal elders in het land zie je de uitdrukkingsloze gezichten van de zorgvuldig vormgegeven voorgevels van verlaten Indiase winkels, waarvan de eigenaren zonder pardon als onpopulaire, buitenlandse geldwolven uit het land zijn verdreven. De winkels zijn aan Malawiërs overgedragen, die algauw geen trek meer hebben in de lange werkdagen en het zorgvuldige toezicht dat nodig is om je brood te verdienen met het verkopen van kleine rollen stof en sigaretten en snoepjes per stuk aan een verarmde bevolking. Nu liggen de raamloze winkels te bakken in de zon, terwijl hun ooit fleurig geschilderde muren verbleken, hun vloeren bezaaid liggen met de uitwerpselen van pluimvee en vogels, hun dakspanten volhangen met vleermuizen en vergeven zijn van korstachtig-rode termietengangen.

Ik rijd vaak op de motor naar deze verlaten winkels die zo vervuld zijn van geesten, oude dromen en een verloren gegane tijd. Soms zie ik kippen rondscharrelen op de gebarsten betonvloeren waar ooit een kleermaker zwoegend repen felgekleurde stof door zijn vingers liet glijden op het ritme van een Singer-trapnaaimachine. Dichter dan dat kom ik niet bij het moeras. Hiervandaan zie ik soms tot op het middel naakte mannen, hun ruggen zilverglanzend van het zweet, bezig met het voorttrekken van boomstamkano's (die steeds verder van het meer worden gemaakt naarmate de wouden in het kielzog van vele nijvere bijlen veranderen in gebieden die bezaaid zijn met boomstronken en struikgewas) naar het meer. De mannen zingen onder het voorttrekken van de vaartuigen; hun gezang is ritmisch en hypnotiserend, als een mantra.

Maar meestal heb ik geen tijd om helemaal naar het begin van het moeras te rijden. Ik moet werken. Papa zegt: 'Je mag alleen een vervoermiddel hebben als je het gebruikt voor boerderijzaken.'

Ik ga 's ochtends na de thee het huis uit, kom terug voor de lunch en ga daarna weer weg tot het avondeten. Mijn armen en benen worden gespierd en bruin terwijl ik de Honda door het zware zand manoeuvreer (dat snel in onbegaanbare modder verandert tijdens de plotselinge, hevige stortbuien die over de boerderij razen). Ik rijd over de lanen tussen de duizend percelen waaruit Mgodi Estate bestaat. Ik moet me ervan vergewissen of de tabak met de juiste tussenruimten is geplant, of het gewas wordt gewied, of de planten worden getopt en op de juiste manier geoogst.

Het is ver na lunchtijd en ik heb sinds halverwege de ochtend vastgezeten op het noordelijke deel van het landgoed, waar ik bezig ben geweest om de Honda uit een verlaten put te krijgen waarin ik terecht was gekomen terwijl ik de vlucht van een visarend volgde. Nu haast ik me over de lanen, waarbij ik deels de tabaksplanten, deels de weg in de gaten houd, waar kippen, kinderen en honden in de schaduw van strooien schuren en lemen hutten zijn neergestreken. Plotseling rent er een kind met uitgestrekte armen lachend-huilend een hut uit terwijl hij over zijn schouder naar zijn moeder kijkt, die net op tijd verschijnt om te zien hoe hij van opzij tegen de motor botst. Ik beland languit op de grond, waarbij er prikkend zand in mijn ogen en gezicht gejaagd wordt door de ronddraaiende wielen van de motor, totdat deze afslaat. In de plotse, nagalmende stilte krabbel ik zand uitspugend en in mijn ogen wrijvend overeind. Ik ben duizelig van angst, maar het kind staat nog en is ongedeerd. Hij kijkt me verbaasd aan, zijn armen nog steeds uitgestrekt. Zijn gezicht beeft, zijn lippen trillen en dan begint hij te huilen. Zijn moeder duikt op ons af en neemt haar zoon in haar armen. Ze schuift een kleinere draagdoek met baby, een stille bult in een felgekleurde hangmat van stof, onder haar arm om plaats te maken voor het grotere kind. De baby maakt een mekkerend geluid en is dan weer stil.

Ik sta op en trek de motor overeind. 'Alles goed met u?'

Ze haalt haar schouders op en glimlacht. Het jongetje nestelt zich in de zachte plooi van haar nek en komt steeds zachter snikkend tot bedaren.

'*Pepani, pepani*. Het spijt me vreselijk,' zeg ik. 'Ik zag hem niet. Is hij ongedeerd?'

De vrouw haalt opnieuw glimlachend haar schouders op en het dringt tot me door dat ze geen Engels spreekt. Ik heb maar een paar woorden Nyanja geleerd, die geen van alle ('Dank u.' 'Hoe gaat het met u?' 'Met mij gaat het goed.' 'Hoe heet uw vader?') toepasselijk lijken voor de hachelijke situatie waarin ik me op dit moment bevind.

Ik leg mijn rechterhand op mijn hart en maak op de traditionele manier een revérence, rechterknie achter linkerknie, om mijn verontschuldiging kracht bij te zetten. De vrouw ziet er ongemakkelijk uit, aait bijna reflexmatig het hoofdje van haar jonge zoon en werpt, alsof ze om hulp vraagt, een blik in de schaduw onder de tabaksoogst die in een lange, lage schuur naast haar hut te drogen hangt.

'Het geeft niet, mevrouw,' zegt een zachte mannenstem vanuit de schaduw. Ik houd mijn hand boven mijn ogen tegen de verblindende, blekende zon. Daar, onder de koele, vochtige bladeren, zie ik een vrijwel naakte man op een rieten mat liggen met een jongen van twaalf of dertien, ook schaars gekleed, aan zijn zijde. Even ben ik te verbaasd om te antwoorden. De man, klaarblijkelijk de vader van de kleuter met wie ik zojuist in botsing ben gekomen, verheft zich steunend op een elleboog en wrijft met de dikke vingers van één hand over zijn blote, licht glanzende sleutelbeen. De jongen aan zijn zijde beweegt zich, rolt naar de oudere man toe en slaat een arm om diens nek, zijn gezicht vertrokken in een grimas die half glimlach, half geeuw is. De korte broek van de jongen is doorgesleten bij het kruis en zijn lid ligt bloot, slap en lang tegen zijn dij.

De man begint de arm van de jongen zachtjes te strelen, bijna verstrooid, alsof de arm die om zijn nek ligt een tamme slang is. Ik ben me er plotseling van bewust hoe fluisterstil de hete middag is; het zachte gezoem van insecten, het geknetter van hitte uit het drogende strooien dak dat de schuur en het huis bedekt, de verre roep van een jonge haan die zijn keel schraapt om aan te kondigen dat het halverwege de middag is, tijd om het werk te hervatten. Mijn maag knort, leeg-bijtend. Ik voel de zon op mijn nek branden, mijn ogen prikken, mijn spieren doen zeer. Ik trek de motor omhoog en wanneer ik erop wil stappen, maakt de man zich plotseling los van de mat, het kind nog steeds aan zijn nek.

De man glimlacht. Ik zie nu dat de vader veel ouder is dan ik aanvankelijk dacht. Ik zie ook dat de jongen die aan zijn nek hangt gehandicapt is; hij is een combinatie van hulpeloosheid (zijn armen en benen zijn zo dun als botten en verstoken van spieren) en onbeheersbare, rigide spasmen die hem naar achteren werpen, tegen de zacht beteugelende, om hem heen geslagen armen van zijn vader. Zijn hoofd rolt heen en weer, zijn mond is zijwaarts opengezakt en er hangt speeksel aan zijn kin. Hij maakt zachte puppygeluidjes. Ik heb nog nooit zoiets gezien: een Afrikaans kind in zo'n toestand. Het dringt in één klap tot me door dat de meeste kinderen als deze jongen waarschijnlijk mogen sterven, of dat ze de omstandigheden waarin ze geboren worden niet kunnen overleven.

De man zegt: 'Alles goed met u?'

Ik knik. 'Ja, dank u.'

Hij fronst en wijst met de palm van zijn hand die ook het hoofd van zijn zoon ondersteunt naar de zon. 'U bent nu buiten? In deze hete zon? U kunt aan de zon zien dat het tijd is om te rusten.'

Ik knik weer. 'Ik zat vast.' Ik wijs op de motor. 'Ik ben in een put gevallen.'

'Ah,' de man lacht. 'Ja, dat is moeilijk.'

'Het spijt me,' zeg ik, op de kleuter doelend, en ben dan in verlegenheid omdat de man misschien denkt dat ik me verontschuldig voor zijn oudere, gehandicapte kind. Ik voeg er snel aan toe: 'Ik zag uw baby niet.'

'Baby?'

'Uw zoontje.'

'Ah, ja. Ik begrijp het. We hebben ook een baby, ziet u.'

'Ja. Groot gezin,' zeg ik tegen hem.

'*Lowani*,' zegt de man plotseling.

Ik grijns en knipper met mijn ogen. 'Wat zegt u? Ik spreek geen Nyanja,' zeg ik tegen hem.

'Kom binnen,' zegt de man in het Engels. Hij zegt snel iets tegen zijn vrouw in het Nyanja en ze verdwijnt in de hut. 'Alstublieft, we hebben wat te eten. U moet hier lunchen.'

Ik aarzel, in tweestrijd tussen leugens ('Ik heb al gegeten,'; 'Ze zitten thuis op me te wachten,') en de neiging om deze man te behagen, om de verstoring en het ongeval goed te maken. Ik knik en glimlach: 'Dank u. Ik heb honger.'

En zo komt het dat ik al bijna veertien ben wanneer ik voor het eerst officieel in het huis van een zwarte Afrikaan genodigd word om deel te nemen aan de maaltijd. Dit is niet hetzelfde als onaangekondigd in Afrikaanse huizen komen, wat ik al vele malen heb gedaan. Toen ik veel jonger was, at ik vaak bij mijn geërgerde kinderjuffen in het arbeidersdorp (voortdurend hongerig en altijd veeleisend), en soms was ik samen met mijn moeder de arbeidershutten binnengegaan als ze iemand verzorgde die te ziek was om naar het huis te komen om zich te laten behandelen. Ik had op de plekken waar we hadden gewoond te paard en op de fiets en de motor door de arbeidersdorpen gereden, gretig de glimpen van het leven indrinkend die me werden onthuld voordat deuren snel werden gesloten, kinderen achter rokken werden verborgen, intimiteit door lappen stof werd verzwolgen.

Ik ben me plotseling bewust van mijn manieren, van mijn smerige, met olievlekken en stof bedekte rok, van mijn vieze handen. Ik duw mijn vieze vingernagels in mijn handpalmen en duik vanuit de hitte de zachte, donkere, naar oude rook ruikende hut in. Ik knipper een paar tellen met mijn ogen in het plotselinge schemerlicht totdat er in de grijsheid contouren opdoemen die de vorm aannemen van vier kleine krukjes, neergehurkt rond een zwarte pot op een krans van stenen. De vloer bestaat uit fijne stuifaarde, eindeloos geveegd tot een bleek poeder. De vader wijst op ecn krukje. '*Khalani pansi*,' zegt de man. 'Gaat u daar maar zitten, alstublieft.'

Ik ga op het gladgesleten krukje zitten, mijn knieën opgetrokken tot boven mijn heupen.

De vader hurkt aan de andere kant van de hut neer en schreeuwt een bevel, zijn stemgeluid over mij heen de hete middag in werpend. Hij heeft het gehandicapte kind op zijn knie, hem zowel balancerend als ondersteunend, één elleboog gekromd om het hoofd van de jongen op te vangen als dat plotseling achterover zou slingeren. De jongen lijkt naar de zwevende, zilveren stofdeeltjes te grijpen die zich in de fijne zwaarden van zonlicht verdringen die door het slijtende, grijze strodak van de hut snijden. De moeder staat over het vuur gebogen. Ze buigt in de taille, gracieus en soepel. Haar baby zuigt aan een bloothangende borst. De vrouw stampt in de pan op de stenen waar hete *nshima* staat te borrelen en te stomen en onder het koken boertjes van hete adem laat. Een kleinere pan brengt een vurig gehijg van vette vis voort.

Een kind komt de hut binnen, wankelend onder het klotsende gewicht van een kom water die ze, duidelijk met moeite, op haar hoofd in evenwicht houdt. Ze staat stil als ze mij ziet en het lijkt erop alsof ze haar last op de grond zal laten vallen en de benen zal nemen.

De vader lacht en wijst op mij.

Het meisje aarzelt. De vader moedigt haar aan.

Het meisje haalt de kom van haar hoofd en houdt hem voor me op. Ik begrijp dat ik mijn handen moet wassen. Ik spoel mijn handen af in het water, schud de druppels uit bij mijn voeten en glimlach naar het meisje, maar ze blijft daar staan, terwijl de spieren in haar magere, knobbelige armen verspringen onder de druk. Water en zweet hebben zich op haar gezicht vermengd. Grote druppels trillen aan haar wenkbrauw en dreigen er elk moment af te vallen.

'Dank je,' zeg ik opnieuw glimlachend.

De hele familie slaat me gade. '*Zikomo kwambiri*,' probeer ik terwijl ik in het algemeen naar iedereen glimlach, omdat ik niet weet wat ik anders moet doen. De geur van het eten en de hitte die onder het koken vrijkomt, doen me zweten. Ik wijs op het meisje. 'Ook een dochter van u?'

De vader straalt en knikt.

'Hoe oud?'

Hij vertelt het me.

De moeder overhandigt me een bord (geëmailleerd maar roestig aan de randen). Ze schept eten op.

'Dank u,' zeg ik wanneer het bord maar net bedekt is, en ik gebaar dat het voldoende is en duik half weg met het bord, buiten haar bereik.

Haar grote lepel zweeft tussen de pan en mijn bord.

'Nee, echt,' zeg ik, 'ik heb laat ontbeten.'

De moeder werpt een blik op haar man. Hij geeft een nauwelijks merkbaar knikje en ze laat haar lepel terugvallen in de pot. Zorgvuldig bedekt ze het overgebleven voedsel.

'Gaat er niemand anders eten?'

De vader schudt zijn hoofd. 'Nee, alstublieft... Dank u.'

De *nshima* wordt omgeven door een grijze zee van barbeel en olie. 'Het ruikt erg lekker.'

De kinderen slaan me hongerig gade. De gehandicapte jongen heeft het gegraai naar stof-elfjes gestaakt en staart me aan. Een trillende, nerveuze speekseldraad loopt vanuit zijn mondhoek naar zijn kin. De kleuter is gaan huilen, zwakjes, klagend als een geitje. De moeder aait het jongetje afwezig, zoogt de baby en staart me al wiegend aan. De vader slikt. 'Eet,' zegt hij. Hij klinkt wanhopig. Ik besef dat mijn toeschouwers zich alleen door een uiterste wilsinspanning niet dol van de honger op het voedsel op mijn bord storten.

'Het ziet er heerlijk uit.'

Ik maak een bal van *nshima* in mijn vuist, zoals ik het als klein kind van mijn kinderjuffen heb geleerd. Ik duw mijn duim in de bal, diep genoeg om een kuiltje te maken in de dikke, hete, gele pap. In het kuiltje schep ik, als op een lepel, een mondvol van de visstoofpot.

Bijna voordat mijn mond zich rond het voedsel kan sluiten biedt het jonge meisje (dat niet van mijn zijde is geweken en wier armen zich nog steeds om de kom klemmen) me water aan, en ik begrijp dat ik mijn handen weer moet wassen. Dit patroon wordt telkens herhaald wanneer ik mijn vingers in mijn voedsel doop. Ik ben me bewust van de adembenemende krachtsinspanning van het kleine meisje om de kom vast te houden, en van de kreunende, soms hoorbaar knagende honger die door de hut rimpelt. Naar het voedsel, dat scherp en vet is in mijn mond, is door iedereen behalve mij gretig uitgekeken. Ik weet dat ik een deel van een maaltijd eet die bedoeld is voor (ik kijk op) vijf magen.

Er zitten graten in de vis die ik naar de voorkant van mijn mond probeer te manoeuvreren. Ik spuug de graten in mijn hand en veeg ze zorgvuldig op de zijkant van het bord. Ik staar naar het voedsel. Een vissenoog staart dreigend terug vanuit de vette jusplas. Ik heb een lange maaltijd voor de boeg.

Het is tegen het eind van de middag wanneer ik achterwaarts de hut uitzweef, terug in de milder wordende hitte van een geel kleurende middag, waar het licht van de hete zon wordt opgezogen en verstrooid door vele rokende vuren waarboven vis te drogen hangt bij de oever van het Chilwameer. Ik leg mijn hand op mijn hartstreek en buig met neergeslagen ogen mijn ene knie achter de andere: 'Hartelijk dank,' zeg ik, '*zikomo kwambiri. Zikomo, zikomo.*'

De familie kijkt toe terwijl ik de motor tot leven trap. Ik wuif en rijd langzaam de laan met pachtershuizen op die me niet langer voorkomen als een rij anonieme, homogene, aan de voorkant met gras bedekte, modderstijve huizen.

Die avond keer ik met een flink deel van de toch al magere inhoud van mijn kleerkast terug naar de hut. Er hangen plastic boodschappentassen aan het stuur van mijn motor waarin ik korte broeken heb gestopt, t-shirts, rokken, een jurk, een paar schoenen (versleten bij de neus) en wat speelgoed en boeken die ik ben ontgroeid. Mama heeft me verhinderd handdoeken en dekens mee te nemen. 'We hebben maar nauwelijks genoeg voor onzelf,' zei ze tegen me. Maar ons namaak-Spaanse huis met zijn gepleisterde muren en langgerekte stukken koel linoleum en zijn reusachtige veranda en ruime tuin leek plotseling, op een afmattende manier, te veel van het goede.

Mama schudt haar hoofd. Ze zegt: 'Ik weet het, Bobo.'

'Maar het is zo akelig.'

'Het zal niet verdwijnen.' Ze kijkt toe hoe ik plastic zakken volprop met kleren. 'Je kunt het niet laten verdwijnen.'

Ik snuf.

'Het was er al voordat het jou opviel.'

'Dat weet ik, maar...'

Ze staat met een zucht op, stoft haar knieën af. Ze zegt: 'En het zal er zijn nadat jij vertrokken bent.'

'Dat weet ik, maar...'

Mama glimlacht zuur. Het is dezelfde wezenloze, zure, schaapachtige blik die ze op me wierp toen ik een paar maanden daarvoor naar haar toe was gegaan en had gefluisterd dat *het* gekomen was. Er waren een pak watten met lusjes eraan (bedekt met kaasdoek), compleet met een dunne, buik-snijdende maandverbandgordel, en een doos tampons in mijn kleerkast verschenen. En na dat en dit voorval gaat ze een beetje anders met me om. Ze laat me nu een heel glas zuiver bier drinken, in plaats van een mengeling van limonade en bier. Ze doet net of ze het niet ziet wanneer ik gejatte sigaretten begin te roken. Ze lijkt me wat meer de ruimte te geven. En ze zegt tegen me: 'Van nu af aan moet je je eigen onderbroeken wassen.' Ik mag ze niet langer in de wasmand gooien om ze door het personeel te laten wassen.

Mama blijft even staan bij de deur. 'En breng mijn plastic zakken weer mee terug, daar hebben we altijd gebrek aan,' zegt ze.

Bij de hut word ik plotseling verlegen, me bewust van de nieuwsgierige, misschien argwanende ogen die vanuit alle andere hutten langs de hele weg op me gericht zijn. Kinderen laten hun spelletjes in de steek en verdringen zich om me heen. Ze dragen stuk voor stuk tot op de draad versleten kleren; de meesten hebben gezwollen buiken. Ik overhandig de moeder van het kind dat ik eerder die dag heb aangereden de plastic zakken, en zeg: 'Alstublieft.'

Ze kijkt niet-begrijpend naar de zakken.

'Voor u,' dring ik aan.

Ze kijkt opgelaten. 'Dank u.' Ze houdt de zakken tegen

de ronde bult van de slapende baby in de draagdoek bij haar borst. 'Dank u, dank u.'

Ik deins terug in de menigte kinderen die nu rond de motor staat te springen en te schreeuwen: 'Juffrouw Bob, juffrouw Bob, wat heeft u voor mij meegebracht?'

Wanneer ik wegrijd, rennen de kinderen zo lang ze me kunnen bijhouden achter me aan, al schreeuwend: 'Juffrouw Bob, juffrouw Bob, wat heeft u voor míj meegebracht?'

De geitenstal

Op de T-shirts die we kopen in het kleine, witte hotel dat uitkijkt over het strand bij het Malawimeer of bij de kleine kiosk op het vliegveld, staat de tekst: 'Malawi – het warme hart van Afrika.'

Wij noemen het het 'warme gat van Afrika,' hihi.

Op papa's gezicht barsten steenpuisten open. Mama begint brede vleugels van grijs haar te krijgen aan haar slapen. Ik word pips en sloom totdat mama vaststelt dat ik bloedarmoede heb en me lever en fijngehakte koolraap te eten geeft. Voor het eerst hebben we allemaal echt malaria. Vanessa wordt zo ziek, geel, dun, zwak en koortsig dat ze moet worden opgenomen. In de twee jaar dat we in Malawi wonen gaan onze honden alle drie dood. De nieuwe Rhodesische draadhaar loopt een dodelijke geslachtsziekte op; de spaniël loopt een fatale teekkoorts op die haar tandvlees en oogballen doet vergelen en haar vervolgens doodt; de stokoude, trouwe Shea kotst stinkende brokken uit, er komt gele pus uit haar oren, ze krabt zich en jankt tot we uit medelijden haar vacht afscheren. En dan sterft ze in haar slaap.

We hebben het gevoel dat we gevaarlijker op de rand van ziekte en dood zweven (op een langzame, rottende, door het moeras teweeggebrachte manier) dan tijdens de oorlog in Rhodesië waar een zinderende, adrenalinerijke, niets-doet-er-meer-toe-vrijheid heerste en waar we omringd waren door gewelddadige, snelle verminking en een plotseling, definitief einde, wat nu te verkiezen lijkt boven dood door moerasrot. Dood door spionnen. Dood door gebrek aan sociaal contact.

In Malawi zien we vaak kinderen achterovergekromd staan, net zo gemakkelijk verbogen en stijf als paperclips. Dit is het gevolg van hersenmalaria, waarvan ze, als ze het al overleven, zelden helemaal herstellen. Ook zien we hier de gevolgen van ondervoeding en de gevolgen van de overbevolkte, onhygiënische barakdorpen en overvolle vuilstortplaatsen en we zien dunne, knokige honden met krulstaarten in hopen rottende troep graven waarop kinderen spelen, wroeten en poepen.

Onze dichtstbijzijnde blanke buren zijn een Duits echtpaar dat naar Afrika is gekomen als hulpverleners. Ze vormen onze eerste ervaring met buitenlanders in Afrika die hier zijn met dat doel; in Rhodesië hadden we alleen maar buitenlanders ontmoet die missionaris of huursoldaat waren.

Papa zegt: 'Dood door een huursoldaat is tenminste sneller.'

'Dan wat?'

'Dan dood door hulpverlening.'

Maar we zijn zo verlegen om gezelschap dat we bij de Duitsers op bezoek gaan.

'Misschien drinken ze bier,' zegt mama hoopvol.

Papa steekt een sigaret op: 'Misschien maken ze rookworst.'

Ik heb alleen van Duitsers gehoord in de context van de Tweede Wereldoorlog.

Ik zeg: 'Ik hoop dat ze geen gasoven hebben. Hihi.'

Mama zegt: 'Bobo!'

'Oké, oké.'

'Mond dicht over de oorlog, hoor,' zegt papa.

'Wai haben onze methoden om jullie aan het praten te kraigen.'

We beginnen te giechelen, hikkend van de pret.

Maar we ontdekken tot onze verbazing dat we de Hartmans heel graag mogen. Barbara draagt geen make-up, ze scheert zich niet en ze ruikt (op een plezierige manier) natuurlijk, naar haar eigen heel schone lichaam; een zilte uiige geur van versgebakken brood die me doet denken aan de huiselijke borstmelkgeur van mijn vroegere kindermeisjes. Gerald is gebrand op het redden van het milieu, waarvan ik tot dan toe niet wist dat het redding behoefde. Ik had me meer beziggehouden met zelf in leven blijven.

Gerald leent me boeken. Hij is geduldig, vriendelijk, intelligent, hartstochtelijk, ordelijk. Ik word verliefd op zijn harde accent, de manier waarop zijn woorden zo efficiënt de ziekelijke, kleverige warmte doorklieven. Ik luister naar zijn uitgesponnen verhalen over de levende planeet om ons heen. 'We zijn minuscuul,' zegt hij tegen me. 'We zijn zandkorrels op een strand van tijd. We zijn niet belangrijk. Er was een tijd dat er geen mensen waren op de planeet en er zal, vooral als we zo doorgaan, vroeg of laat een tijd komen dat we weer van deze aarde verdwenen zullen zijn.'

In mijn puberverzet tegen ons gezin ontpop ik me als een hartstochtelijke milieuactivist, en als ik het voor het kiezen had, zou ik net als Barbara slobberige, geknoopverfde kleren dragen. Maar ik heb het niet voor het kiezen. Ik moet genoegen nemen met wat we op de tweedehandsmarkt kunnen vinden en met afdankertjes van Vanessa (waar ik sjaaltjes en houten kralen aan toevoeg). Even overweeg ik vegetariër te worden.

Maar meestal zijn we blank en alleen, een geïsoleerd eiland in een dringende, rusteloze, niet-aflatende zee van Malawiërs wier levens voortgaan aan de periferie van de onze in een schijnbaar wonder van overlevingskunst. 's Nachts, bij het geronk van de generator die ons een paar uur elektrisch licht verschaft, kruipen we bijeen voor de bandrecorder waarop we een intussen uitgebreide verzameling muziek draaien (Bizet, Puccini, Chopin, Brahms, Rachmaninov, Debussy, ter aanvulling van onze grijsgedraaide platen van Roger Whitaker en Tsjaikovski) alsof mama ons kennis wil laten maken met het standaardrepertoire, in een gloed van 'Best Of'-banden afkomstig uit de aanbiedingenbakken in klassieke-muziekwinkels in Engeland. En we drinken Carlsberg-lager in de van muskieten zoemende nacht, een nacht die zo vochtig is dat we het gevoel krijgen alsof we water zouden kunnen absorberen door onze huid, wat schapen schijnen te doen.

We spelen heftige potjes poker, papa, Vanessa en ik. We hebben geen geld, dus gebruiken we papa's lucifers als fiches. We spelen om: 'als je verliest, moet je het volgende rondje bier halen', wat betekent aan mama vragen of ze ons allemaal een biertje wil brengen. We spelen om: 'als je verliest, moet je de volgende ronde van muskietenspiralen aansteken', die geurig, als wierook, bij onze enkels branden en de muskieten zouden moeten verjagen, hoewel onze benen elke ochtend gespikkeld zijn van de beten. We spelen om: 'als je verliest, moet je me volgende week zodra ik erom vraag een dienblad met thee brengen', wat een loos dreigement is omdat we een huisknecht hebben (die zich op een ochtend aandiende met de mededeling dat hij hier was om Doud te helpen in de keuken) om thee voor ons te halen.

De nieuwe huisknecht scharrelt doelloos rond bij de deur van de achterkeuken waar Doud de enorme pan *nshima* klaarmaakt waarmee de honden, katten en kippen gevoed zullen worden. Een penetrant ruikende, vettige soep van botten, viskoppen, gesneden groenten en restjes pruttelt op het houtvuur.

Mama zegt: 'Ja?' en kijkt boos.

'Ik heb instructies,' deelt hij mee.

'Instructies waarvoor?'

'Ik heb instructies om hier te werken.'

'Nee, dat heb je niet.' Mama keert de man haar rug toe en laat Doud een recept zien in haar beduimelde, met bruine spetters bezaaide *Goed-Huishouden*-kookboek.

'Maar ik heb instructies.'

Mama slaakt een diepe, geïrriteerde zucht en wendt zich weer tot de man op de drempel: 'Van wie?'

De nieuwe huisknecht ziet er koppig uit. Hij haalt ongeduldig zijn schouders op onder de kraaknieuwe snit van zijn kakiuniform (niet door mama verstrekt).

'Het is verplicht dat ik in dienst wordt genomen.'

'Nou, dan ontsla ik je van die plicht,' verklaart mama.

Maar de volgende dag dient de nieuwe huisknecht zich weer aan (laat, nadat we hebben ontbeten) en sluipt rond het huis totdat mama naar hem schreeuwt.

'U kunt me niet ontslaan,' zegt hij.

'Ik heb je niet eens in dienst genomen.'

De nieuwe bediende laat dit even bezinken en verklaart dan: 'Dit is Rhodesië niet.'

'Ik weet verdomme ook wel dat dit Rhodesië niet is.'

Maar hij blijft. En aan het eind van de maand wordt hij tegelijk met Doud, de tuinman, de bewaker en de chauffeur, die samen het personeel vormen, betaald. En mama zegt: 'Het komt eigenlijk wel goed uit. We hebben iemand nodig voor de vrijdag,' want dat is Douds dag in de moskee.

De nieuwe huisknecht wordt betrapt terwijl hij onze post leest, in onze laden snuffelt, de koffers onder ons bed doorzoekt, maar telkens wanneer we ermee dreigen hem te ontslaan, ontbloot hij enkel zijn tanden en zegt: 'Dat kun je niet.' En geleidelijk aan dringt het tot ons door dat dit mannetje met de vijandige adem en steelse gympies (stiekem van kamer naar kamer krakend) een officiële werknemer van de regering is, gestuurd om ons te bespioneren. Aangezien hij zich daarmee bezighoudt, is hij een onverschillige huisknecht.

Wanneer we hem vragen een dienblad met thee te halen, wordt die ons lauw voorgezet met boven in de pot drijvende, nog halfdroge theebladeren en vergezeld van niet bij elkaar passende kopjes, en we kijken elkaar alleen maar vluchtig aan en drinken het inferieure brouwsel gehoorzaam op. Hij strijkt kreukels en bruine schroeiplekken in de kleren (hij doet het houtskoolstrijkijzer te vol zodat hete kolen vanonder het deksel naar buiten vallen). Hij kookt het avondeten te lang (vlees krijgen we uitgedroogd en vlokkig opgediend naast verschrompelde groenten en aangebrande rijst). Zelfs de honden krommen hun ruggen naar hem en sluipen behoedzaam bij zijn voeten vandaan.

De hele dag door moeten we gedachten onuitgesproken laten die opgevat zouden kunnen worden als negatief ten aanzien van het land: de regering van het land, de leider van het land, de wegen van het land, het klimaat van het land, de bevolking van het land. Maar 's avonds, bij het gezoem van de generator die licht in het arbeidersdorp brengt (waar de Spion woont met een droevig ogende, jonge vrouw en een dik kind dat altijd gebalsemd is in roze wol) zit mama in yoga-kleermakerszit op een stoel naast het bier (alsof ze het bewaakt) en schreeuwt over de samenzwering tegen ons. Ze haat de Spion. Ze haat het verstikkende gedrang van lichamen om ons heen. Ze haat de censuur die onze post, onze telefoontjes, onze lectuur, onze dozen met Zuid-Afrikaanse crackers onderschept.

Papa zit kalm te roken. Hij kijkt me aan boven zijn kaarten. Hij zegt: 'Je bluft.'

Ik heb vier lucifers ingezet op mijn kaarten. Ik probeer tevergeefs een pokerface op te zetten.

Mama zwaait met een vinger in de lucht: 'Corrupt! Stuk voor stuk. Wat een rotland.'

'Niet vals spelen,' zegt Vanessa.

'Doe ik ook niet.'

'Je probeert naar papa's kaarten te kijken.'

'Niet waar.'

'Ze kunnen hun spionnetjes sturen...' zegt mama.

'Wel waar, ik zag het,' zegt Vanessa, terwijl ze me onder de tafel een schopt geeft.

'Niet waar. Auwie man. Hé, Vanessa heeft me geschopt.'

'Dat was per ongeluk.'

'Liegbeest.'

Papa drukt zijn sigaret uit: 'Hé, schei daarmee uit. Geen geruzie.'

'Maar ze kunnen mijn denkwijze niet veranderen,' zegt mama.

Papa glimlacht: 'Nu heb ik jullie bij de lurven, meiden. Twee koningen, twee koninginnen en drie achten.'

'Jeetje, papa.'

'Je weet dat die kleine griezel over je liegt tegen hen.'

'Mag ik nog een biertje, mama?'

'Welke kleine griezel?'

'Die kleine spion van een huisknecht. Hij rapporteert alles wat we doen aan de regering.'

'Mag ik ook een biertje, mama?'

'Je moet ze heel goed in de gaten houden, Tim, ik waarschuw je.'

Papa steekt een sigaret op en gromt.

'Mijn god, als we deze vervloekte boerderij niet gauw verlaten, rotten we weg.'

Mama krabt afwezig aan haar enkels. Ze zijn begonnen te bloeden van beten op beten op beten.

Bij de zuidelijke punt van het Malawimeer ligt een baai, genaamd Cape Maclear, verstopt in de heuvels en alleen toegankelijk via een lange, dunne, verschrikkelijke weg. De baai wordt aan weerszijden beschermd door vleugels van oprijzende rotsen en aan de voorzijde door een dunne streng onbewoonde eilanden die wild en geheim zijn en bewaakt worden door leguanen die liggen te zonnebaden op de zwarte rotsen. De baai is gewoonlijk kalm en het water op wonderbaarlijke wijze vrij van de traditionele plagen die het zwemmen in Afrika eigen zijn – bilharzia en krokodillen – hoewel het bekend is dat er af en toe een verdwaald nijlpaard het strand op komt.

Het strand is drie kilometer lang. Zwart, poederig zand bij het water leidt naar suiker-ruwe duinen. Op het strand zittend kunnen we de bitterzoete, penetrante lucht ruiken van de achter ons verrijzende kampementen. Periodieke regen spoelt wrakstukken en afval van de barakken het strand op en het water in.

Het is hier dat de emigranten zich in de weekends verzamelen om te drinken.

'Emigranten als wij,' zegt mama. Waarmee ze geen missionarissen of hulpverleners bedoelt 'met wie je sowieso niet wilt drinken'.

We vinden een klein lapje land tussen de andere percelen aan de oever van het meer waar de emigranten-als-wij tijdens de schoolvakantiedagen in hutten of tenten kamperen. Hier staan de hele nacht generators te zoemen om het bier koud en de melk vers te houden en begint het bier drinken al bij het ontbijt. Dan komt er van alle blauwe rook verspreidende vuurtjes een vettige, zilte lucht van eieren met bacon en worden we uit een warme, bierzware slaap gewekt door het gekraak van radio's of de *bah-boem-bah-boem* van de popmuziek van kinderen (zet die vervloekte herrie zachter).

Ten slotte beukt de ochtendzon ons onder onze klamboes vandaan en gaan we op zoek naar thee en voegen we ons bij de andere roze-schouderige soldaten om slaperig naar het verfrissende gekabbel van de zoete blauwe baai te sjokken. We zwemmen naar de rotsen en weer terug, en rennen daarna terug naar ons kamp (over zand dat al zo heet is dat het de voeten schroeit) om duikbrillen, snorkels, sigaretten, handdoeken, boeken te halen. De dag wordt naadloos en zonovergoten, waarbij het verstrijken van de tijd alleen wordt aangegeven door de slinkende voorraad bier in diverse door generators aangedreven koelkasten en door de randactiviteiten van de lokale vissers (die bij zonsopgang in hun boomstamkano's vertrekken en in de schemering terugkeren).

We liggen op het strand te lezen, we zwemmen en drinken en proberen onze pas ontwikkelde flirtvaardigheden uit op de broers van onze vriendinnen die ofwel vriendelijk zijn en ons negeren, ofwel wreed en ons serieus nemen. De hele dag hangt er een scherpe petroleumlucht van de speedboten die op gezette tijden in wilde vaart het rimpelvrije meer doorkruisen met een heen en weer zwaaiend stakerig figuurtje van een waterskiër op sleeptouw of met de extatische lichamen van kinderen hotsend op de boeg. Verder ruik je een zachte, rotte geur van vochtige warmte, de geregeld opstijgende doordringende brandlucht van een pas opgestoken sigaret ('Mag ik er een?') en de onderliggende, voortdurend aanwezige hardnekkige geur van gerookte vis.

Wanneer de boomstamkano's aan komen varen op het meer, de vissers met zilveren ruggen gebogen in de ondergaande zon terwijl ze naar de kust peddelen, strekken wij zon-en-zweet-gezoute lichamen, drukken onze sigaretten uit in het zand en drentelen naar beneden om ze te begroeten. We kibbelen om hun verse vangst, zorgvuldig over de schubben van de vissen krabbend en eraan ruikend of ze nog vers zijn (we willen vis die net gevangen is, geen vis van de ochtend die kortgeleden met water is besprenkeld om hem vers te doen lijken). We nemen onze vis mee naar boven, naar de diverse linten van blauwe rook waarover koks gebogen staan en die door koks worden aangeblazen, zodat er loeiend oranje vlammen oplaaien in knetterend hout. We eten vis en rijst en drinken inheemse gin, terwijl we muskieten van onze enkels slaan en op onze blikken borden zweten.

Na het avondeten bouwen we vreugdevuren op het strand en zitten we met onze tenen begraven in bloed-warm zand te kijken naar de weerspiegeling van de maan op het meer terwijl die opkomt boven de heuvels achter ons. We roken en praten, vermoeid van de hele dag bier-en-zon. Geleidelijk aan trekken lichamen zich terug in kamp, hut en caravan. De schroeierig ruikende rook van muskietenspiralen kringelt in de lucht. Sommige nachten slepen we matrassen naar het strand en slaan we klamboes uit onder bomen, schurken we met zonverbrande schou-ders tegen elkaar aan en slapen we naast het zilvergerande, maan-en-sterbespikkelde meer waaruit zo nu en dan een mysterieus geplas opklinkt.

Het is het begin van het regenseizoen en de Spion neemt afscheid om naar zijn dorp terug te keren waar hij het ge-was voor het nieuwe jaar zal planten op zijn kleine akker en een baby voor het nieuwe jaar zal planten in de buik van zijn trieste jonge vrouw. Doud is te oud voor baby's, zegt hij tegen ons. Zijn zonen hebben nu zijn kleine boerderij overgenomen. Hij zegt dat hij met kerst zal blijven. Hij doet dagelijks pogingen tot het bakken van hete gehakt-taarten die zwaar op de maag liggen in de dampende hitte maar die we plichtsgetrouw verorberen samen met al even onverfrissende bisschopswijn. Er zijn geen dennenbomen of kerstversieringen, dus we versieren een stoffige, uitge-droogde pijnboom met de uitgeknipte gouden sterren en ballen van oude Benson & Hedges-sigarettendoosjes.

De regens zijn ritmisch, komen steevast in de middagen (na de lunch maar voor de thee, zodat de avonden schoonzwart worden gespoeld met daarin heldere speldenpunten van zilveren sterrenlicht dat boven een rusteloze, dankbare aarde hangt). De regens zijn grijze, stevige lakens van water die met plotselinge zijwaartse woestheid tegen het namaak-Spaanse huis slaan en alles doordrenken; ze striemen door de jaloezieën heen en bevochtigen bedden en gordijnen todat alles zwaar lijkt en groen wordt van het vocht. De was, die tot nu toe achter het kookhuis heeft gehangen (en geurend naar houtrook aan ons wordt teruggegeven) is nooit helemaal droog. Hij hangt boven Douds hoofd te dampen aan een draad die boven de houtoven is gespannen en nu ruiken onze kleren, lakens en handdoeken (wanneer de was aan ons wordt teruggegeven) naar de kokende viskoppenstoofpot van de honden.

De tamme parelhoenders kruipen vochtig en mistroostig onder de ontoereikende schuilplaats van de druipende bomen en de kippen leggen alleen nog maar de wanstaltigste eieren (waaruit ziekelijke, eenpotige of vleugelloze kuikens komen). Slangen sluipen onze veranda op, ontstemd uit overstroomde holen glijdend. Kikkers planten zich energiek voort in het zwembad en de visvijver, waar de padden zo dik en groot worden dat we ze ervan verdenken de laatste goudvissen te hebben opgegeten (die trouwens toch al door afzichtelijke gezwellen werden geteisterd); leguanen worden uit hun moerassen weggespoeld en een van deze een meter tachtig lange hagedissen dwaalt zelfs de woonkamer in waar ik met opgetrokken benen in een stoel een boek zit te lezen.

Wanneer we door de grijze regen heen voorbij het grashek turen (met vermoeide ogen opkijkend van boeken en kaartspelen), kunnen we de kinderen van de pachters door modderpoelen zien rennen, knieën hoog, mahoniekleurige armen door de lucht maaiend, hoofden in de nek, roze monden open. De heel kleine kinderen zijn glanzendnaakt. Ze zien er opgepoetst en extatisch uit en ik ben jaloers op hen.

De dagelijkse regens brengen met zich mee dat we niet meer bij het meer kunnen kamperen, dus nu klonteren de weken zich vóór ons samen in een saaie, vormloze marathon van tabak planten, dienbladen met thee, spelletjes kaart, bier drinken, naar de regen staren. Er gaan weken voorbij. De regens zijn begonnen en we zijn verzekerd van hun gulheid. Het zal een nat jaar worden, en nu verlangen we allemaal naar een dag of twee respijt. De regens zijn niet langer een reden voor dagelijkse feestviering en opluchting zoals ze dat een maand geleden waren. Zelfs de kinderen van de pachters spelen niet meer buiten wanneer de hemel zich over ons uitstort. Nu is het tijd voor de spelloze, ernstige taak om ons ervan te vergewissen dat de oogst van alle gewassen is binnengehaald voordat de velden te nat zijn geworden. En nu moet het weelderig groeiende onkruid, dat plotseling is opgekomen als toefjes weerbarstig haar, uit de aarde worden gerukt voordat het kostbare voedingsstoffen aan tabak en maïs onttrekt. Tijdens de grijze, landerige middagen staan pachters met hun kinderen boven pas omgespitte velden gebukt om ruwe, opgeschrikte tabakszaailingen in geulen te drukken en maïspitten te laten vallen in piepkleine ophoginkjes van warme, vochtige, gastvrije aarde.

Vanessa redt een regen-ziek, eenpotig kuikentje uit de kippenren. Ze houdt hem in een schoenendoos bij haar bed en is het grootste deel van de dag bezig te proberen klonten Pronutro-pap in zijn ziekelijke snavel te proppen, totdat de pap zijn neusgaten uit sijpelt en het diertje stikt. Er wordt een doorweekte begrafenis in de tuin gehouden. Vanessa draagt een zwarte sjaal naar de begrafenis en daarna is ze er niet toe te bewegen van haar kamer te komen, behalve 's avonds voor bier en kaarten. Ze wil ook niet dat Doud de naar stront stinkende schoenendoos van het overleden kuikentje opruimt. In het huis komt de lucht te hangen van Vanessa's dode project.

Het is zo nat dat ik de motor niet door de *vlei* krijg die dwars door het erf van de boerderij loopt. Ik loop dagenlang over het erf, maar de nattigheid is hardnekkig en geestrottend. Ik geef het op en werk me door mama's bibliotheek heen.

's Ochtends wurmt mama zich in gummilaarzen en hangt rond bij de tabakszaaibedden, waar ze toekijkt hoe slapnekkige zaailingen op de trailers worden geladen en naar de velden van de pachters worden gebracht. Maar wanneer de zaailingen allemaal vervoerd en geplant zijn, kan ze niets anders meer doen dan wachten en hopen dat de meeste ervan de beproeving doorstaan. Als ze thuiskomt gaan we op haar bed boeken liggen lezen.

Ik verf mama's haar in een streperig stekelvarkenblond en scheer mijn benen alleen maar om te zien of dat nodig is.

Vanessa experimenteert met oogschaduw en ziet eruit alsof ze een vuistslag heeft gehad.

Ik probeer meringues te maken en de kleverige massa die daarvan het resultaat is, wordt plichtmatig met opeengeklemde kaken opgegeten. Mama maant me geen kostbare eieren meer te verspillen aan andere bakprojecten.

Ik leer wat naar ik hoop de woorden zijn van Bizets *Carmen* en zing de hele opera aan flarden.

Vanessa maakt een schilderij van een meisje met lang blond haar. Het schilderij beeldt het meisje af terwijl ze schreeuwend verdrinkt, het haar rond zich uitgespreid. Ze noemt het *De schreeuw – Mgodi*.

Mama doet een paarse kleurspoeling door haar haar en haar stekelvarkenblonde strepen worden zilver.

Papa leert me rijden in de oude truck. Ik moet op het

puntje van mijn stoel zitten om bij de pedalen te komen en de stuurinrichting zit zo los dat hij mijn dunne armen de lucht in bokt als we over een hobbel hotsen.

Ik rook voor de spiegel en probeer eruit te zien als een geharde seksgodin.

Vanessa verklaart wanhopig dat ze erover denkt van huis weg te lopen. Ik staar naar buiten in het niets waarin ze zou verdwijnen en zeg: 'Ik ga met je mee.'

Mama zegt: 'Ik ook.'

Dus neemt papa een stel mannen van de boerderij in de arm en ze bouwen op ons stukje grond bij het meer in één weekend een openluchthut van leem, palen en riet. De muren ervan reiken tot mijn knieën en het primitieve strodak hangt af als te lang haar dat vlak boven ons hoofd ophoudt, zodat elk briesje van het meer zomaar de hut kan binnendringen, via de verstikkende, vochtig-dikke lucht naar de achterkant van de hut waar papa onbewerkte lattenbedden heeft gemaakt van ruw hout. Elk bed heeft een dunne schuimmatras en een paar plaatselijk gemaakte lakens (ruw, rauw-aan-de-tenen-katoen) en is overdekt met een klamboe. Hij plenst witkalk op het leem en bedekt de lemen vloer met bijeengeharkt strandzand.

Hij komt thuis en verklaart (in het bijzijn van de Spion die onlangs is teruggekeerd uit zijn dorp) dat we de boerderij nu in de weekends kunnen ontvluchten. 'Plaats voor iedereen,' verklaart hij. 'We hebben verdomme een paleis gebouwd.'

Op vrijdag laden we de pick-up in. Mama neemt de onverkoopbare restjes en het veegsel van de tabak van afgelopen jaar uit de sorteerschuur mee om in de klei-dichte, zwarte aarde te spitten. Ze heeft slingerplanten uit de tuin losgescheurd om een gazon van dikbladig buffelgras te planten (dat in snel tempo groene, vlugge, dankbare vingers boven kale aarde zal verspreiden) en tassen vol stekjes van de poinsettia's, bougainville en sneeuwbalstruiken genomen. Ze heeft potten met ontkiemende mango en avocado (met veel zorg opgekweekt in het raamkozijn in de keuken) tegen de jutezakken met gras gedrukt. Papa en ik worstelen onder het gewicht van een echte doortrek-wc (meegenomen uit de ijzerhandel in Zomba) waarop Vanessa zich tijdens de rit triomfantelijk in evenwicht houdt (en vanwaar ze de hele weg naar het meer zegevierend naar gillende kinderen zwaait). We stapelen droog brandhout op (het meer is wat aanmaakhout betreft kaalgeplukt) en zakken maïsmeel voor de bewaker die daar is geposteerd om een oogje op ons nieuwe paleis te houden. We fluiten de honden en stappen in de truck. Ik houd een van bushstokken en schors gemaakte kooi vast waarin een jonge haan boos naar buiten zit te kijken. Hij heet Marcus en mama houdt vol dat hij nodig is om de mieren te eten die uit de vloer omhoogkruipen en de bushpalen bedekken met hun rode, korstige tunnels.

Alle emigranten-als-wij brengen een bediende mee naar het meer om te koken, te wassen en naar 'Stephens Bar' te rennen voor de dagelijkse voorraad bier. Maar onze auto is propvol geladen en we zijn gedwongen de Spion achter te laten, 'waardeloze zak die hij is'.

Papa zegt: 'De bewaker kan in elk geval een vuur voor ons stoken en schoonmaken.'

'En ik zal helpen koken,' zeg ik, uitbundig van ontsnappingsvreugde.

Vanessa kokhalst theatraal.

Mama zegt: 'Het is maar voor deze ene keer, Vanessa. We overleven het wel.'

We rijden voorzichtig het erf af, gevaarlijk wankelend boven op onze zware lading benodigdheden en zwaaien naar de Spion.

En dan overspeelt de Spion zijn hand.

Vanwege Kerstmis en nieuwjaar kunnen we pas meer dan twee weken later terugkeren naar ons paleis aan het meer. Deze keer nemen we de Spion mee. Als we aankomen is er een opgewonden gesnater van emigranten-als-wij die melden dat er vorig weekend een Presidentiële Onderzoekscommissie naar het meer is gestuurd. De commissie was kennelijk gekomen om rapportages te onderzoeken van de strekking dat 'Tim Fuller een paleis voor zichzelf heeft gebouwd met het geld van Zijne Excellentie'.

Het gezelschap, slechtgehumeurd na een ongerieflijke, snikhete reis vanaf Lilongwe (die zelfs een rit in een Mercedes-Benz met airconditioning niet kon verzachten), was in Cape Maclear aangekomen en had op hoge toon gevraagd waar Tim Fullers paleis was.

De emigranten-als-wij lieten hun de ruwe, lemen hut zien.

'Dit!' De leider van de onderzoekscommissie van de regering was gechoqueerd. 'Dit is geen paleis,' prevelde hij in stil protest totdat zijn verontwaardiging woorden kon vinden: 'Dit is niet meer dan een geitenstal.'

De Spion kruipt naar de achterkant van de hut en maakt een vuur. Hij kijkt steels naar de emigranten-als-wij en dan, met onverholen verbijstering, naar de hut.

Papa vindt een stuk wrakhout, geëffend door water en rotsen, en Vanessa gebruikt een gloeiende metalen staaf, net uit het vuur, om er *De geitenstal* in te branden. We hangen het bord aan een van de palen van de hut.

Kano's op het
Malawimeer

Federalistische Fullers

Vanessa en ik liggen te zonnebaden op het groepje rotsen aan het zuidelijke puntje van het strand, waar soms plotseling vissers uit de plaatselijke dorpen verschijnen alsof ze op een organische manier uit het diepe, heldere water oprijzen met hun stokoude, gladgevingerde kano's die naar rook ruiken en zwaar zijn van vis. Ze proberen marihuana (die ze ook ruilen tegen sigaretten of vislijn), vis, of af en toe manden en kralen aan ons te verkopen.

Ik zeg: 'Ik betaal u twee kwacha voor een eindje varen in uw kano.'

'Drie kwacha.'

Ik aarzel.

'Oké, oké, twee kwacha.'

Vanessa gaat rechtop zitten en houdt haar hand boven haar ogen tegen de zon: 'Niet te ver gaan, hoor.'

Ik scheer de rots af, houd me vast aan een smalle richel en strek mijn tenen uit naar de kano.

'Handen eerst,' zegt de peddelaar, terwijl hij de kano tegen de rots in evenwicht houdt.

'Hoe kan ik nu mijn handen eerst doen?'

'Ah, maar dat moet echt.'

'Het lukt me wel. Houd u dat ding gewoon maar stil.' Ik slinger me onhandig naar de kano, vang een glimp op van het ontzette gezicht van de peddelaar en dan slaan we om en is het water om me heen plotseling levendig van peddels, dode vissen, graaiende netten en moedeloze, doorweekte sigaretten.

Vanessa tuurt over de rand van haar hooggelegen plekje naar beneden. 'Je zult hem alles wat je hebt laten zinken moeten vergoeden.'

'Zal ik doen. Zal ik doen.' Ik klem me vast aan de omgeslagen kano. 'Sorry,' zeg ik hijgend tegen de visser. Maar hij heeft het te druk met het bergen van zijn goederen om te antwoorden. Ik bevrijd mezelf van het wrakgoed, van de beenverzwarende visnetten die me naar beneden dreigen te trekken, en spartel terug naar het strand waar ik op mijn buik ga liggen en hoestend naar het glazige zand kijk. De visser hangt nog steeds aan zijn omgeslagen kano en redt sigaretten, die hij in een rijtje op de naar de hemel gekeerde bodem van de kano legt.

Hij schopt de kano naar de wal. Hij is zijn vangst van die dag kwijt. Hij kijkt niet naar me terwijl hij zijn leven op het strand uitstalt. Hij is niet alleen zijn vangst kwijt, maar ook zijn mes, een mand en een plastic zak met daarin een oude wijnfles gevuld met spijsolie en een blikken kommetje dat een handje droog maïsmeel bevatte voor *nshima*. Ik zie de spieren op zijn boze rug wippen en begraaf mijn tenen in het zand. 'Het spijt me.'

Hij geeft geen antwoord.

'Ik zal u betalen. Hoeveel kwacha?' Maar zelfs die gewoonlijk magische woorden slagen er niet in een reactie los te krijgen.

Hij draait zijn kano om en gaat het meer op. Even balanceert hij, zo licht als een kat, op het dolboord voordat hij zich in de kano laat zakken, gebogen als een danser. Daarna spit hij met zijn peddel in het water en glijdt de schittering van de felle middagzon in.

Ik klim voorzichtig terug naar de top van de rots waar Vanessa's roze schouders een alarmerender kleur rood beginnen aan te nemen.

'Je bent aan het verbranden,' zeg ik tegen haar.

'Dat is ook zó typerend,' zegt ze.

'Doe je blouse aan.'

'Je bent ook zó vervelend.'

Ik ga schuldbewust naast Vanessa zitten. 'Hij wilde niet dat ik hem betaalde.'

'Geen wonder dat niemand met jou wil zoenen.'

Ik steek een sigaret op.

Vanessa krabt onder haar kin, haar kaak naar voren gestoken. Ze kijkt in de verte, het water in, alsof ze daar een beter inzicht in mijn tekortkomingen hoopt te vinden. 'Alles wat jij doet is een ramp.'

De sigaret is bitter op mijn tong. Tranen prikken achter mijn oogleden en doen een harde, pijnlijke brok achter in mijn keel ontstaan.

'Je bent al veertien en je bent zelfs nog nooit gezoend.'

Ik haal mijn schouders op. 'Wie zegt dat ik daar behoefte aan heb?'

Ze kijkt me met getuite lippen aan. 'Waarom ben je niet gewoon een beetje minder...? Waarom niet? Ik bedoel, waarom ben je niet gewoon normáál?'

'Ik ben normaal.'

Vanessa doet haar ogen dicht. We hebben om de beurt een fles Sun-In in ons haar gespoten. Het spul heeft het haar van Vanessa zilverblond gestreept en het mijne oranje gemaakt, in onooglijke blokken. Ze strijkt met haar vingers door haar haar en draait haar gezicht naar de zon.

Ik heb mijn haar laten knippen door een Afrikaanse kapper in Blantyre, in een onflatteus bloempotmodel. Mijn pony is erg kort en scheef. Ik zie eruit als een sprinkhaan met een pruik op. Ik laat mijn hoofd op mijn knieën zakken en zucht. Tranen rollen over mijn wangen en spatten op mijn benen.

'Misschien wil Geoffrey wel met je zoenen,' zegt Vanessa ten slotte.

Geoffrey ziet eruit als een kleine, vettige wezel. 'Bedankt.'

'Het is beter dan niets.'

En zo komt het dat ik op het volgende nieuwjaarsfeestje wordt gezoend door Geoffrey met het knaagdierengezicht, wiens tong me zo verrast dat mijn tanden zich er in een geschrokken reflex omheenklemmen.

'Wat had je dan verwacht?' zegt Vanessa.

Ik haal mijn schouders op. 'Niet zijn tong.'

'Wat dacht je dan dat zoenen inhield?'

'Geen tongen.'

Vanessa rolt met haar ogen. 'Je kunt niet zeggen dat ik mijn best niet heb gedaan,' zegt ze.

'Ik weet het, ik weet het, ík heb mijn best niet gedaan.'

Vanessa denkt na. 'Geoffrey was je beste kans,' zegt ze ten slotte.

Er zijn weinig emigranten-zoals-wij, wat zich vertaalt in bijzonder weinig zoenbare zones. Ik zeg: 'Ik red me wel.'

'Het is niet gezond.'

'Wat niet?'

Vanessa kijkt me aan, zoekend naar woorden, en wuift naar me. 'Jij,' zegt ze ten slotte. 'Jouw hele... alles.'

Ik pers mijn lippen op elkaar om te voorkomen dat ik in tranen uitbarst.

'Ik hoop niet dat Geoffrey iederéén heeft verteld dat je hem hebt gebeten.'

Maar dat had hij wel gedaan.

Daarom is het een opluchting wanneer papa aankondigt

dat hij zijn tweejarig contract met de president-voor-het-leven als beheerder van Mgodi Estates niet zal verlengen.

'We gaan verhuizen,' verklaart hij.

We hebben de keus tussen Papoea Nieuw-Guinea, Mozambique of Zambia. Het is 1983.

Papoea Nieuw-Guinea ligt anoniem aan het uiteinde van Australië te dobberen. Ik lees dat het voornamelijk bedekt is met regenwoud. Het is vermaard om zijn bodemschatten en kannibalen.

Mozambique is al zeven jaar in een burgeroorlog gewikkeld die op de tienjarige onafhankelijkheidsoorlog tegen Portugal is gevolgd. Het wordt algemeen als het ellendigste land op aarde beschouwd. Het is vermaard om zijn landmijnen en kindsoldaten.

Zambia is herstellende van maagschokkende, landuitzuigende droogte. Het is vermaard om zijn bodemschatten en politieke corruptheid.

Ik ben erop gebrand naar Papoea Nieuw-Guinea te verhuizen, omdat het zo ver van Geoffreys gewonde tong vandaan is als we maar kunnen komen zonder daadwerkelijk van de planeet af te vallen.

Papa denkt dat Mozambique misschien wel toekomst heeft.

'Waarin?' wil Vanessa weten.

'Toekomst,' houdt papa vol. 'Alles heeft toekomst.'

'Niet als je dood bent,' mompel ik.

Vanessa wendt haar blik af. 'Zijn daar nog andere... mensen?' vraagt ze.

Papa zegt: 'Dat is nog het mooiste eraan. Er is daar níémand.'

Geen zoenbare zonen.

De Duitsers, voor wie we in Zambia zouden boeren, hebben daar kledingfabrieken. Ze maken een enorme winst met het vervaardigen van uniformen voor de diverse en talrijke legers van Afrika (zonder betaling geen verzending van uniformen). Hun boerderij van bijna drieduizend hectare is een belastingtruc maar toch willen ze (omdat ze nu eenmaal Duitsers zijn) dat hij met winst draait. Hun laatste drie boerderijbeheerders bleken incompetent, oneerlijk en dronken te zijn (over het algemeen een combinatie hiervan).

Ze hebben aangeboden om paarden voor mama te kopen als papa ermee instemt voor ze te gaan werken. Ze zullen de particuliere scholen betalen voor Vanessa en mij (in Zimbabwe, waar Vanessa nu een secretaresseopleiding volgt) en ze zullen retourtickets naar Zambia voor ons kopen zodat we tijdens de vakantie naar huis kunnen vliegen.

Dus gaan mama en papa naar Zambia om de boerderij te bekijken. Er zijn maagdelijke wouden, drie stuwmeertjes, twee rivieren en begaanbare wegen. Er is een grote hoofdwoning en een gastenhuisje, en we hebben in totaal drie doortrek-wc's tot onze beschikking (als je de wc in het gastenhuisje meetelt). Er is zo'n beetje de hele dag door elektriciteit (wanneer de Zambiaanse Elektriciteitsvoorzieningscommissie zich met de zomerstormen kan meten). Er is een schoolgebouw en een gebouw voor een kliniek voor het boerderijpersoneel (die beide al een paar jaar geen dienst hebben gedaan). Er zijn gewitte stallen en een melkschuur, een oude, verdroogde wijngaard ('Maar we kunnen hem misschien met wat water en mest weer tot leven wekken') en een zwembad ('Een beetje groen en slijmerig, maar dat geeft niet').

Er is een boerengemeenschap van twintig of dertig gezinnen in het Mkushidistrict (waar de boerderij ligt), niet ver van de grens met Zaïre. Als Zambia een vlinder was, zou onze boerderij precies op de plek liggen waar Zambia's vleugels zouden samenkomen.

Als we naar Mkushi verhuizen, zullen we Joegoslaven, Afrikaners, Engelsen, Zambianen, Indiërs, Grieken en Tsjechen als buren krijgen.

'Te veel mensen,' klaagt papa.

'Je hoeft niet met ze óm te gaan.'

'Het is verdomme net de Volkenbond.'

'Nou en?'

Papa mompelt iets.

Mama zegt: 'Als we naar Zambia verhuizen, zullen we in elk land van de voormalige Federatie gewoond hebben.'

En de symmetrie van dit gegeven is blijkbaar voldoende om de beslissing te bezegelen. In januari zullen we naar Zambia verhuizen, te laat om zelfs maar het staartje van het plantseizoen nog te halen.

*Mama met de
paarden*

Mkushi

Afhankelijk van de staat van de wegen is onze boerderij drie tot zes uur verwijderd van Lusaka en twee tot vier uur van de Copperbelt.

Of je nu uit de ene of uit de andere richting arriveert, de boerderij komt niet als een verrassing.

Rijd Lusaka uit, met zijn sloppenwijken die zich als een theevlek verbreiden vanaf het centrum van de stad, en zijn bruisende handelsverkeer. Rijd weg van het geschreeuw van marktvrouwen in hun sloppenbarak-stalletjes waar ze groente, olie, stof, kleding verhandelen. Rijd langs het gebouw van Gepland Ouderschap en onder de grote, grimmige, betonnen poort door die Zambia's vrijheid verkondigt: 'Eén Zambia, Eén Natie'. Laat de stedelijke concentratie van armoede achter je – laat de stank ervan achter je en de plek waar maatschappelijke wantoestanden samenkomen om de ellende van de werkelijk bijna-eraan-stervende-armen uit te schreeuwen. En de één op de drie met aids en de één op de zes met tbc. Laat de sportsociëteit achter je waar emigranten-als-wij met rode gezichten het glas

heffen en elkaar met zwaaiende sigaretten hun uitgekauw-
de verhalen toeschreeuwen. Laat hun buitenhuwelijkse,
bijna incestueuze verhoudingen achter je, die voortge-
bracht worden door hitte, verveling en drank. Laat de ooit
voorname, door honden bewaakte, door bewakers platge-
treden, door muren met glasscherven omgeven gebieden
van de rijken en nerveuzen achter je.

De msasawouden zijn hier dichter.

De bomen zijn tegen elkaar aan gegroeid en wekken de
indruk dat ze de opdringende mensheid kunnen overleven. Houtskoolbranders sjokken naar de grijze nevel van
de grote stad, hoge stapels houtskool voortduwend die in
juten zakken op fietsen zijn vastgesnoerd, maar hun bijlen
lijken het woud nog niet te hebben geschaad. De weg is een
smalle strook kuilig zwart waarop een paar voertuigen
zich slingerend en schommelend voortbewegen, de diepe-
re kuilen vermijdend en in sommige van de ondiepe, verrassende gaten knallend.

We rijden snel door de rotte-eierenstank van Kabwe dat
rook uitbraakt van koper- en kobaltmijnen. Er zijn hier
nog wat sporen van onze Europese voorgangers die langgeleden zijn teruggekeerd naar de gewoonheid van Engeland, waar ze nu (met een innigheid die voortkomt uit afstand en de pittige geheugenprikkeling van een gin-en-
tonic-avond) terugdenken aan de verbeelde glorie van
zonverbrande sportfeesten en in het wit geklede bedienden. Deze langgeleden vertrokken Europeanen hadden
geprobeerd om Kabwe tot iets krachtigers te maken dan
zijn stank (die zo hevig is dat je hem kunt proeven: bitter,
brandend, achter in de keel beklijvend als de herinnering
aan braaksel). Er zijn een paar bomen die de droom van de
Tuiniersvereniging Kabwe hebben overleefd – stoffig, uitgedroogd, ziek, met uitgeputte wortels. Deze emigran-
tenbomen (broze frangipanes, paarsbloemige jacaranda's,
en flamboyantbomen die bol staan van de peulen) staan in

rijen langs de straten als soldaten die standhouden op het moment dat hun kameraden sneuvelen.

De huizen bij de mijn, die nu met zand bedekt en door kippen vervuild zijn, dragen nog de sporen van de *mazungu*-mevrouwen die ooit een waterslurpend gazon en rozentuinen rond een met muskietengaas afgeschermde veranda hebben ontworpen. Je hebt er het Elephant Arms Hotel (afbladderende verf, vlekkerig groen pleisterwerk, urinestank), een Anglicaanse kerk en een ziekenhuis (waar kronkelige rijen koortsige patiënten de deur uit komen). Een magnifieke, groenwitte moskee met een uivormige koepel stijgt op uit het centrum van Kabwe; niet koloniaal verrottend en ook nog niet postkoloniaal socialistisch (dat wil zeggen: grijs cementblok), maar van een andere, veerkrachtige cultuur; tijd en plaats trotserend.

In Kapiri Mposhi (dat bestaat uit een treinstation, een van hoeren vergeven bar en een Indiase winkel waar alles, van fietsen tot nylon sjaals tot *made-in-China*-zonnebrillen, potloden en wekkers wordt verkocht) zullen we rechts afslaan. Maar eerst is er de derde van de vier wegversperringen die we vanaf de stad tot onze boerderij moeten passeren. Schuin in de weg geslagen pinnen steken als tanden omhoog, zandzakken barsten log uit hun voegen en morsen wit op het teermacadam, en de militairen leunen lui op hun geweren. We moeten paspoorten, reflecterende driehoeken, het kentekenbewijs van de auto laten zien; maar dit kan allemaal vermeden worden als we maar een handjevol bankbiljetten en wat sigaretten, zeep of olie zouden overleggen.

Papa wordt nijdig. Het is heet en we zijn al op sinds ver voor zonsopgang, om heen en terug te kunnen zijn vóór het donker, wanneer het reizen gevaarlijk wordt gemaakt door bandieten, de slechte wegen en onverlichte, soms door dronkaards bestuurde voertuigen. Papa steekt een sigaret op en staart door de voorruit. Hij is ziedend en erg stil, maar lijkt in zijn eigen gedachtewereld verzonken te zijn en de vijandige tegenstand van de landweerman volstrekt te negeren. Ten slotte wendt papa zich tot de man met het geweer en zegt: 'Laat ons in godsnaam gaan, of schiet ons anders neer.' De man met het geweer is duidelijk dronken, maar wordt tot een kortstondige alertheid opgeschrikt.

Op de achterbank krimpen Vanessa en ik ineen. Ik wil zeggen: 'Hij meende het niet. Het was maar een grapje. Niet schieten, hoor.'

Maar de soldaat begint te lachen. 'Ah, Fuller,' zegt hij, 'je bent te slim. Te slim.'

Papa wacht niet tot hij ons doorwuift, maar rijdt verder, waarbij de autowielen grind doen opspatten tegen de ijzeren vaten die ons wegleiden van de pin-tandige barrière.

Op deze manier zijn mensen omgekomen. Ze zijn door wegversperringen gereden terwijl het niet duidelijk was dat ze doorgewuifd waren, waarna een dronken sergeant zijn geweer leegschoot op hun achterhoofd. Doodsoorzaak: ongeval.

Wij zeggen: 'Ongeval? Omgeknald! Haha.'

Aan de weg naar Mkushi woont een gek. Hij komt telkens bij volle maan het teermacadam op en graaft een diepe greppel dwars over de weg. Papa zou de gek maar wat graag opsporen en meenemen naar de boerderij. 'Denk je eens in wat een sterke kerel dat is, niet?'

'Ja, maar je zou hem alleen aan het werk krijgen wanneer het volle maan was.'

'Dan werkt hij al twee keer zo hard als alle andere Zambianen.'

We steken de tweede brug over (nog één wegversperring) en bereiken de gombomen, waarvan de spookachtige witte takken de hemel in steken, en nu zijn we bijna thuis. De weg is vanaf dit punt zanderig, weggespoeld, vol kuilen en ribbels, en spuwt een fijn, rood, aan de keelwand klevend stof omhoog, maar de vredigheid van de boerderij spreidt haar vingers al naar ons uit.

De boerderij komt niet als een verrassing omdat ze op de plek staat waar ik ook een boerderij zou neerzetten. Het is een plek waar ieder verstandig mens een boerderij zou neerzetten. We hebben honderden kilometers gereden en elke nieuwe kilometer brengt land dat mooier en vruchtbaarder en troostrijker is, en bij elke voorbijgaande kilometer wordt de lucht zuiverder en lijkt de hemel weidser en dieper. En dan, wanneer je het gevoel hebt dat het land er niet aangenamer bij kan liggen voor menselijke bewoning, ziedaar: Serioes Farm, openliggend als een zanderige, met bomen bespikkelde deken. Zacht, weelderig, vruchtbaar en zoetruikend naar stekend papegaaienkruid, oude koeienmest, ijle stof en msasabomen. Het lijkt voor dit gezin een voor de hand liggende plek om te blijven. En te helen.

In 1983 is Zambia negentien jaar onafhankelijk, namelijk sinds oktober 1964.

De president, Kenneth Kaunda – bekend onder de koosnaam KK – is een diep religieuze geheelonthouder, de zoon van een missionaris. Hij heeft de neiging tranen te plengen en lange redevoeringen te houden en noemt zichzelf een Humanitaire Socialist. Hij spreekt over liefde, tolerantie en verzoening.

'Eén Zambia, één natie.'

'UNIP is de partij van het volk.'

UNIP staat voor United National Independence Party. Het is de enige legale politieke partij in Zambia.

Degenen die KK bekritiseren en oppositie voeren tegen zijn regering, worden op zijn bevel gemarteld, gedood, gevangen genomen. Hij is de enige presidentskandidaat bij de verkiezingen en haalt jaar op jaar een verpletterende stembusoverwinning op niemand.

Verkiezingen komen en gaan en er verandert niets – de zinloze verkiezingen zijn niet memorabel.

Het zijn de incidentele, snel onderdrukte couppogingen die ik onthoud.

Iedereen kan een coup plegen. Ik heb de indruk dat zelfs ík me met genoeg gin en boosheid kan wapenen om het radiostation in Lusaka binnen te lopen, de avonduitzending van Afrikaanse rumba te onderbreken en mezelf uit te roepen tot de nieuwe leider van het land.

'Blijf kalm,' zou ik in de microfoon zeggen, 'ik ben het, Bobo Fuller, die de leiding heeft. Hierbij roep ik de derde Republiek van Zambia uit.' En tegen de tijd dat mijn woorden de landelijke gebieden zouden bereiken (dagen, misschien wel weken later), zou ik achter slot en grendel zitten en op weg zijn naar de dood.

De leiders van de coups, de politieke gevangenen en de deelnemers aan studentenopstanden zijn in de gevangenis snel vergeten. Hun heroïsche tegendraadsheid smelt in de tropische hitte en spoelt weg bij het volgende regenseizoen.

Als we die eerste avond op de boerderij aankomen, is Vanessa in Zimbabwe, waar ze de secretaresseopleiding doet. De werkplaatsbeheerder – een ruw uitziende ex-Rhodesiër die Gordon heet ('Noem me maar Gordy') – heeft de opdracht gekregen de keuken met voldoende voedsel te bevoorraden om ons op weg te helpen. De lekkende gaskoelkast bevat dan ook een zestal biertjes en een paar stukken vlees, een kruimelig, oud brood, een oude jampot met olie en een klein kommetje zout. Gordy zegt: 'We hebben al zes weken geen elektriciteit. Stelletje hufters, hè? Zodra de eerste regens komen, liggen alle leidingen plat en dan ben je de lul, excuseer mijn Frans.' We glimlachen beleefd en excuseren zijn Frans. 'Dus u zult een vuurtje moeten maken voor uw avondeten, hè?'

'Dat geeft niet,' zegt mama.

'Ik heb een *muntu* voor u meegebracht. Hij was vroeger

de kok hier.' Een Afrikaan in een smerig kakiuniform staat achter Gordons schouder breed te grijnzen.

'Hallo,' zegt mama tegen de Afrikaan.

Ik zeg: 'Hoe maakt u het?'

'Bwino, bwino, bwino.'

'Hoe heet je?' vraagt Gordy hem.

'Adamson,' zegt de Afrikaan.

Gordy haalt zijn schouders op. 'Ik kan het niet bijhouden,' zegt hij, 'ze hebben de gewoonte hun naam te veranderen alsof hij opeens uit de mode is, hè.' Hij wuift in de richting van Adamson, als naar een muskiet of een vlieg.

Gordy is een paar maanden eerder dan wij op de boerderij gekomen. Het is de bedoeling dat hij de tractoren, maaidorsers, motoren, generatoren, waterpompen en trailers repareert terwijl papa deze uitgeputte, prachtige boerderij zal omwerken – nieuw leven zal inblazen. Gordy steekt een sigaret op en zegt tegen ons: 'Afgezien van jullie truck is er maar één voertuig op deze hele vervloekte boerderij dat het doet.' Hij neemt een trek van zijn sigaret en voegt daaraan toe: 'En dat is mijn motor.'

De keuken zucht en kraakt, zich om ons heen nestelend.

Gordy dwingt zichzelf tot actie: 'Dus jullie hebben alles wat je nodig hebt?'

We knikken.

'Dus ik zie jullie morgen, hè?'

We marcheren de keuken weer uit, de lange betonnen goot in die langs de voorkant van het huis loopt, en kijken toe hoe Gordy de oprijlaan afrijdt op het enige apparaat op de boerderij dat het doet, afgezien van onze truck.

Papa steekt een sigaret op.

Mama zegt: 'Zijn vrouw is erg knap. Nog zwanger ook.'

Ik haal mijn neus op. 'Dat moet ze dan zijn geworden door bestuiving via de wind.'

'Bobo!'

Als avondmaal eten we gebakken vlees op gebakken brood met als groente het gekookte loof van weegbree. Mama heeft de weegbree gevonden op de plek die ooit de groentetuin was en nu overwoekerd is met onkruid en oprukkende bush.

'Eet u dat?' Adamson wijst ongelovig naar het onkruid.

'Weegbree is erg goed voor je,' zegt mama tegen hem, 'smaakt naar spinazie.'

'Voor Afrikaan ja, mevrouw. Maar voor *wazungu*?'

'Arme mieters kunnen niet kieskeurig zijn.'

We drinken het nauwelijks koele, inheemse Mosi uit de lekkende, naar schimmel ruikende koelkast, gespitst op UFO's (*unidentified floating objects*) in de flesjes. We waren door Gordy gewaarschuwd: 'Ik ken iemand die een *muntu*-vinger in zijn bier heeft aangetroffen. *Kzweertje*.' Het bier is gistig, mild en verschaald, maar het smaakt beter dan het roodbruine water dat uit de kranen spettert.

Ik neem een paar hapjes van het vlees en brood en duw mijn bord dan van me af. Soms zit er aan Afrikaans vlees een smaak die net zo sterk is als de stank van een zondoorstoofd karkas. Het is de smaak van vrees-en-vlucht en ook van het zweet dat afkomstig is van de handen en voorhoofden van de slagers die het beest in stukken hebben gesneden. Het maakt het vlees taai en zwaar om te kauwen en het kerft mijn keel wanneer ik slik.

'Geen honger, wijfie?'

'Ik heb genoeg.' Ik nip van mijn bier en staar naar het plafond dat bevlekt is met dikke korsten vliegenstront, vooral recht boven de eettafel.

Adamson verschijnt om de tafel af te ruimen (de keukendeur valt bijna uit elkaar; hij bestaat uit twee stukken triplex die door een klink bij elkaar gehouden worden en hij klappert wanneer hij geopend en gesloten wordt). Adamson zegt: 'Ik kan Yorkshire-pudding klaarmaken.'

'O ja?' zegt papa.

'Ik werk voor Engelsman, veel jaren.'

'Aha,' zegt papa.

'Ik werk voor de laatste *mazungu*-bwana hier.'

'Ah.'

'En nu ga ik voor u koken.'

'Mooi.' Papa legt beide handen voor zich op tafel, kijkt op naar de kok en zegt: 'Dus geen gesodemieter bij meneer Fuller, hè?'

'Nee, bwana. Nee.'

Adamson heeft een groot, droevig hoofd, zo zwaar en vol bot dat het lijkt alsof het moeite moet doen om rechtop op zijn nek te blijven zitten. Zijn lippen zijn groot, slap en vuurrood, en onthullen een paar tandenstompjes. Hij knikt droevig en zegt, bijna in zichzelf: 'Sodemieters kunnen niet kieskeurig zijn.'

De boerderij is al jaren niet fatsoenlijk beheerd. Nog voordat de Duitsers haar kochten, hadden een reeks drankzuchtige, bij tijd en wijle krankzinnige *wazungus* (voor het merendeel opgebrande Rhodesiërs die de oorlog ontvluchtten) haar te gronde gericht. Ze hebben het huis en de tuin in tropisch verval laten geraken. De tapijttegels in de hal komen omhoog, afbladderend en groengrijs op de plekken waar ze in het regenseizoen kletsnat zijn geworden. Door het hele huis zijn potten en pannen klaargezet om het regenwater van het lekkende dak op te vangen. Muskieten broeden vrolijk in het stilstaande water.

Als ik die avond, de eerste avond op onze nieuwe boerderij, op de rand van mijn bed zit en mijn gedachten laat gaan over mijn nieuwe slaapkamer, rent er een rat ter grootte van een kleine kat over mijn voet.

Mama

Balsem op de wonden

We witten de muren, reinigen de tapijten, gordijnen, meubels. Mama hangt schilderijen op, stalt haar boeken en snuisterijen uit en snijdt wilde planten af die ze op de veranda droogt en dan door het hele huis heen in vazen en potten zet, waar ze algauw plekken worden voor spinnenwebben. Adamson krijgt nieuwe uniformen en een paar nieuwe schoenen. Mama verzoekt hem in huis geen marihuana te roken. De moestuin wordt omgespit en herbeplant met tomaten, rapen, pompoenen, groene paprika's, wortels, aardappels, sperziebonen, aardbeien en uien. De bloementuin wordt besproeid, bestrooid met tabaksrestjes en de rozen worden tot stekels gesnoeid. De klimmende bougainville, die is uitgedijd en verwilderd en die uit zijn boom op het huis dreigt te vallen (de boom in zijn val meeslepend), wordt bijgeknipt en uitgedund. De kamperfoelie op de garagemuur wordt met zorg weer tot leven gewekt en zijn zoete, oranje bloemen hangen als trossen piepkleine trompetten boven de ingang van de garage.

De melkschuur, die omringd was door een diepe greppel

van koeienstront, wordt schoongemaakt, en de magere, uitgemolken koeien worden gevoed en verwend tot hun huiden glanzen en hun melk dik, zoet en overvloedig is. We adopteren en kopen zoveel honden dat we er bijna over struikelen, we krijgen een wit katje dat we Percy noemen en de Duitsers schaffen (zoals beloofd) twee merries voor ons aan, waarvan één zwanger.

De boerderij zwicht voor de zachtzinnige discipline van zorgvuldig boeren. Uitgeputte weiden worden bemest en mogen dan braak liggen. Het vee wordt gewassen, onthoornd, geteld, gebrandmerkt, ingeënt en de onvruchtbare koeien worden uit de kudde geschift. De tabaksschuren worden opgelapt en waterdicht, luchtdicht en windbestendig gemaakt. De wegen worden genivelleerd en op sommige plaatsen worden gaten en zanderige stukjes gevuld met gemalen baksteen, zodat tractors en trailers niet op grote afstand van de boerderij vast komen te zitten. Het slib wordt uit de stuwmeren gegraven en langs de oevers worden zandzakken gelegd. Gordon vindt elders werk en de voertuigen van de boerderij rijden weer.

We hebben de hele ochtend paardgereden, de *vlei* over waar papa het planten van jonge, dunnekkige, grijsblauwgeschorste gombomen heeft georganiseerd. Het is een hete, schelle ochtend geweest; de zon is bleek en fel en zuigt de kleur uit de hemel. Mama heeft ontdekt dat de trailer waarin de rijen van verleppende gomzaailingen liggen, kapot is gegaan. Wanneer we terugkomen van onze rit, rijdt ze naar de werkplaats om een werktuigkundige in te schakelen. Ik zit in mijn rijbroek op de veranda. Paardenzweet prikt in mijn handen en mijn ogen branden van de hitte. Adamson komt uit de keuken schuifelen met een dienblad thee voor me. Een dikke joint hangt aan zijn onderlip en morst as en geurige vlokken wiet op de thee. Ik steek een sigaret op. 'Dank je, Adamson.'

Ik kijk toe hoe de paarden de wei in drentelen. Ze vinden zanderige plekjes en werpen stofwolken op, rollen de hete ochtendrit van hun ruggen af, benen peddelend in de lucht. Er is een koor van zingende insecten en vogels; geelgevederde wevervogels stormen uit de bougainville waar hun nesten hangen als piepkleine, ingewikkelde mandjes. De honden liggen plat op hun buik op de veranda, plassen speeksel vormend onder druppelende tongen. Ik duw Percy van mijn schoot. 'Te warm, Perks,' zeg ik tegen hem.

Ik drink mijn thee op en overweeg een tochtje naar het terrein waar papa in zijn kantoor zit en waar ik meestal wel werk kan vinden om mijn luxe-leventje en mijn dagelijkse portie sigaretten en bier te rechtvaardigen. Terwijl ik opsta, zie ik mama in de pick-up, terug van de werkplaats, de oprijlaan op komen scheuren. Er loopt een smalle, zanderige, drie kilometer lange weg tussen het huis en de werkplaats, en zo ver het oog reikt hangt er nu een koker van opgeworpen stof. Zelfs hiervandaan kan ik, als ik mijn hand boven mijn ogen houd tegen de zon, de pick-up schuddend over de ribbelige aangeslibde grond van de weg zien aankomen. De paarden schrikken en slaan op hol bij haar nadering. De honden springen van de veranda en rennen haar met de staarten overeind tegemoet.

Mama komt slippend tot stilstand voor de garage. Ik ren naar buiten om te kijken wat er is gebeurd. Ze stapt moeizaam uit en houdt iets in een zak op veilige afstand van zich af.

'Snel, Bobo, haal een doos voor me.' Mama schopt naar de honden die opspringen om haar levende bundeltje te onderzoeken.

We noemen hem Jeeves. Het is een Kaapse oehoe. De Zambianen hier zijn wat uilen betreft zeer bijgelovig. Ze geloven dat als een uil op een dak neerstrijkt en krast, een inwoner van het huis waarop de uil is neergestreken, zal sterven. Mama had Jeeves gevonden bij de werkplaats, poten samengebonden met ruw touw; hij werd als de hefschroef van een helikopter boven het hoofd van een jongeman rondgedraaid terwijl vrienden van de man in een kring om hem heen stonden en telkens juichten wanneer de uil op de grond neerstortte, zijn vleugels uitgespreid en slap.

Tegen de tijd dat mama schreeuwend van woede en afgrijzen het groepje van joelende toeschouwers was binnengerend, was de uil bedekt met stof, bloedde hij, en had hij één poot en één vleugel gebroken.

De tuinman werd opgedragen een enorme kooi in de tuin te bouwen, onder de schaduw van de boom. Jeeves werd in zijn nieuwe huis geïnstalleerd; het kon bogen op de dikke takken van dode bomen als roesten, een zacht groen tapijt van gazon en een kleine bakstenen kennel met een dak voor regenachtige dagen.

Jeeves is woedend. Hij kijkt ons vanaf zijn roest kwaad aan, voor een nachtdier hyperactief, waarbij zijn enorme gele ogen griezelig over ons heen glijden. Wanneer iemand zijn omsloten ruimte nadert, sist hij en klakt hij met zijn snavel. Zo nu en dan roept hij *Voe-woe-hoe* en dan huiveren de Zambianen en krommen hun schouders als tegen een prikkende stofstorm.

Mama probeert Jeeves brokken vlees te voeren. 'Kom op,' zegt ze tegen hem, 'het is verdomme mijn beste steak.' Maar Jeeves sist en kijkt dreigend en het vlees ligt onaangeroerd op zijn roest en verkleurt van rood naar bruin en dan naar grijs, tot het wordt weggehaald. Het personeel ziet mama's handelwijze met lede ogen en van een afstand aan en mokt over de verspilling van vlees. Sommige kinderen die met hun moeders bij de achterdeur zijn gekomen voor de dagelijkse kliniek, bedekken hun monden met hun hemden en werpen snelle, steelse blikken op de ongeluksvogel. Hun moeders trekken hen naar zich toe en geven hun een klap.

Hij is er al drie dagen, en nog steeds wil de uil niet eten. Mama spit haar boeken door en ziet dat een uil van Jeeves' soort in het wild insecten, reptielen, zoogdieren en andere vogels eet. Ze vormt de steaks tot het formaat van kleine zoogdieren en hagedissen en probeert ze levend te laten lijken door het vlees aan het uiteinde van een stok te prikken en het brokje rond de omsloten ruimte te laten schokken en rennen alvorens het trillend tot rust te laten komen bij Jeeves' voeten. Hij knippert met zijn ogen en draait zijn hoofd dan helemaal weg van mama en haar aanbod.

Dus rijden we de boerderij af, de spoorlijn over en de richting van de hoofdweg op, naar Barry Shelton die een van de eerste jachtopzieners van het land is geweest; een legendarische gids en spoorvolger die soja- en maïsboer is geworden. We wachten terwijl zijn Zweedse vrouw thee inschenkt (ze biedt ons citroen óf melk aan en even zijn we verbijsterd, overrompeld door het idee dat iemand iets anders zou kunnen drinken dan sterke zwarte thee met volle, dikke melk erin). Marianne heeft een ommuurde tuin, zoals ze die, zo stel ik me voor, in Engeland hebben. Ze is slank en vegetariër en drinkt warm water met citroen in plaats van thee. Ze heeft onlangs een reis naar India gemaakt. We luisteren beleefd, geboeid, terwijl ze ons over haar avonturen daar vertelt.

Zo gaan de dingen in Afrika. We moeten het ritueel volgen. Er is geen directe manier om ter zake te komen. Of we nu zijn gekomen voor een reserveband voor de tractor of voor een of ander advies over het voeden van een gewonde uil, we ontwijken de zaak waar het om gaat. Er zijn in Mkushi geen telefoons die enigszins betrouwbaar functioneren, dus worden alle zaken op deze manier gedaan, bij de thee of soms bij whisky en bier. Sociaal contact is beperkt, kostbaar. We melken het uit, zwelgen erin. We baden in het gezelschap, in de vreemdheid van de geuren en gewoonten van het huis van een ander. We bewonderen de

319

zonnebloemen die Marianne heeft gekweekt tegen haar muur van rode baksteen, we aanvaarden een tweede portie van de droge citroen-wortelcake. Mama praat over de moeilijkheid om fatsoenlijk meel te vinden. We stemmen erin toe boter voor meel te ruilen. Vlees voor rijst.

Ten slotte vertellen we het verhaal van Jeeves en het inmiddels dringende probleem om de uil aan het eten te krijgen. Barry rookt peinzend en glimlacht vriendelijk. 'Nee, hij zal het vlees niet op die manier eten. Het moet bedekt zijn met haar.' Barry vertelt ons dat de uil het haar op zijn prooi nodig heeft om het vlees te kunnen verteren.

Als we thuiskomen gaat mama (die golvend, dik, schouderlang, kastanjebruin haar heeft) in haar slaapkamer voor de spiegel zitten en knipt haar haar kort, helemaal tot op de nek. Het personeel is met stomheid geslagen als mama uit de kamer komt met in haar hand afgeknipte lokken die ze om brokken vlees wikkelt. 'Vind je dit er als een muis uitzien?' vraagt ze.

Ik schud mijn hoofd. 'Niet echt.'

'Denk je dat Jeeves het verschil zal zien?'

Ik zeg: 'Waarschijnlijk wel.'

Mama zegt knarsetandend: 'Je bent niet erg behulpzaam, Bobo.'

'Ik kan niet geloven dat je je haar hebt afgeknipt.'

'Wat kon ik anders doen?'

'Een rat vangen,' zeg ik.

'Hoe dan?'

'Ze stelen van Percy.'

Mama rolt met haar ogen.

'Er zitten een paar in mijn kamer die vast niet zo moeilijk in het nauw te drijven zijn.'

'Waarom probeer jíj ze dan niet te vangen?'

'Het is jouw uil,' zeg ik.

We laten onszelf in de omsloten ruimte. Jeeves blaast zich op, klakt met zijn snavel en sist. Zijn gebroken vleugel hangt neer als een zware, over de schouder geslagen mantel en reikt tot over zijn voeten. Mama had geprobeerd de vleugel tegen Jeeves' lichaam vast te zetten met verband, maar Jeeves had het verband aangevallen totdat mama, uit vrees dat Jeeves zichzelf zou verwonden, het verband had verwijderd. Mama spietst het in kastanjebruin haar gewikkelde vlees op haar aangescherpte stok en zwaait de stok naar Jeeves. 'Gourmet,' zegt ze tegen hem, 'kom op, jongen.' Jeeves huivert. Ik lach. Mama kijkt kwaad naar me.

'Hij huiverde,' licht ik toe.

'Hij schudde alleen maar zijn veren uit.'

'In haren gewikkeld vlees. Getver.' Ik zegt tegen Jeeves: 'Ik kan het je niet kwalijk nemen. Ik zou het ook niet eten.'

Mama stuurt een boodschap naar de kinderen van de arbeiders. Ze betaalt vijf *ngwee* voor muizen, tien *ngwee* voor ratten. De knaagdieren hopen zich op op de achterveranda, waar ze worden geteld door Adamson, die de grijnzende kinderen betaalt. Hij legt de slappe rattenlijken (als oude grijze sokjes) boven op elkaar in de ijskast waar ze een bezoeker uit de stad die de keuken binnendwaalt op zoek naar een koud biertje, de stuipen op het lijf jagen.

Jeeves eet deze muizen. Hij wordt een dagdier. Hij wacht nu op Adamson, het enige lid van de staf dat er geen bezwaar tegen heeft de vogel te voeden. 's Ochtends en 's avonds komt Adamson gekromd de keuken uit met een dienblad vol muizen en ratten, zelf ook ogend als een grote, grijze uil, terwijl er een lange, in krantenpapier gedraaide joint aan zijn onderlip bungelt. Hij kijkt met toegeknepen ogen door de zoete, penetrante rook van zijn joint heen en praat zachtjes tegen de uil, die nu van het dienblad eet. Adamson wacht tot Jeeves uitgegeten is en sloft dan terug naar de keuken.

Hij is een man die zelf te veel pijn heeft gehad om de pijn van een medeschepsel te kunnen negeren. Zijn op twee na jongste dochter werd geboren met ernstige afwijkingen en leeft kruipend in de modder, met schuddend hoofd, vatbaar voor allerlei infecties – een voortdurende bron van pijn en zorg voor haar vader. En nu is zijn oudste dochter neergestoken door de veedrijver (die *Doesn't Matter Dagga* heet) en ze is dood. Ze is nog twee dagen en twee nachten blijven leven met een speer door haar middel (wij waren op het tijdstip van de moord in de stad bij een tabaksveiling) en ze stierf toen iemand eindelijk de moed had verzameld om de speer uit haar middel te trekken. Adamson vertelde mama dat de ingewanden van het meisje met de speer mee naar buiten kwamen en dat ze schreeuwend stierf.

Er is geen ongeluk meer dat een uil deze man kan brengen.

Ik zeg tegen mama dat ze iets aan haar haar moet doen.

'Wat is er met mijn haar?'

'Het ziet eruit alsof je door een grasmaaier bent overreden,' zeg ik.

Dus de volgende keer dat we in de stad zijn besteedt mama, tegen haar gewoonte in, tijd en geld aan zichzelf. Er zijn een paar Zambiaanse kappers in Ndola die volgens Marianne *mazungu-* haar kunnen knippen.

Papa, Vanessa en ik vinden een stukje schaduw waarin we onze jamsandwiches en gekookte eieren kunnen eten, en onze thermosfles koffie (bitter van het doorkoken en alleen drinkbaar met melkpoeder en lepels suiker) kunnen leegdrinken. We roken en papa leest de krant.

Wanneer mama opduikt zijn we even met stomheid geslagen.

'Nou?' zegt ze, knipperend in de hete middagzon. Ze heeft de bloemige, sterk chemische geuren van de kapper met zich meegebracht. De geur van de lotions die gebruikt worden om kroezig haar glad te strijken, om *mazungu-* haar te permanenten en te verven, om welk haar dan ook te reinigen en te verzorgen, zijn in haar kleren en haar huid gedrongen, en ze steekt af tegen de hete, zilte, naar stof ruikende Afrikaanse stad.

Haar haar is zeer kort geknipt, guitig, tot boven haar oren en stekelig kort bovenop. De kleur ervan is diep kastanjebruin: de lagen haar die zich jarenlang voor zon en wind hebben verscholen, zijn aan de oppervlakte gekomen. Haar ogen zijn licht en verrassend, ze lijken groter en doordringender dan ik ze me van een uur geleden herinner. Haar jukbeenderen zijn gebeeldhouwd en lopen uit in een volle mond (pas gestift). Mama is altijd tenger, atletisch, hard en gespierd geweest van jaren paardrijden, lopen en karig boerderijleven, maar het korte haar doet haar slanke bouw goed uitkomen.

Papa legt zijn krant langzaam neer en schraapt zijn keel.

'Wat vind je ervan?' zegt mama.

'Heel netjes,' zegt papa.

'Je ziet cr geweldig uit,' zegt Vanessa.

Ik knik: 'Gaaf.'

Mama glimlacht breed, verlegen.

'Wie heeft er zin in een biertje?' zegt papa.

Tegen de tijd dat we zover zijn om de stad te verlaten en naar de boerderij te gaan om voor het donker terug te zijn, zijn we allemaal lichtelijk middaghittedronken. Mama's haar houdt zich goed onder de druk.

Regen –.
Serioes Farm

De laatste kerst

In het jaar dat ik achttien word, zijn de regens laat.

De eerste regen was zoals gewoonlijk begin oktober gekomen en de wereld was hoopvol, voortijdig groen geworden. Maar nu is dat vroege groen verworden tot een ver-
lept, giftig, verschroeid blauwgrijs. De lucht is zwaar van
spot en zuigt het vocht uit de planten terug. De wolken die
uit dit gestolen aarde-plantenwater ontstaan, ijlen noord-
en zuidwaarts, uiteengereten door de hete wind, en blijven als een dunne witte sjaal verspreid over de hemel achter. Het doet ons verlangen naar bier.

De pomp spuugt modder van het slinkende, stinkende
stuwmeer in de watertank, en het water puft dik, rood en
modderig uit de kraan. We mogen alleen water gebruiken
om te drinken en we delen het badwater. Op een avond
wordt er een kleine kikker het hete bad in gespuugd. Hij is
gekookt, verstijfd, ogen opengesperd, dood en verbijsterd. De boorgaten kokhalzen en het dunne straaltje dat
van de lippen van hun pijpen komt, is zo geel als gal. De rivierbedding glinstert glazig in de diepte tussen rotseiland-

jes. Een naburige boer zegt dat hij een krokodil over zijn velden heeft zien kuieren, prehistorisch misplaatst, op zoek naar water.

Het is het jaar dat Vanessa, die in Londen voor een kindertelevisiezender heeft gewerkt, thuiskomt om met haar Engelse vriendin door Afrika te reizen. De vriendin is sexy en werelds en danst op een feestje in de sociëteit van Mkushi, en de oude, Grieks ogende man die naar verluidt in veertig-en-nog-wat jaar niet heeft geglimlacht, heft zijn glas bier naar het plafond en zijn ogen worden glazig en zijn lippen worden nat, en als hij er woorden voor zou kunnen vinden, zou hij zeggen: 'Op vrouwen met benen waar geen eind aan komt!' Zijn trillende lippen splijten open en ontbloten zijn tanden.

Ik zeg dat hij glimlachte.

Papa zegt dat het een voorbode was van een beroerte.

Ze draagt een bikini, flirt zorgeloos met de lange, blonde, neukbare zoon van een buur (op wie ik onsterfelijk verliefd ben) en gaat met hem naar bed. Kennelijk met een gerust geweten. Ik kan na afloop de sigarettenrook ruiken die onder de deur van de logeerkamer door zweeft. De rook blijft prikkend in de gang hangen.

Ik ben vol ontzag. Ik probeer de manier waarop ze rookt te evenaren; langzaam, gretig en intiem. Ik krijg rook in mijn ogen en val weer terug in mijn oude manier van roken, als een Afrikaan, met de sigaret tussen duim en wijsvinger.

Ik heb kortstondig, en op een niet erg serieuze manier, in God geloofd en ben voor in de charismatische kerk in Harare (die ik korte tijd heb bezocht) opgestaan om Jezus Christus als mijn Verlosser te aanvaarden. De rest van mijn familie vond deze ontwikkeling tenenkrommend. Eén keer (toen ik dronken was) heb ik in het huis van een van de buren de conversatiebekoelende gelegenheid aangegrepen om voor het verzamelde gezelschap te verkondigen dat ik van Jezus hield. Mama verklaarde dat ik er wel overheen zou groeien. Papa bood me nog een biertje aan en zei dat ik wat vrolijker moest worden. Vanessa beet me toe: 'Hou je mond.' En ik zei hun allen dat ik voor hen zou bidden. Wat met gelach werd begroet.

Om net als de Engelse Vriendin te zijn ben ik – tot een ieders opluchting – weer tot goddeloosheid vervallen.

Maar de regens blijven nog steeds uit.

We houden een regendans. We nodigen alle buren uit. Er zijn Grieken, Joegoslaven, Zambianen, Tsjechen, kleurlingen, emigranten-als-wij, Afrikaners, een vrouw die naar verluidt deels Indiaans is, een Canadees, de Engelse Vriendin en één Indiër.

We maken een vuur buiten (onder de broze, kwetterende, van wevervogels wemelende bougainville) en *braai* daarboven steak en *boervors*. Adamson, wankelend van de gejatte drank, brengt vanuit de keuken dienbladen naar buiten met verschrompelde, grijsgekookte groente, klefhete, gekookte aardappelen en met arachideolie overgoten salades. De as van zijn joint en het zweet van zijn voorhoofd vallen op het dienblad. We blijven in de zakkende, meedogenloze zon zitten drinken totdat de stalknecht van zijn zondagse biertjes wordt weggeroepen om de paarden te zadelen en dan gaan we uit rijden, op zoek naar regenkevers. Mama (die de beste paardrijdster is van ons allemaal) glijdt uit haar zadel (maar morst niet met haar drankje). Ze lacht nog steeds wanneer ze op de grond terechtkomt en gaat daar geruime tijd mee door. Iemand hijst mama weer op haar paard, waar ze langzaam naar voren zakt in een volmaakte ponyclub-oefening: 'En nu kinderen, raken jullie allemaal met je neus de manen van het paard aan.'

We kunnen geen van allen regenkevers vangen (dat zijn de cicades die ons met hun droge, dorstige gerasp dag in, dag uit aan de droogte hebben herinnerd). We rijden naar huis voor meer bier.

Papa dreigt een maagd te gaan zoeken om aan de goden te offeren. Niemand van ons gezelschap wordt daarvoor waardig geacht. In plaats daarvan worden verscheidene van de vrouwelijke gasten in het door droogte gestremde zwembad gegooid.

En nog komen de regens niet.

Sinds oktober is mama bezig geweest om met een injectienaald de kerstcake (maanden geleden in Engeland gekocht) te injecteren met brandy. Naalden en injectiespuiten zijn schaars; we koken de naalden en spuiten die we hebben en gebruiken ze opnieuw. De cake daarentegen heeft eigen instrumenten toegewezen gekregen.

'*Hi, hi, hi,*' zegt Adamson. 'Mevrouw, is de cake ziek?'

'Inderdaad,' zegt mama, 'ik help hem beter te worden.'

Adamson grinnikt en schudt zijn enorme hoofd. Zijn gezicht lijkt in zweet op te lossen. Het gloeit in een glanzend vlies. Hij schuifelt naar buiten waar hij op zijn hurken onder de grote msasaboom gaat zitten roken. Zijn hoofd hangt naar beneden, zijn armen zijn over zijn knieën gestrekt en afgezien van de beweging die hij maakt om de hoek van de joint op zijn onderlip bij te stellen, is hij een roerloze figuur die langzaam wolken blauwe marihuanarook voortbrengt.

De hitte in de keuken is verstikkend. Er zijn twee kleine raampjes aan beide zijden van het reusachtige, uit twee aan elkaar gespijkerde delen bestaande vertrek, en er is één staldeur die naar de achterveranda voert, waar de melkknecht (omgeven door een halo van vliegen) boven de karnton staat te zwoegen (melk spat in emmers, room ploft in een kan – beide dreigen zuur te worden voordat ze de koeling kunnen bereiken). De koelkasten, die niet met de hitte kunnen concurreren, lekken (ze bloeden in feite: verdund, waterig bloed van ontdooiende brokken koe) en voegen een muf ruikende stoom toe aan de atmosfeer. Er hangt hier een aroma van ontdooiend vlees, bijna-zure melk, zwetende boter en de altijd aanwezige damp van zout vlees en verlepte groenten van de stoofpot voor de honden die op het fornuis staat te sudderen.

Het laatste deel van de keuken is gewijd aan de was. Daar staat een dienstmeisje (een slapende baby op haar rug) met een houtskoolstrijkijzer boven stapels kleren te zweten. Ze sprenkelt water op haar nek en op de kleren en laat het houtskoolstrijkijzer neersmakken op de tafel waar haar strijkgoed ligt. De stof wordt behalve met de waterdruppels besprenkeld met haar zweet, dat verschroeit en met de stoom verdampt in de lucht. De halvemaanvormige luchtgaten in het strijkijzer gloeien vurig rood met verse kolen. De kleren worden in de hitte tot papier gestreken en zijn knisperend, gesteven met zweet.

Telkens wanneer we naar buiten lopen, kijken we automatisch omhoog naar de lucht om te zien of we veelbelovende wolken kunnen ontdekken. De regen blijft nog altijd uit.

Dit jaar hakken we een droogte-droge spar om en stellen hem op in de zitkamer. Mama is urenlang bezig om kaarsen aan de boom te bevestigen met was.

'Als dat ding niet spontaan in brand vliegt,' zegt papa, 'eet ik subiet mijn hoed op.'

'Weet je zeker dat het veilig is?' vraag ik.

Mama zegt (verdedigend): 'Het ziet er fééstelijk uit.'

'Het ziet eruit als een bushbrand die op uitbreken staat.'

Vanessa, de aangewezen kunstenares van de familie, houdt een hele middag toezicht op het versieren van de boom. In de vier jaar na ons vertrek uit Malawi hebben we een kleine doos vol echte versierselen vergaard (engelen, trompetten, heiligenkransen, duiven) die verloren gaan tussen de plukken watten en de kaarsen. We durven niets te dicht bij de kaarsen te hangen.

We hebben een dode proteastruik uit de noordelijke, zanderige uithoek van de boerderij de veranda op gesleept. Hij kan nog steeds bogen op de vreemde, bruine bloesem met zijn neerhangende hoofdjes, die we aanvullen met oude, uitgeknipte kerstkaarten, waaraan met rode draad lussen zijn genaaid om ze op te hangen. Twee hagedissen nemen hun intrek in de boom en dragen bij aan de versiering.

'Zo'n versiering zou je in Harrods niet kunnen kopen,' zegt papa.

De hagedissen liggen snel van tong op de loer voor vliegen (die er in overvloed zijn). Ze zijn zo dik als de lucht.

Kerstavond. Het heeft nog steeds niet geregend. De tabakszaailingen groeien inmiddels dunnekkig en geelbleek in de hitte en hebben al tekenen van droogte op hun bladeren. We hebben de reusachtige watertanks van de trailer gevuld en ze staan bij de zaaibedden als legeruitrusting in afwachting van de strijd. We hebben al zes hectare tabak met water geplant, maar die planten liggen er slap en uitgedroogd bij, dunnetjes over het oppervlak van de aarde gedrapeerd. Wanneer we met onze vingers in de omgeploegde grond graven waarin deze uit de kas overgeplante plantjes staan, is de aarde brandend heet en uitgedroogd. Papa zegt dat we tot het regent geen tabak meer mogen planten. Dus de watertanks moeten wachten. De zaailingen moeten wachten.

Mama kruipt een halfuur rond de kerstboom om alle kaarsjes aan te steken. Dit is de eerste kerstavond waarop we nog steeds elektricitcit hebben. Gewoonlijk hebben onweersbuien de leidingen tegen deze tijd platgelegd en zitten we tot in maart, wanneer de regens afnemen, zonder stroom.

Dan zegt mama: 'Ik geloof dat ik ze allemaal heb gehad.'

En we doen het licht uit en genieten kortstondig van het

spektakel van de brandende boom, totdat papa zenuwachtig wordt en ons opdraagt de boom te doven. We doen het licht weer aan. Kevers, mieren en oorwurmen die zich in de uitgedroogde spar hebben gevestigd, hebben bosbrand bespeurd en jakkeren paniekerig door de zitkamer.

'Wil er iemand eierpunch?' zegt mama.

Het is te heet voor eierpunch. We drinken bier. Mama heeft de bovenkant van een meloen afgesneden en deze gevuld met gin en ijsklontjes. We zuigen om beurten aan de rietjes die uit de rug van de meloen omhoogsteken; een weeïg-stekelig stekelvarken van gesmolten ijs en gin in verdund watermeloensap. Als het bedtijd is, zijn we te dronken om te kunnen slapen.

Het is papa's idee om de buurt rond te rijden en kerstliedjes te zingen. We vertrekken in de pick-up; de Engelse Vriendin rijdt, met papa als hoofdnavigator. Vanessa en ik zitten achterin. Mama zegt dat ze thuisblijft bij onze logés (een gezin uit Zimbabwe).

We kidnappen de mannen, gasten en zonen van onze buren. We strikken twee gitaristen, van wie er één te stoned is om iets anders te spelen dan Claptons *Cocaine*. We overschreeuwen zijn intense, gedrogeerde riedels met luide, dronken vertolkingen van *Stille nacht, heilige nacht* en flarden van het Halleluja-koor (waarvan we alleen het woord 'halleluja' kennen).

We verstoren de malariaslaap van een Griekse boerin.

We worden op een haar na neergeschoten door Milan de Tsjech, die met een geladen revolver naast zijn kussen slaapt.

'Jezus!'

'Ik heb je verdomme nog zo gezegd dat je geen *Jingle Bells* moet zingen voor een Joegoslaaf.'

'Hij is een Tsjech.'

'Dat is hetzelfde.'

'Niet waar.'

'Voor mij wel.'

'Voor hem niet.'

'Hé, Milan! Niet schieten!'

De jongen die stoned is wordt door het geweervuur ruw uit zijn *Cocaine*-droom gewekt. Hij denkt even diep na en begint dan te zingen (waarbij hij zichzelf stuntelig begeleidt op de gitaar): *All we are saying, is give peace a chance...*' Hij moet het woord *peace* herhalen tot hij het goede akkoord te pakken heeft. *All we are saying, is give peace... peace...peace...peace...*'

We drinken warme bisschopswijn met Zweedse hulpverleners.

De dag breekt aan en we moeten nog voor de Indiërs en de Joegoslaven zingen.

Papa zegt: 'Moet je verdomme die zonsondergang eens zien! Nog nooit zo'n zonsondergang gezien.'

'Zonsopgang, papa. Zonsopgang.'

En het is werkelijk een verbluffend mooie, laaghangende, zwaarbuikige zonsopgang. Een felroze lucht onder dikke grijze wolken. Dikke, grijze, zich opstapelende, voortdrijvende wolken met gezwollen buiken. We kijken knipperend met onze ogen naar de stapels grijs en even zijn we verrassend nuchter.

'Dat ziet er veelbelovend uit.'

Vanessa snuift de lucht op.

De gitaarspeler zegt: 'Man. Dit is het volgens mij.'

Papa is snel in een diepe dronkemansslaap geraakt op de schouder van de Engelse Vriendin. We wekken hem. 'Zo te zien is er regen op komst.'

'Prachtige zonsondergang,' mompelt papa.

'Niemand mag de deuren of ramen dichtdoen.'

Eindelijk regen.

De Engelse Vriendin rijdt naar de zich samenpakkende wolken en ze komen vanuit het westen tuimelend op ons af drijven, totdat de hemel plotseling openzakt en de weg onmiddellijk net zo dik en kleverig is als pap.

We gaan met open monden achter in de pick-up liggen. 'Het regent, het regent, de pannen worden nat!' De pick-up kolkt en glijdt door de vette, zware modder. De Engelse Vriendin rijdt als een deelnemer aan de Oost-Afrikarally.

Papa, wakker geworden door het noodweer, is nog steeds hoofdnavigator, hoewel (voor zover wij kunnen beoordelen) volkomen de kluts kwijt. '*Pamberi*,' schreeuwt hij boven het gejengel van de zwoegende motor uit. Dat is de leus van de regerende partij in Zimbabwe: '*Pamberi* naar de uiteindelijke overwinning!'

Achterin klampen we ons aan elkaar vast, nat tot op het bot, huid-tegen-huid, dronken, schreeuwend naar de grote, grijze hemel. Het haar plakt op ons voorhoofd.

Tegen de tijd dat we thuiskomen, vlak voor de lunch, is papa als vrouw verkleed. We halen de zwarte afropruik van zijn hoofd en stoppen hem in bed.

Mama heeft de boerderijarbeiders gezegd dat ze een bonus van tien kwacha zal betalen aan iedereen die tabak komt planten. Ze neemt een heupflacon brandy mee en rijdt door de regen naar de velden, terwijl het paard onder haar ziltig dampt. De arbeiders zijn al dronken. Ze kruipen en wankelen, elkaar ondersteunend, zingend en klammig-opgewekt het veld op. Het gewas wordt geplant, maar de tabak staat dat jaar niet in rechte lijnen.

Het is de bedoeling dat we om twaalf uur een echte Engelse kerstlunch houden voor onze logés en verscheidene buren. De elektriciteit is uitgevallen. Adamson heeft aan iedereen die aan de achterdeur komt biertjes uitgedeeld. Hij zit op zijn hurken over een vuur gebogen dat hij op de achterveranda heeft gemaakt en roostert de kerstgans. Hij is bijna te dronken om nog op zijn hurken te kunnen zitten zonder voorover in de vlammen te kukelen. Het enige wat hem kennelijk op een redelijke afstand van het vuur houdt, is zijn angst dat het uiteinde van zijn enorme, in krantenpapier gerolde joint vlam vat. Hij wiegt, schommelt, zingt en deelt bier uit aan iedereen die behoeftig een hand uitsteekt. Het lijkt wel of iedereen binnen een straal van vijftig kilometer van onze boerderij dronken is, behalve onze pas gearriveerde gasten, het haar ongemakkelijk in model gedrukt, beleefd met hun nieuwe kerstjurken aan en kerstdassen om, de keel schrapend bij de zitkamerdeur.

Mama, met modder bespat en vrolijk dronken, is vastbesloten om de kerstcake met nog meer brandy te injecteren voordat hij, na de gans, op tafel komt.

Papa is in een zorgwekkend diep alcoholisch coma geraakt. Zijn lippenstift is uitgesmeerd. Zijn gesnurk is kelig en zwaar en dreunt vanuit het slaapkamergedeelte de zitkamer in.

Tegen de tijd dat de gans klaar is, is het ver na twaalven en zijn onze kerstgasten inmiddels ook dronken. Een van hen is in slaap gevallen op de stapel oude, van vlooien vergeven tapijten en zakken die het bed vormen van de honden.

We hebben papieren hoedjes op en drinken om beurten gin uit een nieuw watermeloenstekelvarken. We eten gans en lam, aardappelen, bonen en pompoen, alles doortrokken van de smaak van houtrook. Adamson ligt te slapen tegen een pilaar op de achterveranda. Af en toe waait de regen naar binnen en likt hem zachtjes nat. Zijn weke, enorme lippen zijn in een gelukkige glimlach gekruld.

Wanneer de kerstcake op tafel verschijnt, is er een ogenblik van stille verwachting. Dit is het waarmerk van een echte Engelse Kerstmis. Mama heeft brandyboter gemaakt bij de cake.

'Ik heb ook een beetje brandy in de cake laten trekken,' zegt mama, die inmiddels net zo doordrenkt is als de cake. Ze laat nog wat brandy op de cake klokken: 'Voor de zekerheid,' en vult haar eigen glas opnieuw.

'En nu steken we hem aan,' zegt Vanessa.

Mama heeft moeite met het aansteken van een lucifer,

dus de gast uit Zimbabwe biedt zijn diensten aan. Hij staat op en strijkt een lucifer af. We houden onze adem in. Even speelt er een blauwe vlam over de cake, die een beetje doorzakt van alle alcohol. 'Ah' klinkt het in koor rond de tafel. De vlam, gevoed door de brandy van maanden, neemt in kracht toe. De cake explodeert en spat tegen het plafond, de vloer en de muren. De gasten klappen en juichen. We redden krenten, rozijnen en verschroeide cake van de brandstapel en doordrenken onze restjes met brandyboter.

Zoron (een moslim) heft zijn glas: 'Zelfs in Oxford,' verklaart hij met een zwaar en lijzig Joegoslavisch accent, 'kunnen ze niet zo'n echt, ouderwets kerstfeest houden, wat jullie?'

Bobo en Charlie

Charlie

Ik ben overzee geweest, in Canada en Schotland, op de universiteit. Hoe verder ik weg ben van de boerderij in Mkushi, hoe meer ik ernaar verlang. Ik vlieg ten minste één keer per jaar van de universiteit naar huis, en wanneer ik in Lusaka uit het vliegtuig stap en die zoete, scherpe geur van rauwe ui en houtvuur, de geur van Afrika, in mijn gezicht walmt, kan ik wel huilen van vreugde.

De luchthavenbeambten zwaaien met hun geweren naar me, nonchalant vijandig, terwijl we uit het naar onfrisse adem en overstromende wc ruikende vliegtuig de hete adem van Afrika in stappen, en ik grijns gelukkig. Ik zou de met geweren zwaaiende beambten wel willen kussen. Ik zou mijn armen willen openen in de zoete vertrouwdheid van thuis. De ongerijmde, wetteloze, vreugdevolle, ge-welddadige, warrige, onlogische zekerheid van Afrika valt op me neer als een roffelende regenbui, in kracht toenemend tot ik doorweekt ben van opluchting.

Dit zijn de tekenen die ik herken:

Daar is het hete, blonde gras aan de kant van de landingsbaan waar het niet ongewoon is zo nu en dan een wegvluchtende duiker te zien, of langpotige, schrijdende secretarisvogels die het terrein doorzoeken naar sprinkhanen.

Daar is de laaghangende grijze hemel van houtrook die boven de stad hangt; de hemel is open, weids en overweldigend, vol zon, stof en rook.

Daar zijn de ongedisciplineerde soldaten met afhangende schouders, spleetogig en omkoopbaar.

Daar zijn de hoog in de lucht cirkelende gieren en de op de grond hippende bonte kraaien, en klinkt het stekenddroge gezang van sprinkhanen.

De immigratiebeambte peutert uitgebreid in zijn neus en bladert dan mijn paspoort door, vettige vingerafdrukken op de pagina's achterlatend. Hij leunt achterover en praat uitvoerig met de vrouw achter hem over de voetbalwedstrijd van gisteravond, zich schijnbaar niet bewust van de groeiende rij vermoeide uitgestapte passagiers voor hem. Wanneer hij eindelijk met zijn aandacht weer bij mij is, vraagt hij: 'Wat is het doel van uw bezoek?'

'Plezier,' zeg ik.

'De aard van uw plezier?'

'Vakantie.'

'Bij wie logeert u?'

'Bij mijn ouders.'

'Zijn die hier?' Hij klinkt verbaasd.

'Daarbuiten,' zeg ik, knikkend naar de grote muil van de luchthaven waar borden hangen die toeristen waarschuwen geen foto's te maken van officiële gebouwen, waaronder de luchthaven, bruggen, militaire wegversperringen, legerbarakken en regeringsgebouwen. Op straffe van ge vangenneming of de dood (wat in Zambia op hetzelfde neerkomt).

De officier fronst naar mijn paspoort. 'Maar u bent geen Zambiaanse?'

'Nee.'

'Zijn uw ouders Zambiaans?'

'Ze hebben een werkvergunning.'

'Ah. Laat me uw retourticket eens zien. Ik begrijp het, ik begrijp het.' Hij bladert mijn ticket door, kijkt mijn 'gele boekje' in, het vaccinatieboekje (dat ik zelf heb getekend – als dokter die en die – en gestempeld met een rubberstempel gekocht in een winkel voor kantoorbenodigdheden om officieel te verklaren dat ik ben ingeënt tegen cholera, gele koorts, hepatitis). Hij stempelt mijn paspoort en geeft mijn documenten aan me terug. 'U hebt drie maanden,' zegt hij.

'*Zikomo*,' zeg ik.

En op zijn gezicht verschijnt een glimlach. 'U spreekt Nyanja.'

'Niet echt.'

'Jawel, jawel,' houdt hij vol, 'natuurlijk, natuurlijk. U spreekt het wel. Welkom terúg in Zambia.'

'Het is fijn om weer thuis te zijn.'

'U zou met een Zambiaans staatsburger moeten trouwen, dan kunt u hier voorgoed blijven,' zegt hij.

'Ik zal mijn best doen,' zeg ik.

Vanessa trouwt als eerste, in Londen, met een Zimbabwaan.

De kleine bult onder de bruidsjurk, achter het boeket, is mijn neefje.

Mama, betoverend in rood en zwart, schrijdt statig de kerk in met in de ene hand een sigaar en in de andere een fles champagne. Ze ziet eruit alsof ze het zó tegen een stier kan opnemen. Ze neemt een teug champagne, die langs haar kin druppelt. 'God vindt het niet erg,' zegt ze. Ze neemt een trek van haar sigaar. Grote rookwolken omhullen haar hoofd en ze duikt er na een paar minuten hoestend uit op om mee te delen: 'Jezus was zelf een wijndrinker.'

Uiteindelijk trouw ik niet met een Zambiaan.

Wanneer ik tussen twee universitaire semesters door in Lusaka ben, waar ik papa's polopony's berijd, krijg ik mijn toekomstige echtgenoot in het vizier. Ik ben net tweeëntwintig geworden.

Ik kan zijn gezicht niet zien. Hij draagt een polohelm met een masker. Hij zit gebukt vóór op zijn zadel, is licht in het zadel, ontspannen met het paard, en gaat nonchalant achter de bal aan.

'Wie is dát in godsnaam?'

Een Amerikaan, zo blijkt, die een safaribedrijf in Zambia heeft: wildwater- en kanosafari's op de Zambezi.

Ik vraag of hij een kok nodig heeft voor een van zijn kampen.

Hij vraagt of ik met hem meega op een verkenningssafari in de bush.

Iedereen waarschuwt hem: 'Haar vader wordt niet voor niets geweren-Tim genoemd.'

Als het aan papa ligt wordt er niet nóg een dochter zwanger voor het huwelijk. Papa heeft tegen me gezegd: 'Voordat de bisschop het huwelijk heeft ingezegend, mag je een man niet dichter naderen dan tot op twee meter afstand.' Hij heeft een bewaker geposteerd bij de hut waarin ik nu slaap. De bewaker heeft een machete en een ploegrister met een vuurtje erin om bezoekers af te schrikken, hoewel elke bezoeker ook het tochtje naar de boerderij zou moeten trotseren over wegen die voortdurend onderhevig zijn aan verval. Maar vanaf het moment dat Vanessa het huis uit is gegaan en is getrouwd, is de stortvloed van mannen die vanuit het hele land ons huis binnenstroomden, toch al afgenomen tot een door droogte getroffen stroompje.

Charlie draagt zijn riviermanager op een romantische maaltijd samen te stellen voor de prachtige vrouw die hij meeneemt naar de bush. Rob kent me. Hij snuift: 'Die kleine koter. Noem je dat een mooie vrouw?'

Rob kende me al toen ik op de boerderij rondscheurde op een motor, wormbuikig en met modder bespat. Hij heeft me gezien toen ik voor het eerst dronken was en me achter de sportsociëteit moest terugtrekken om over te geven in de bougainville. Hij kende me al voordat ik officieel toestemming kreeg om te roken. Hij keek altijd de andere kant op wanneer ik stiekem sigaretten uit zijn pakje op de bar haalde.

Onder de brandende zon verlaten Charlie en ik per kano de riviergeul en drijven het open water van de Neder-Zambezi op. Tegen lunchtijd worden we aangevallen door een olifant. Ik ren een mierenhoop op. Charlie staat zijn mannetje. Wanneer we de tocht hervatten, storten krokodillen zich met onwaarschijnlijke snelheid en behendigheid in het water, waar ze, zo stel ik me voor, onder onze bootjes deinen. We verstoren op het land grazende nijlpaarden, die de rivier weer in plonzen en daarbij geweldige golven onze kant op sturen. Wanneer we bij het eiland komen waar Rob (die daar eerder is aangekomen per speedboot) een tent en een koelbox heeft achtergelaten, verstoort Charlie een slang die mij uit lang gras achterna komt.

We zetten de tent op, maken een vuur en openen dan wat volgens Rob een romantische maaltijd voor een mooie vrouw is: er is één biertje en een varkenskarbonade boven op een brok drijvend ijs.

Die nacht zijn er leeuwen in het kamp. Ze zijn zo dichtbij dat we ze kunnen ruiken: hun rauwe adem en hun geur van warme kattenpis. Er kucht een luipaard; één raspende kuch en dan is het stil. Een luipaard op jacht is stil. Hyena's lachen en *woe-hoepen!* Ze volgen de leeuwentroep, wachtend op een buit, rusteloos, hongerig en rennend. We slapen die nacht geen van beiden. We liggen wakker, luisterend naar de roofdieren, naar elkaars ademhaling.

Het volgende weekend neem ik Charlie mee terug naar Mkushi om hem voor te stellen aan mama en papa.

Als we aankomen staat papa voor de haard. Het is een koele winterdag en nu wordt het vuur om theetijd aangestoken. Mama is een en al glimlach, een brede overcompenserende glimlach om de boze blikken van papa goed te maken.

Ze zegt: 'Thee?'

We drinken thee. De honden springen op en nestelen zich op elke beschikbare schoot. De hond op Charlies schoot begint te krabben, waarbij hij vlooien in het rond verspreidt. Dan gaat hij likken, poten opengeklapt. Charlie duwt de hond naar de vloer waar deze stomverbaasd belandt en hem woedend aankijkt.

Papa zegt: 'Ik begrijp dat je Bobo mee uit kamperen hebt genomen.'

'Dat klopt,' zegt Charlie vriendelijk. Hij is lang en mager en heeft een volle baard en verward donker haar. Hij is zo lang dat hij in Afrikaanse badkamers niet in de spiegel kan kijken, heeft hij me verteld. Dus hij heeft er geen idee van hoe zijn haar eruitziet. Het ziet eruit als het haar van een hartstochtelijke man. Een man met lust.

Papa zet zijn theekop neer en steekt een sigaret op, Charlie door de rook heen monsterend. Hij zegt: 'En hoeveel tenten waren er precies?'

'Eén,' zegt Charlie, overrompeld door de vraag.

Papa schraapt zijn keel, inhaleert diep. 'Eén tent,' zegt hij.

'Dat klopt.'

'Ik begrijp het.'

Er valt een stilte waarin de honden ruzie krijgen om een

schotel melk en de *malonda* luidruchtig achterom komt om de Rhodesische boiler met hout te stoken, zodat er vanavond heet water is om in bad te gaan.

'Er is een heel goede bisschop,' zegt papa plotseling, 'in de Copperbelt. De Zeer Eerwaarde Clement H. Shaba. Anglicaanse kerel.'

Het duurt even voordat de implicaties van deze opmerking tot Charlie zijn doorgedrongen. Hij zegt: 'Huh.'

'Mijn god, papa!'

'Eén tent,' zegt papa en zet zijn theekop neer met verpletterende beslistheid.

Mama zegt: 'Ik denk dat we maar beter een borrel kunnen nemen, vind je ook niet?'

'Papa!'

'Einde verhaal,' zegt papa. 'Eén tent. Hm?'

Elf maanden nadat we elkaar voor het eerst hebben ontmoet trouwen we in de paardenwei. Bisschop de Zeer Eerwaarde Clement H. Shaba leidt de dienst. Mama draagt een kleurrijk mantelpakje met piepkleine bloemetjes op een zwarte ondergrond en een bijpassende hoed. Vanessa is opbollend en mauve, zwanger van haar tweede zoon. Trevor, haar eerste zoon, is gekleed in een matrozenpakje. Papa is waardig gekleed in een marineblauw pak, mooi van snit. Hij zou overal kunnen zijn. Hij komt me in een geleende Mercedes-Benz halen bij de buren waar ik de nacht voor het huwelijk heb doorgebracht. Hij zegt: 'Gaat het een beetje, wijfie?'

Ik heb de afgelopen twee weken een dosis hardnekkige malaria gehad. 'Een beetje misselijk,' zeg ik.

Het is half elf 's ochtends. Papa zegt: 'Een gin-tonic zal je misschien goeddoen.' Hij heeft een gin-tonic met ijs en een schijfje citroen in een dikke glazen tumbler meegenomen van de boerderij. Het zit in een kartonnen doos aan de passagierskant van de auto.

'Proost.' Ik drink.

'Proost,' zegt hij en steekt een sigaret op, onderwijl een extra sigaret uit het pakje omhoog schuddend. 'Wil jij er een?'

'Ik ben gestopt. Weet je nog?'

'O, sorry.'

'Geeft niet.'

We rijden een tijdje voort in stilte. Het is juni, midwinter; een koele, schelle, heldere dag.

'Pierres vee houdt aardig stand,' zegt hij.

'Aardig dik.'

'Wat zou hij ze toch voederen?'

'Katoenzaadkoek, ongetwijfeld.'

'Hm.'

We minderen vaart om een man op een fiets met een vrouw achterop en een kind op het stuur de gelegenheid te geven over de spoorrails te hobbelen.

'*Daisy, Daisy, geef me je antwoord, toe...*'

Papa kijkt me aan en schiet in de lach. Nu zijn we dicht bij de boerderij.

'O god,' zeg ik.

'Wat?'

'Zenuwen.'

'Het komt wel goed,' zegt papa.

'Weet ik.'

'Het is een prima kerel.'

'Weet ik.'

Ik trek de spiegel aan de passagierskant naar beneden en wriemel aan het bloemstukje op mijn hoofd. 'Ik heb het idee dat dit bloemgeval er idioot uitziet, vind je ook niet?'

'Nee hoor.'

'Weet je 't zeker?'

'Je ziet er niet slecht uit als ze eenmaal de modder van je hebben afgeschraapt en je een jurk hebben aangedaan.'

Ik trek een gezicht naar hem.

'Goed, wijfie.' Hij buigt zich naar me toe en knijpt in mijn hand. 'Drink op, we zijn er bijna.'

Ik sla de rest van mijn gin-tonic achterover terwijl we de hobbelige oprijlaan oprijden en een zee van gezichten staat me op te wachten. Ze draaien zich om om papa en mij uit de auto te zien stappen. Er zijn boeren in te korte, bruine, nylon pakken uit het Birmadal en Malawi. Er zijn boerinnen in schouder-striemende zonnejurken, nu al met roze gezichten van het drinken. Kinderen rennen in en uit de hooibalen die voor deze gelegenheid opgesteld zijn. Oude vriendinnen van de middelbare school zwaaien en lachen naar me. Boerenarbeiders staan er, stil en eerbiedig.

Bobo's bruiloft. Het is een grote dag voor de hele boerderij. Papa heeft vaten en vaten vol bier naar de arbeidersdorpen gebracht; genoeg voor een enorm bierfestijn na het huwelijk, waar de hele boerderij aan meedoet. We geven honderden mensen te eten, het hele gazon voor het huis is veranderd in een gigantische doorloop-*braai*plaats.

Het bruiloftsfeest gaat nog drie dagen door nadat Charlie en ik op huwelijkssafari zijn gegaan in het South Luangwa National Park. Adamson, die me als huwelijkscadeau een kleine, met houtsnijwerk versierde houten doos heeft gegeven, doet geen pogingen meer naar huis te gaan. Hij slaapt onder de strijktafel en komt er op gezette tijden onder vandaan om bier te drinken, marihuana te roken en te koken voor de overgebleven gasten. Mama neemt hen mee op ritjes rond de boerderij, voor uitgebreide dronken picknicks. Verscheidenen worden voor het laatst gezien terwijl ze vermoeid van het zadel glijden en worden later door de stalknecht slapend op de zanderige weg of onder de gombomen aangetroffen. Ze slapen beurtelings op elke plek die maar voorhanden is: bed, sofa, tapijt. Papa zorgt ervoor dat de champagne, het bier en de brandy blijven vloeien, wat maar goed is ook, want het water raakt op als de pomp het begeeft. De tuinman komt vanaf het stuwmeertje aanrennen met emmers water en de gasten wordt opgedragen het sanitair te laten rusten en gebruik te maken van de latrine achter in de tuin, speciaal gegraven voor de bruiloft. Papa bakt eieren met spek, bananen en tomaten, en dient voor dertig man ontbijt op terwijl Adamson zachtjes ligt te snurken bij de honden onder de tafel.

Het feest komt ten einde als de elektriciteit uitvalt en papa zichzelf voor het algemeen welzijn als een menselijke fakkel in lichterlaaie zet.

De bloemen voor de bruiloft zijn verzorgd door een dronken homoseksueel uit de Copperbelt. Zijn bloemstukjes, zijn manier van leven, zijn hele levensfilosofie, alles aan die man draait rond het thema vermomming. Mijn bruidsboeket is samengesteld uit wild Afrikaans onkruid, niet uit bloemen. De groene vijver met stilstaand water wordt aan het oog onttrokken door felgekleurde ballonnen. Wit bouwzand bedekt de koeien- en paardenstront in de wei waar Charlie en ik elkaar trouw beloven. De bomen (met kale takken in midwinter) worden versierd met in crêpepapier gewikkelde hoelahoepels.

Papa doet alle hoelahoepels om zijn lichaam, de een boven de ander. Hij zegt: 'Jullie arme sloebers willen licht. Ik breng jullie de Timothy Donald Fuller Elektriciteitsvoorzieningscommissie.' Hij strijkt een lucifer af en steekt zichzelf in brand.

Mama, zingend met in triomf opgeheven armen, schreeuwt: 'Hoezee!'

Papa wordt geblust met een fles champagne door een alerte, gealarmeerde Amerikaanse gast.

Ik kon niet grondiger getrouwd zijn.

344

*Natasya en
haar vader –
Zambia, 2001*

Nu

De doktoren hebben de diagnose gesteld dat mama manisch depressief is.

Ze zegt: 'We zijn allemaal gek,' en voegt daar dan glimlachend aan toe: 'Maar ik ben de enige met een certificaat om het te staven.'

Ze is opgenomen in wat zij 'het gekkenhuis' noemt, in Harare, na een bijzonder manische fase waarin ze onder meer probeerde haar hoogbejaarde vader tot koning van Schotland te laten kronen.

Ze had een plan uitgebroed om haggis te verkopen aan Zambianen en tien pond van het spul langs de Zambiaanse douane gesmokkeld toen ze terugkwam van haar Kroon-Pa-tot-Koning-campagne in Schotland.

De vogels begonnen tegen haar te praten. En ze luisterde naar hun advies.

Ze ging haar best doen om bij het ontbijt al dronken te zijn, zodat de stemmen, de herrie, het geroezemoes in haar hoofd niet zo luid waren.

Ze vergat in bad te gaan, schone kleren aan te trekken of de honden uit te laten.

Toen werd ze op een avond op Leopards Hill Road aangetroffen door een aardig Zambiaans echtpaar uit de middenklasse. Ze liep van huis weg, vertelde ze hun. Papa lag in Oribi Ridge met alle honden in bed en besefte pas dat ze verdwenen was toen de buurtwachten verschenen in hun pick-up met knetterende radio's met zend- en ontvangstinrichting, om papa te vertellen dat mama het laatst was gesignaleerd bij een aardig Zambiaans echtpaar en te vragen wat hij eraan wilde doen.

Het aardige Zambiaanse echtpaar had mama in de auto meegenomen naar hun huis waar ze haar zover probeerden te krijgen te vertellen wie ze was en wat ze deed. Maar mama wilde niet praten. Ze maakten een kop thee voor haar en namen via de radio contact op met de buurtwachten, en terwijl ze afgeleid waren door het contact via de radio, rende mama de achterdeur uit, klom hun schutting over en bleef rennen.

Ze rende naar de kleine privé-kliniek waarvan ze zich herinnerde dat de zusters aardig waren geweest toen ze daar een jaar tevoren was opgenomen voor een spoedoperatie aan haar maag. Ze bonkte schreeuwend op de poort totdat de bewaker wakker werd. 'Laat me binnen,' riep ze huilend. 'Laat me in godsnaam binnen.'

De bewaker opende voorzichtig de poort. Hij tuurde argwanend om het hoekje.

'Ah, maar mevrouw...'

Maar mama stormde langs de bewaker de binnenplaats op en de kliniek in, waar ze de nachtzuster verraste. 'Alstublieft,' smeekte ze, snikkend van de inspanning die het haar had gekost om in het donker achttien kilometer te rennen op schoenen die daar niet geschikt voor waren, 'alstublieft, u moet me helpen.'

De zuster was verbijsterd.

'Ik heb gewoon behoefte aan slaap,' zei mama. 'Breng me in slaap.'

Mama heeft bijna twee jaar lang op en af – meestal op – geslapen. Uitgeput van het leven.

Papa bracht haar naar het gekkenhuis in Harare, de grens over bij Chirundu, waar ze nu minder dan ooit op haar pasfoto leek.

Ze gaven haar zoveel medicijnen dat ze geplet als een vochtige handdoek op de lakens van haar bed lag. Nauwelijks in staat om te spreken. Niet in staat, voor het eerst in haar belezen leven, om een boek op te tillen.

'Het was niet zo heel erg. Ik was er eigenlijk niet,' zegt mama. 'Ik was gewoon een beetje aan het zweven. Zonder iets te voelen. Het was niet goed, het was niet slecht. Het was eigenlijk helemaal niets. Telkens wanneer er iets als een gevoel naar het oppervlak zweefde, gaven ze me meer medicijnen en dan ging dat gevoel weg en merkte ik dat ik heel zwaar en plat werd... Ik heb het grootste deel van de tijd gewoon geslapen.'

Toen verschafte een medepatiënt zich op een ochtend toegang tot mama's kamer, ging op haar bed staan, trok zijn piemel tevoorschijn en piste op haar. Mama was te zwak om te reageren. Ze probeerde te schreeuwen.

'Ik zou die vervloekte kerel bewusteloos hebben geslagen,' zegt mama. Maar haar armen, benen en stem weigerden dienst.

'Toen wist ik dat dit het enige was wat erger was dan gek zijn: zo te zijn als dit... als een vleesklomp.'

Mama en papa hebben nu een visboerderij aan de Neder-Zambezi. Na mama's grote Zenuwinzinking hebben ze een paar jaar in een hut met strodak gewoond. Hun eetkamer was een tafel onder een boom. Hun keuken was een houtvuur onder een andere boom. Het bad was een zinken kuip onder de sterren, omgeven door een grashek. Ik kon vanuit mijn kuip omhoog kijken naar de zwarte, diepe, met zilveren sterren bespikkelde hemel. Het toilet was een belachelijk smal gat in de grond, een latrine met een omvang waar ik bezwaar tegen maakte toen ik uit Amerika op bezoek kwam.

Papa zei: 'We maken hier geen latrines met de omvang van een verlengde limousine. Wij Afrikanen hebben geen gaten nodig van superformaat.'

Ze verdelen hun tijd tussen de hut op Oribi Ridge en de boerderij in Chirundu. Zodra hun nieuwe huis klaar is, zullen ze permanent in Chirundu gaan wonen. Hun naaste Europese buren zijn een paar Italiaanse nonnen die een ziekenhuis runnen voor inheemse dorpelingen, en een gezin dat een vissersherberg runt. De inheemse dorpelingen hebben van oudsher de kost verdiend met het stropen van wild, het vissen in de gevaarlijk krokodilrijke wateren en het omhakken van traaggroeiende hardhoutbomen om houtskool te maken dat ze in Lusaka verkopen. Chirundu is een van de minst gezonde, meest door malaria geteisterde, heetste, onaangenaamste plekken van Zambia. Maar het is, zoals papa zegt: 'Ver van het mensengedrang.'

'Want niemand staat te dringen om daar te gaan wonen,' merk ik op.

'Zo is het.' Papa zwijgt even om aan zijn pijp te frummelen. 'Maar wij hebben nijlpaarden in de tuin.'

Alsof dat opweegt tegen de dikke wolken muskieten, de isolatie, de ondraaglijke, doodslaande hitte en het gebrek aan regen.

Mama neemt nu elke dag één wit pilletje in. Ze zegt: 'Het is net voldoende om mijn geest rustig te houden, maar ook weer niet zoveel om me te vloeren.'

Ze vertelt haar verhalen meer dan één keer. Men heeft gezegd dat dat een bijwerking zou zijn.

Ik zeg: 'Je hebt je verhalen altijd meer dan één keer verteld.'

Ze heeft zes meter koperdraad aan de bomen gehangen dat aan een kortegolfradio bevestigd is. Ze houdt zich bezig met lezen, een tuin aanplanten, naar de radio luisteren, tegen de honden praten, de lunch regelen en een poging om een brief te schrijven, alles tegelijkertijd.

Vanessa heeft haar eerste man verlaten, is hertrouwd en woont nu een paar uur van mama en papa vandaan in een huis dat schertsend 'het rotspaleis' wordt genoemd. Een prachtige, fantasievolle nederzetting die door slangen wordt gefrequenteerd. Ze is net bevallen van haar vierde kind.

Een brief aan mij in Amerika, van mama in Zambia, gedateerd 12 december 2000, luidt gedeeltelijk als volgt:

Wanneer we water krijgen, ga ik als een bezetene in de tuin en met het gazon aan de slag. Ik blijf maar bomen planten, waar het personeel een hekel aan heeft omdat ze water uit een bron moeten halen om ze water te geven, en die beestachtige Mevrouw kruipt van plant tot plant en van vogelvoederplank tot vogelbad zodra ik uit Oribi Ridge terugkom – de vogels daar zijn prachtig!

Ons huis schiet al op – zitkamer doodgewoon, hoog rechthoekig – heeft een plafond nodig wanneer we het ons kunnen veroorloven, en leien, tegels – wat dan ook – voor de vloer, die nog steeds uit cement bestaat. Slaapkamermuren opgetrokken – zo'n vreemde vorm – papa wilde per se een afwijkende vorm en tekende met een stok op de grond iets uit – toen zei de aannemer: 'Hoe zetten we daar het dak op?' en Bwana wist het niet – maar Mevrouw kwam natuurlijk met een briljant idee op de proppen – maar laten we eerst eens zien of het werkt.

Huis met strodak lekt, had laag plafond van zwarte zaaibedplaten die uitzakten en waarin razende hagedissen verstrikt raakten die alleen maar gered konden worden wanneer Mevrouw terugkwam (uit Oribi Ridge). Nee, dit was een zweetkamertje – een geduchte martelkamer – in die hitte kon ik het er niet uithouden – nu moest Banda (al heel lang papa's rechter-

hand) rondkruipen om plastic tegen het riet te bevestigen als een
nette bekleding – NIET wat hij van plan was: plastic over het dak
leggen – stel je voor – het begint hier steeds meer op township-
troep te lijken.

    Arme Van wordt gek van de neerslachtigheid en de pijn en het
wachten (op de geboorte van de baby). Ze zijn naar Dunc en Ni-
collet Hawkesworths huis verhuisd (dichter bij de kliniek)...

    Genoeg gekletst nu!
We zullen met Kerstmis vol liefde aan je denken...
Veel liefs, mama en papa.

Vanessa's baby werd de dag na Kerstmis geboren. Ze
noemde haar Natasya Isabelle Jayne.

    'Jayne' ter nagedachtenis aan de baby die we geen van al-
len ooit zullen vergeten: Olivia Jane Fuller.

    Dit is geen afgerond geheel. Het is het Leven dat door-
gaat. Het is de volgende ademtocht. Het is de keuze die we
maken om verder te gaan.